LE NOUVEL

édito

Niveau B2

Méthode de français

Corina Brillant

Virginie Bazou
Romain Racine
Jean-Charles Schenker

Un grand merci à Élodie Heu et Jean-Jacques Mabilat pour la belle première édition d'Édito
dont nous nous sommes inspirés.
Un chaleureux et amical remerciement à Nora Heinonen en Finlande,
ainsi qu'à Gilles Rufener en Suisse.
Et enfin, toute notre gratitude à l'égard de l'équipe éditoriale.

Les auteurs

Conception et direction artistique de la couverture: Christian Dubuis-Santini © Agence Mercure
Principes de maquette pages intérieures (hors réalisation et iconographie): Christian Dubuis-Santini © Agence Mercure
Mise en page: LNLE
Photogravure: S.C.E.I.
Illustrations: Laurent Bourlaud (pages 10, 28, 46, 64, 82, 100, 118, 136, 154, 172), Bauer (pages 91, 109, 174, 175), Deligne (pages 27, 63, 99, 135, 171), Dom (pages 9, 45, 81, 93, 106, 117, 128, 153, 177, 180)
Édition: Sylvie Baudet
Enregistrements, montage et mixage du CD audio: Fréquence Prod
Montage et interface graphique du DVD: À l'est

© Les Éditions Didier, 2010   ISBN 978-2-278-06657-5

Avant-propos

LE NOUVEL *édito* s'adresse aux étudiants adultes et grands adolescents ayant atteint le niveau B1 et leur permet d'acquérir le niveau B2 (avancé ou indépendant) du CECR.

Étant donné le succès de la première édition d'*Édito*, nous avons repris, tout en les actualisant, ses points forts tels que la présentation du vocabulaire et de la grammaire, ainsi que la manière d'aborder les textes écrits et les documents oraux majoritairement authentiques. Le manuel présente principalement trois nouveautés : une double page **Regards sur la France**, un travail spécifique sur les champs lexicaux et un DVD inclus dans le manuel.

Un accent particulier a été mis sur le culturel et l'interculturel. **Regards sur la France** (article traduit de la presse internationale) apporte un point de vue extérieur sur la société française. De plus, l'espace francophone est fortement représenté dans l'ouvrage à travers de nombreux documents. Ces regards multiples sur la culture et la langue françaises favorisent les échanges en classe à travers des productions écrites et orales. L'interculturel y trouve donc toute sa place par la confrontation de la culture cible à la culture source.

Les pages de vocabulaire, fondamentales dans la progression d'acquisition d'une langue étrangère, sont dynamisées au moyen d'activités de sélection et de réemploi et complétées par des jeux sur des expressions idiomatiques.

Un CD audio et un DVD sont joints à ce NOUVEL *édito*. Dans chaque unité, on trouvera une compréhension audiovisuelle et deux à quatre compréhensions orales ainsi que des exercices sonores complétant les activités grammaticales et lexicales. Le DVD propose une nouvelle forme d'apprentissage attrayante et qui met en œuvre des compétences multiples.

La grammaire est traitée de manière systématique et progressive, passant de la découverte (échauffement) au réemploi (entraînement). Les contenus grammaticaux couvrent, de même que toutes les autres compétences, le niveau B2 du CECR.

En fin d'unité, des ateliers sont proposés sous forme d'approche actionnelle c'est-à-dire sous forme de projets à réaliser en groupes lors desquels les apprenants investissent, dans l'échange, leurs compétences et leurs aptitudes de manière créative et récréative.

À la fin du manuel, on trouvera un mémento grammatical, des conseils pour la production écrite, la transcription des enregistrements et les corrigés des exercices de grammaire et de vocabulaire.

Après l'écriture de cet ouvrage qui nous a enthousiasmés, nous souhaitons que les enseignants puissent y trouver un outil complet et varié qui les aidera dans leur tâche d'enseignement et surtout, que les étudiants prennent plaisir à apprendre la langue française tout en se cultivant et en s'enrichissant personnellement.

Les auteurs

	unité **1** **Médias à la une** pages 9 à 26	unité **2** **C'est dans l'air !** pages 27 à 44
Compréhension orale	• Comprendre une interview sur la santé des médias • Comprendre un reportage radiodiffusé sur la place des femmes dans les médias • Comprendre une revue de presse radiodiffusée	• Comprendre un reportage radiodiffusé sur une spécialité culinaire • Comprendre une interview sur l'histoire d'un accessoire de mode • Comprendre une critique de livre radiodiffusée
Compréhension audiovisuelle	• Comprendre un clip vidéo sur les médias	• Comprendre un reportage de journal télévisé sur une maison de haute couture
Production orale	• Expliquer et commenter une campagne publicitaire • Expliquer ses goûts et ses choix en matière de presse et de télévision • Imaginer l'avenir d'un homme sans médias • Raconter un fait divers	• Commenter un défilé de mode • Expliquer ses goûts et ses choix en matière de mode • Réaliser une interview sur le mode de vie bobo
Compréhension écrite	• Comprendre un article analysant une série télévisée populaire française • Comprendre un texte critique sur les médias • Comprendre un fait divers	• Comprendre un article sur un phénomène de mode culinaire • Comprendre un article sur les phénomènes de mode langagiers • Comprendre une brève sur un lieu tendance • Comprendre un extrait d'essai sociologique sur les tendances • Comprendre un extrait d'essai sociologique sur le phénomène des tribus • Comprendre une BD sur les bobos • Comprendre une BD sur le *bookcrossing*
Production écrite	• Écrire un article sur une série télévisée • Écrire une lettre pour réagir à un article • Compléter les paroles d'une chanson • Écrire un article à partir d'une interview radiodiffusée • Réaliser la une d'un journal • Écrire un article sur un fait divers	• Écrire un article racontant l'histoire de l'introduction d'une spécialité culinaire dans une autre culture • Imaginer, dans une brève, le concept d'un lieu tendance • Écrire un article sur un groupe sociologique • Écrire un article sur un(e) écrivain(e) à succès
Grammaire et vocabulaire	• Les médias p. 12-13 • Le passif p. 16 • Les déclaratifs / Le discours rapporté p. 20-21 • **Exercice sonore** Le discours indirect p. 20 • Le futur p. 24	• La mode p. 31 • Le passé p. 34-35 • Le temps p. 38-39 • **Exercice sonore** L'expression du rythme et de la répétition p. 39 • Les pronoms relatifs p. 42
Documents sonores	• La presse va mal (France Info) p. 17 • Les femmes dans les médias (France Info) p. 22 • À la une de la presse (France Info) p. 22-23	• Le moelleux (France Info) p. 28-29 • L'histoire du talon (France Info) p. 33 • Le succès de *La Consolante* (France Info) p. 43
Documents audiovisuels	• *Terrorisés* (interprétée par Kana) p. 18-19	• Haute couture p. 37
Documents écrits et iconographiques	• Regards sur la France La splendeur balzacienne de *Plus belle la vie* p. 10-11 • Campagne publicitaire du BVP p. 13 • La machine à abrutir p. 14-15 • Le jardinier et les 48 nains p. 25	• Regards sur la France Le hamburger, cette autre cuisine française p. 28-29 • Jactez-vous « hype » ou « branché » ? p. 30 • Brève de comptoir : les parents boivent, les enfants trinquent p. 31 • Les tendances sont tendances p. 32 • Tendances bobos, métrosexuels et autres tribus p. 42 • *Bienvenue à Boboland*, de Dupuy et Berberian p. 41 et 43
Civilisation	• Quiz : La presse écrite française p. 19	• Quiz : L'homme français et la mode p. 33 • Jeu : Les styles vestimentaires parisiens p. 36 • Les bobos p. 40
Ateliers	p. 26 • Réaliser une revue de presse • Créer le journal de la classe	p. 44 • Rédiger un guide des restaurants à la mode • Organiser un *bookcrossing*

tableau des contenus

5

tableau des contenus

	unité **9** **À la recherche du bien-être** pages 153 à 170	unité **10** **Le français** **dans tous ses états** pages 171 à 188
Compréhension orale	• Comprendre une interview radiodiffusée sur la malbouffe • Comprendre une émission parlant du surpoids	• Comprendre un témoignage-souvenir sur la langue française
Compréhension audiovisuelle	• Comprendre un reportage sur un salon de produits « bien-être »	• Comprendre une émission sur des expressions langagières
Production orale	• Débattre de la malbouffe • Expliquer ses goûts en matière de cuisine • Parler des invitations et de ce qu'elles révèlent • Parler de problèmes liés au surpoids et aux discriminations physiques • Débattre des méthodes de développement personnel	• Échanger sur la francophonie • Jeu de diction : prononcer des fourchelangues • Discuter de l'importance de la grammaire • Commenter l'écart entre l'écrit et l'oral • Débattre sur la diversité des langues • Parler des minorités linguistiques • Donner son avis sur le lexique régional
Compréhension écrite	• Comprendre un article comparant le mode de vie des Français à celui des Britanniques • Comprendre une recette de cuisine et les commentaires d'internautes s'y rattachant • Comprendre un texte sur les implications psychologiques des invitations • Comprendre un texte sur les néo-spas • Comprendre une brochure de spa • Comprendre une planche de BD sur l'immunité	• Comprendre un texte sur la littérature francophone • Comprendre un texte de promotion de la langue française • Comprendre et « corriger » un récit en franglais • Comprendre un texte sur l'évolution et les mystères de la grammaire française • Comprendre un texte argumentatif pour la défense de la langue française • Comprendre une lettre avec des expressions régionales
Production écrite	• Écrire un article qui décrit un mode de vie • Rédiger la quatrième de couverture d'un ouvrage sur la malbouffe • Écrire une fiche-cuisine • Raconter, dans une lettre, une invitation surprenante • Écrire un courriel vantant les cures détox • Rédiger un compte rendu dénonçant une discrimination physique	• Rédiger un manifeste d'auteurs francophones • Créer un texte à partir de mots donnés • Franciser des noms de sites Internet • Écrire trois lettres respectant les niveaux de langue
Grammaire et vocabulaire	• L'alimentation p. 156-157 • La cuisine p. 160 • La quantité p. 160 • **Exercices sonores** L'expression de l'appréciation et de la quantité p. 160 • Le corps p. 164 • **Exercice sonore** Expressions imagées p. 164 • Le but p. 168-169	• Les expressions imagées p. 174-175 • Les mots de liaison p. 178 • Les niveaux de langue p. 182 • **Exercice sonore** Les niveaux de langue p. 182 • La condition et l'hypothèse p. 186-187
Documents sonores	• « Ne mâchons pas nos maux » (France Info) p. 154-155 • Le surpoids p. 165	• « La langue française me rappelle mon enfance » p. 184
Documents audiovisuels	• Vivez nature p. 165	• Monsieur Dictionnaire (deux documents : « Chatter » et « Graisser la patte ») p. 177
Documents écrits et iconographiques	• Regards sur la France Le pays où il fait bon vieillir p. 154-155 • Recette du moelleux chocolat p. 159 • Dis-moi comment tu reçois p. 161 • Destination pureté p. 162-163 • Immunité, de Claire Bretécher p. 166-167 • Les pratiques sportives des Français p. 167 • Point de vue p. 169	• Regards sur la France La langue française n'appartient pas à la France p. 172-173 • Fêtez la langue française p. 176 • Francisation : tu ne diras point « hacker » mais « fouineur » p. 179 • Pouvez-vous le dire en français ? p. 179 • Vous reprendrez bien une tranche de grammaire ? p. 180-181 • Combat pour le français, de Claude Hagège p. 183 • Gilles, le Guillaume Tell de la photo p. 184-185
Civilisation	• Le jeu des spécialités p. 158 • Les pratiques sportives des Français p. 167	• Quiz : Êtes-vous champion(ne) d'orthographe et de grammaire françaises ? p. 181
Ateliers	p. 170 • Créer un blog de recettes de cuisine • Concevoir un guide des activités de détente	p. 188 • Écrire un poème « à la manière de » • Improviser un dialogue à partir d'expressions familières

Mémento grammatical p. 190-194   Conseils pour la production écrite p. 195-196
Transcriptions des documents : **CD** p. 197-210 **DVD** p. 211-215   Corrigés p. 216-223

MÉDIAS à la une

« *Rumeur : le plus vieux média du monde.* »

Jean-François REVEL

— Écrire un article sur une série télévisée.
— Faire une critique des médias dans une lettre au courrier des lecteurs d'un journal.
— Compléter les paroles d'une chanson sur les médias.
— Réaliser la une d'un journal.
— Écrire un article sur un fait divers.
— Réaliser une revue de presse pour la radio.
— Créer le journal de votre classe.

Honoré de Balzac

1799-1850

Plus belle la vie

2004-

La splendeur

Habitués aux séries télévisées populaires, les Britanniques observent avec une certaine ironie les commentaires enthousiastes que suscite le succès du soap diffusé chaque soir à 20 h 20 sur France 3.

5 Les unes des journaux en font un phénomène de société, les critiques y voient une réponse balzacienne contemporaine et les sociologues un moyen de lutter contre les préjugés, de briser les tabous et même de changer la face de la France grâce à sa veine populaire et à la noblesse de ses idéaux.
10 S'agit-il d'une nouvelle théorie intellectuelle ? d'un traité de politique ? ou encore d'un mouvement religieux ? Rien de tout cela, quoique le phénomène en question inspire à ses adeptes le même culte fervent. Il s'agit de psychologie du quotidien, de l'observation fouillée et sans concession
15 de la réalité au travers du prisme de la fiction et d'une caméra de télévision. Bref, il s'agit d'un *soap opera*.
Plus belle la vie, feuilleton quotidien sur les aventures et les mésaventures d'un groupe de Français moyens dans un Marseille inondé de soleil, est la première série à grand
20 succès que connaît la France depuis plusieurs décennies. Certains diront même la première de l'histoire de la télévision, dans ce pays qui, jusqu'à présent, refusait de copier les formules anglo-saxonnes en vogue. Tous les soirs de la semaine, à 20 h 20, environ 6 millions de personnes s'ins-
25 tallent pour leur dose quotidienne d'émotions et d'aventures par procuration. Mi-novembre, la série a enregistré un record avec 6,8 millions de spectateurs et une part d'audience de plus de 25 %.
France 3, la chaîne publique qui a lancé la série en 2004,
30 lui a offert récemment une soirée entière, diffusant quatre épisodes à la suite. TF1 et France 2, qui au même horaire d'« *access prime time* » proposent leur JT, n'ont que leurs yeux pour pleurer la désaffection de leurs téléspectateurs. Ce succès est si fulgurant et si inattendu que même les

COMPRÉHENSION ÉCRITE

Entrée en matière
1 Lisez le titre et le chapeau : à votre avis, de quoi va parler cet article et selon quel point de vue ?

1re lecture
2 Qu'est-ce que *Plus belle la vie* ?
3 Quelles sont les intentions des scénaristes ?

2e lecture
4 Quels types de sujets sont abordés dans cette série ?
5 Comment l'auteur explique-t-il sa popularité ?
6 Relevez les différents points de vue sur *Plus belle la vie* et résumez-les. Quels sont les arguments de ses défenseurs ?

7 Selon Marie-Hélène Bourcier, en quoi la volonté de réalisme des créateurs de la série a-t-elle dérivé vers une représentation simpliste ?
8 Connaissez-vous *La Comédie humaine* ? Pourquoi Michel Maffesoli compare-t-il *Plus belle la vie* à l'œuvre de Balzac ?

Vocabulaire
9 Relevez les mots et expressions qui se rapportent au média télé puis :
a | classez-les dans les catégories suivantes : les émissions, les personnes, les lieux, les structures ;
b | expliquez ceux que vous n'avez pas pu classer.
10 Selon l'article, « *Michel Maffesoli assure pompeusement que* Plus belle la vie *marque*

balzacienne de *Plus belle la vie*

35 créateurs de la série ne l'avaient pas imaginé. « *Il y avait des séries de ce genre dans les années 1970.* [Notamment *Vive la vie!* avec Micheline Presle et Daniel Ceccaldi, dont les 143 épisodes ont été diffusés à partir de 1966.] *Mais, depuis, le genre était complètement tombé en déshé-*
40 *rence* », remarque Christophe Marguerie, président de la maison de production Telfrance. [Avant *Plus belle la vie*], « *les chaînes n'avaient tout simplement pas envie de tenter l'aventure. Nous avons été les premiers. Nos concurrents s'y essaient maintenant et lancent eux aussi leurs propres sé-*
45 *ries… mais elles ne décollent pas.* » On attribue le « phénomène PBLV », comme l'appellent les médias, à plusieurs facteurs. Ses créateurs assurent avoir inventé une série qui « *tend un miroir à la société française* » en décrivant la vie quotidienne et les tracas de gens ordinaires.
50 Voilà une ambition qui peut sembler bien banale aux Britanniques que nous sommes, accros de longue date à *Coronation Street* ou *East Enders* [deux séries populaires diffusées depuis 1960, pour la première, et depuis 1985, pour la seconde], mais, en France, c'est un fait rare, suffi-
55 samment en tout cas pour que le sociologue Michel Maffesoli assure pompeusement que *Plus belle la vie* marque « *le retour de l'importance du banal, au sens étymologique du terme* ». Offrant à la saga télévisée des références littéraires, Michel Maffesoli n'hésite pas à écrire que PBLV
60 serait l'équivalent contemporain de *La Comédie humaine*, l'imposant chef-d'œuvre de Balzac.

« Notre beur* est avocat et notre Noir, cadre supérieur »
Les sujets de société abordés vont de l'immigration au racisme, en passant par les sectes et l'homophobie. Le casting
65 met en scène toutes les générations, toutes les couleurs de peau et toutes les orientations sexuelles. Les ados se droguent, les homosexuels s'embrassent et la policière d'origine maghrébine livre sur deux fronts sa guerre contre la discrimination. « *Nous avons fait le choix délibéré de ne pas élu-*
70 *der les problèmes les plus délicats de la société française et de les aborder de face, par l'intermédiaire de personnages auxquels les spectateurs tendent à s'identifier* », explique Thierry Sorel, directeur adjoint de l'unité fiction de France 3. « *Nous ne faisons pas la morale, nous ne jugeons pas, mais*
75 *la série aide les gens à comprendre d'autres points de vue.* » Ses créateurs sont convaincus qu'une série télé peut avoir des répercussions bénéfiques sur la société si elle donne à voir des personnages réalistes, et non des stéréotypes. « *Notre Beur n'est pas épicier mais avocat. Notre Noir est*
80 *cadre supérieur* », insiste Christophe Marguerie. Une approche qui agace aussi. « *La série se veut très républicaine (tout le monde est tolérant envers tout le monde, c'est cool d'être gay), mais en réalité cette vision est très problématique* », estime Marie-Hélène Bourcier, sociologue et mili-
85 tante des droits des homosexuels. « *Les personnages ont quarante ans de retard. Tout cela est très négatif, ça n'a rien d'un progrès.* »
Mais la *success story* de *Plus belle la vie* semble partie pour durer. Ces derniers mois, au-delà de la série télévisée, s'est
90 développée toute une gamme de produits dérivés, ainsi qu'un magazine destiné aux fans qui se vend à plus de 1 million d'exemplaires par mois. Ouverte en juillet dernier à Marseille, la boutique consacrée à PBLV reçoit des centaines de visiteurs chaque jour, la plupart venus spécia-
95 lement pour visiter la ville qui a inspiré leur fiction. L'office du tourisme de Marseille s'en frotte les mains et organise des visites des studios de tournage et du quartier du Panier, dont s'inspiraient les ruelles et les places ombragées du quartier fictif appelé le Mistral. Comme le reconnaît son
100 directeur, Maxime Tissot, interrogé par *France Soir*, « *c'est la meilleure carte de visite que l'on pouvait espérer* ».

Lizzy Davies, *The Observer*,
dans *Courrier international*, n° 944, 4 décembre 2008.

* *Un Beur : un Arabe.*

"le retour de l'importance du banal, au sens étymologique du terme" ». Faites des recherches sur le sens étymologique et l'acception actuelle de « banal ».

PRODUCTION ORALE

→ 11 Existe-t-il, dans votre pays, une série télé nationale qui ait autant de succès que *Plus belle la vie* ? La regardez-vous ? Pourquoi ?

12 Aimez-vous regarder des séries télé ? Si oui, lesquelles et pourquoi ? Sinon, pourquoi ?

13 Pensez-vous qu'une série télé puisse « *[aider] les gens à comprendre d'autres points de vue* » et « *avoir des répercussions bénéfiques sur la société* » ? Justifiez votre réponse.

PRODUCTION ÉCRITE

14 Choisissez une série télé qui vous semble représentative de votre société et écrivez un article pour le *Courrier international* dans lequel vous décrivez le scénario et expliquez en quoi elle « *tend un miroir de votre société.* »

VOCABULAIRE > les médias

LA PRESSE

l'abonnement *(m.)*
s'abonner
l'agence (de presse) *(f.)*
le canard *(fam.)*
la dépêche
la diffusion
la feuille de chou *(fam.)*
l'hebdomadaire *(m.)*
le journal
le/la lecteur(-trice)
le lectorat
local(e)
le magazine
le mensuel
le périodique
la presse à scandale
la presse féminine
la presse people
la publicité
le quotidien
régional
la revue
le tabloïd
le tirage

1 Par quels termes peut-on désigner un journal ?

LES TYPES D'ARTICLE / LES PARTIES D'UN JOURNAL

l'article *(m.)*
la bande dessinée
le billet
la caricature
le chapeau
la chronique
la colonne
couvrir (un événement)
le débat
le dessin
l'éditorial *(m.)*
l'enquête *(m.)*
l'entrefilet *(m.)*
l'entretien *(m.)*
le feuilleton
l'interview *(m.)*
la légende
la manchette
la photo
le reportage
la rubrique
le sommaire
le sondage
les sources *(f. pl.)*
le supplément
le titre / les gros titres
la une

expressions :
faire la une
avoir bonne presse

2 Faites correspondre les différentes parties de la page de journal ci-dessous avec un mot de la liste.
3 Retrouvez dans la liste les termes qui correspondent aux définitions suivantes :
a | un bref article
b | un gros titre en première page
c | une histoire à suivre

LES RUBRIQUES

culture
économie
économique et sociale
faits divers
jeux
médias
météo
petites annonces
politique française
politique internationale
la rubrique des chiens écrasés *(fam.)*
social
société
spectacles
sports

4 Identifiez les rubriques de ces titres de presse. (plusieurs solutions sont parfois possibles)
a | Forte mobilisation pour le statut de la Poste
b | Le « oui » irlandais soulage l'Europe
c | Société Générale : vers un remboursement anticipé de l'aide de l'État
d | Carla la Première Dame ouvre son site, l'Élysée va « twitter »
e | JO 2016 : Chicago compte sur l'effet Obama
f | Fréquentation en hausse pour la 8e Nuit Blanche

LA RADIO

l'auditeur(-trice)
baisser le volume
le canal
écouter
la FM
la longueur d'onde
le message
mettre moins / plus fort
les ondes courtes / longues
le poste
radiophonique
la réception
retransmettre
la station
le transistor
le volume

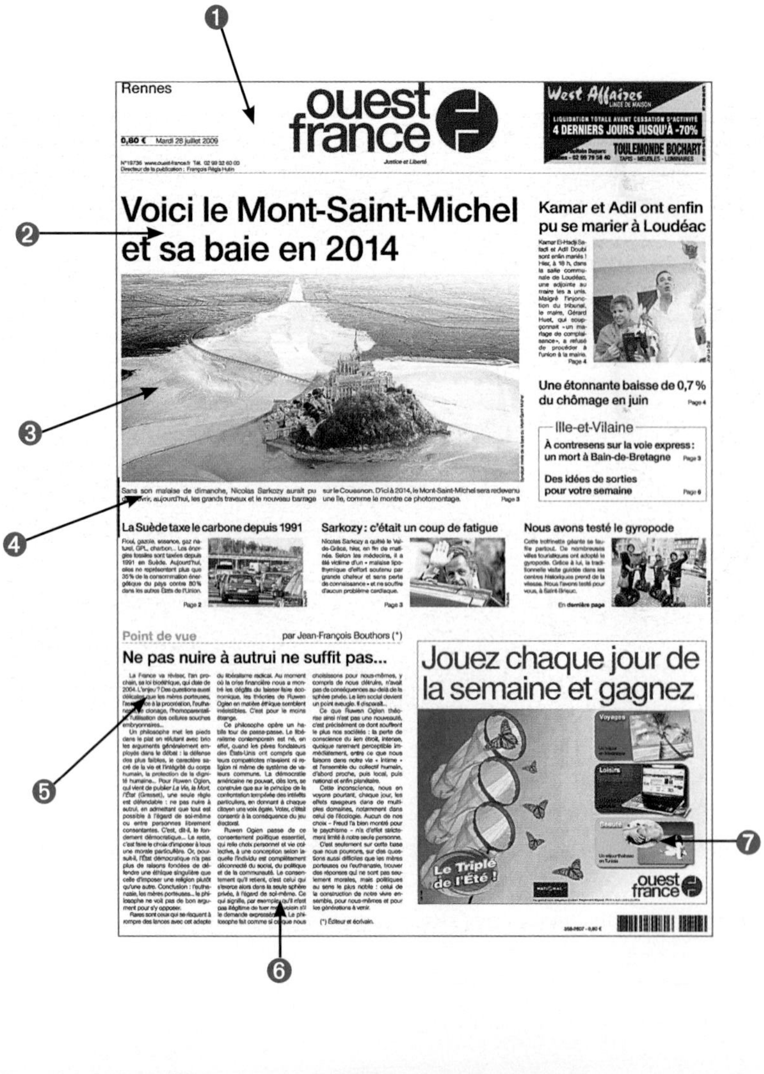

LA TÉLÉVISION

l'antenne *(f.)*
l'audience *(f.)*
l'audimat *(m.)*
audiovisuel(le)
le câble
la chaîne (nationale / régionale)
changer de chaîne
le clip
la comédie
crypté
diffuser
la diffusion
le documentaire
le drame
émettre
l'émission *(f.)*
en direct / en différé
le feuilleton
la fiction
le film
inédit
le jeu
le journal télévisé (le JT)

le magazine
la (page de) publicité
la parabole
présenter
le programme
le *reality-show*
la réception
recevoir
la redevance audiovisuelle
la rediffusion
regarder
le réseau
retransmettre
la retransmission
le satellite
la série
le service public
suivre
le *talk-show*
la télé
le téléfilm
la télé-réalité
le/la téléspectateur(-trice)
téléviser
télévisuel
la téloch *(fam.)*

la TNT (télévision numérique terrestre)
zapper
le zapping

expressions :
être à l'antenne
rendre/garder l'antenne
passer à la télé
le petit écran
en prime time

> **5** Quels termes désignent des émissions ?
> **6** Quelles sont les actions possibles du téléspectateur et de l'auditeur ?

LES PROFESSIONS DES MÉDIAS
l'animateur(-trice)
l'annonceur *(m.)*
le/la chroniqueur(-euse)
le/la correspondant(e)
l'envoyé(e) spécial(e)
le/la journaliste
le/la présentateur(-trice)

le/la producteur(-trice)
le/la rédacteur(-trice) en chef
la rédaction
le/la reporter

> **7** Qui travaille pour...
> **a |** la presse ?
> **b |** la radio ?
> **c |** la télé ?
> (plusieurs possibilités pour un même métier)

LA COMMUNICATION
la censure
communiquer
l'information *(f.)*
la liberté d'information
la liberté de la presse
le média
les médias (publics / privés)
médiatique
la médiatisation
le moyen d'information

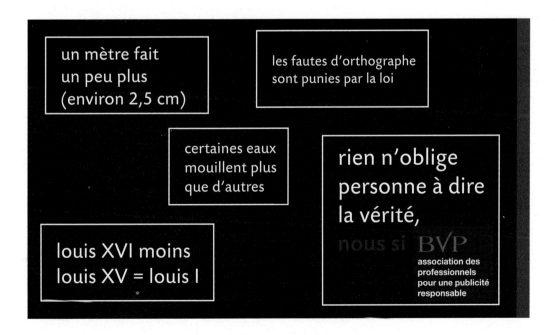

PRODUCTION ORALE

Expliquez et commentez cette campagne du Bureau de Vérification de la Publicité*.

* *Devenu, depuis le 25 juin 2008, l'Autorité de Régulation Professionnelle de la Publicité.*

La machine à abrutir

Jusqu'à présent, la qualité des médias audiovisuels, public et privé confondus, n'était pas vraiment un sujet. Puis le président de la République découvre que la télévision est mauvaise. Il exige de la culture. En attendant que la culture advienne, l'animateur Patrick Sabatier[1] fait son retour sur le service public. En revanche, des émissions littéraires disparaissent. C'est la culture qui va être contente.

ironique

Avec l'alibi de quelques programmes culturels ou de quelques fictions « créatrices », les défenseurs du service public le trouvaient bon. Ils ne sont pas difficiles. Comme si, à l'instar d'une vulgaire télévision commerciale, on n'y avait pas le regard rivé à l'Audimat. Comme si la démagogie y était moins abondante qu'ailleurs.

Les médias ont su donner des dimensions monstrueuses à l'universel désir de stupidité qui sommeille même au fond de l'intellectuel le plus élitiste. Ce phénomène est capable de détruire une société, de rendre dérisoire tout effort politique. À quoi bon s'échiner à réformer l'école et l'Université? Le travail éducatif est saccagé par la bêtise médiatique, la bouffonnerie érigée en moyen d'expression, le déferlement des valeurs de l'argent, de l'apparence et de l'individualisme étroit diffusées par la publicité, ultime raison d'être des grands groupes médiatiques. [...]

Lorsqu'on les attaque sur l'ineptie de leurs programmes, les marchands de vulgarité répliquent en général deux choses: *primo*, on ne donne au public que ce qu'il demande; *secundo*, ceux qui les critiquent sont des élitistes incapables d'admettre le simple besoin de divertissement. Il n'est pas nécessairement élitiste de réclamer juste un peu moins d'ineptie. Il y a de vrais spectacles populaires de bonne qualité. Le public demande ce qu'on le conditionne à demander. On a presque abandonné l'idée d'un accès progressif à la culture par le spectacle populaire. Victor Hugo, Charlie Chaplin, Molière, René Clair, Jacques Prévert, Jean Vilar, Gérard Philipe étaient de grands artistes, et ils étaient populaires. Ils parvenaient à faire réfléchir et à divertir. L'industrie médiatique ne se fatigue pas: elle va au plus bas.

Chacun a le droit de se détendre devant un spectacle facile. Mais, au point où en sont arrivées les émissions dites de « divertissement », il ne s'agit plus d'une simple distraction. Ces images, ces mots plient l'esprit à certaines formes de représentation, les légitiment, habituent à croire qu'il est normal de parler, penser, agir de cette manière. Laideur, agressivité, voyeurisme, narcissisme, vulgarité, inculture, stupidité invitent le spectateur à se complaire dans une image infantilisée et dégradée de lui-même, sans ambition de sortir de soi, de sa personne, de son milieu, de son groupe, de ses « choix ». Les producteurs de téléréalité [...], les dirigeants des chaînes privées ne sont pas toujours ou pas seulement des imbéciles. Ce sont aussi des malfaiteurs. On admet qu'une nourriture ou qu'un air viciés puissent être néfastes au corps. Il y a des représentations qui polluent l'esprit.

[...]

On a le choix? Bien peu, et pour combien de temps? La concentration capitaliste réunit entre les mêmes mains les maisons d'édition, les journaux, les télévisions, les réseaux téléphoniques et la vente d'armement. [...]

Quelle liberté? La bêtise médiatique s'universalise. L'esprit tabloïd contamine jusqu'aux quotidiens les plus sérieux. Les médias publics courent après la démagogie des médias privés. Le vide des informations complète la stupidité des divertissements. Car il paraît qu'en plus d'être divertis nous sommes informés. Informés sur quoi? Comment vit-on en Éthiopie? Sous quel régime? Où en sont les Indiens du Chiapas? [...] Qui nous informe et qui maîtrise l'information? On s'en fout. Nous sommes informés sur ce qu'il y a eu à la télévision hier, [...], les accidents de voiture de Britney Spears. La plupart des citoyens ne connaissent ni la loi, ni le fonctionnement de la justice, des institutions, de leurs universités, ni la Constitution de leur État, ni la géographie du monde qui les entoure, ni le passé de leur pays, en dehors de quelques images d'Épinal.

[...]

Le plus important, ce sont les gens qui tapent dans des balles ou qui tournent sur des circuits. Après la Coupe de France de football, Roland-Garros, et puis le Tour de France, et puis le Championnat d'Europe de football, et puis... [...] L'annonce de la non-sélection de Truc ou de Machin, enjeu national, passe en boucle sur *France Info*. Ça, c'est de l'information. La France retient son souffle. On diffuse à longueur d'année des interviews de joueurs. On leur demande s'ils pensent gagner. Ils répondent invariablement qu'ils vont faire tout leur possible; ils ajoutent: « *C'est à nous maintenant de concrétiser.* » Ça, c'est de l'information.

On va interroger les enfants des écoles pour savoir s'ils trouvent que Bidule a bien tapé dans la balle, si c'est « cool ». Afin d'animer le débat politique, les journalistes se demandent si Untel envisage d'être candidat, pense à l'envisager, ne renonce pas à y songer, a peut-être laissé entendre qu'il y pensait. On interpelle les citoyens dans les embouteillages pour deviner s'ils trouvent ça long. 115 Pendant les canicules pour savoir s'ils trouvent ça chaud. Pendant les vacances pour savoir s'ils sont contents d'être en vacances. Ça, c'est de l'information. [...]

On demande au premier venu ce qu'il pense de n'importe quoi, et cette pensée est considérée comme digne 120 du plus grand intérêt. Après quoi, on informe les citoyens de ce qu'ils ont pensé. Ainsi, les Français se regardent. Les journalistes, convaincus d'avoir affaire à des imbéciles, leur donnent du vide. Le public avale ? Les journalistes y voient la preuve que c'est ce qu'il demande.

125 Cela, c'est 95 % de l'information, même sur les chaînes publiques. Les 5 % restants permettent aux employés d'une industrie médiatique qui vend des voitures et des téléphones de croire qu'ils exercent encore le métier de journalistes. Ce qui est martelé à la télévision, à la radio 130 envahit les serveurs Internet, les journaux, les objets, les vêtements, tout ce qui nous entoure. Le cinéma devient une annexe de la pub. La littérature capitule à son tour. […]

La bêtise médiatique n'est pas un épiphénomène[2]. Elle 135 conduit une guerre d'anéantissement contre la culture. Il y a beaucoup de combats à mener. Mais, si l'industrie médiatique gagne sa guerre contre l'esprit, tous seront perdus.

Pierre JOURDE, *Le Monde diplomatique*, août 2008.

1. Animateur d'émissions de variété, qui connut un grand succès dans les années 1980. – 2. Phénomène accessoire accompagnant un phénomène essentiel.

COMPRÉHENSION ÉCRITE

1re lecture

1 Lisez l'article. De quels médias parle-t-il ?
2 Expliquez son titre.

2e lecture

3 Selon l'auteur, quel phénomène est « *capable de détruire une société* » ?
4 Quels sont les arguments des médias pour défendre leurs programmes ? Comment l'auteur démonte-t-il leurs arguments ?
5 En quoi ces programmes constituent-ils, selon lui, un risque pour les téléspectateurs ?
6 Comment l'auteur perçoit l'information diffusée par les médias ? Quels exemples cite-t-il ?
7 De quel effet de contamination parle l'auteur ?
8 Quel est le ton de l'auteur et quels moyens stylistiques emploie-t-il pour défendre son point de vue ? Donnez des exemples extraits du texte.

Vocabulaire

9 Relevez les termes et expressions qui désignent :
a | les professionnels des médias ;
b | les actions pour communiquer.
10 Relevez le lexique lié au combat, à la guerre.

PRODUCTION ORALE

11 Partagez-vous la vision des médias de Pierre Jourde ? Expliquez pourquoi.
12 « *Le travail éducatif est saccagé par la bêtise médiatique* » : êtes-vous d'accord ? Pourquoi ?
13 Quels moyens pourraient-être mis en œuvre pour lutter contre la « *machine à abrutir* » ?

PRODUCTION ÉCRITE

14 Écrivez une lettre au courrier des lecteurs du *Monde diplomatique* dans laquelle vous réagissez à cet article.

LA TÉLÉ ET VOUS

PRODUCTION ORALE

1 Regardez-vous la télévision ? Combien d'heures par jour ? Quelles émissions ? Pourquoi ?
2 Que pensez-vous de la qualité des programmes télévisuels de votre pays ?
3 Que pensez-vous de la téléréalité ?
4 Selon vous, quels sont les effets positifs et négatifs de la télé ?
5 Connaissez-vous des chaînes françaises ou francophones ? Voyez-vous de grandes différences avec celles de votre pays ?
6 Présentez votre émission préférée.
7 Choisissez une des citations suivantes et commentez-la.

a | « *Il y a deux catégories de télévision : la télévision intelligente qui fait des citoyens difficiles à gouverner et la télévision imbécile qui fait des citoyens faciles à gouverner.* » Jean Guéhenno
b | « *Quand on va au cinéma, on lève la tête. Quand on regarde la télévision, on la baisse.* » Jean-Luc Godard
c | « *La télévision ne connaît pas la nuit. Elle est le jour perpétuel.* » Jean Baudrillard
d | « *Je hais la télévision. Je la hais autant que les cacahuètes. Mais je ne peux pas m'empêcher de manger des cacahuètes.* » Orson Welles

GRAMMAIRE > le passif

ÉCHAUFFEMENT

1 Dans les phrases suivantes, le sujet « réel », celui qui fait l'action, n'apparaît pas comme tel. Quelles sont les structures utilisées ?

a | En plus d'être divertis, nous sommes informés.

b | On dit que la presse écrite va mal.

c | La question principale qui se pose, c'est à quelle condition les informations sont acceptées ou pas.

d | Le travail éducatif est saccagé par la bêtise médiatique.

e | Un homme de 68 ans s'est fait arrêter, hier, pour vol de nains de jardin.

f | Il est, de plus, interdit de pénétrer dans le jardin d'autrui.

g | Défense d'afficher.

h | Ça ne se fait pas.

L'EXPRESSION DU PASSIF

Lorsque le sujet « réel » d'un verbe est inconnu ou considéré comme peu important, il y a plusieurs possibilités :

• **le passif** : le complément d'objet direct de la phrase active devient le sujet de la phrase passive et est mis en valeur. L'agent (le sujet « réel »), lorsqu'il apparaît, est précédé de *par* (**a, d**).

• **la forme pronominale à sens passif** (**c, h**). Elle personnalise l'objet.

• *on* (**b**) représente un groupe (les journalistes, les experts, le public...) ou une personne inconnue.

• **un verbe impersonnel** (**f**).

• *se faire* + **infinitif** peut être utilisé pour un acte volontaire ou subi (**e**).

• **un substantif suivi d'un infinitif** (**g**).

ENTRAÎNEMENT

2 Dans les phrases suivantes, remplacez « on... » par une forme passive, une forme impersonnelle ou une forme pronominale.

Exemple : *On prévoit une augmentation du carburant → Une augmentation du carburant est prévue / Il est prévu une augmentation du carburant.*

a | On a abandonné l'idée d'un accès progressif à la culture par le spectacle populaire.

b | On admet qu'une nourriture ou qu'un air viciés puissent être néfastes au corps.

c | On attribue le succès de *Plus belle la vie* à plusieurs facteurs.

d | On se pose la question.

e | On diffuse à longueur d'année des interviews de joueurs.

f | On ne pourra pas se passer de la presse écrite.

3 Transformez ces titres de presse en utilisant le passif.

Exemple : *Défaite de la France en finale →
La France a été battue en finale.*

a | Arrestation de deux pirates

b | Assassinat d'un grand patron

c | Remise du Prix Nobel de médecine à trois Américains

d | Consultation d'une soixantaine d'organisations sur le changement de statuts de la Poste

e | Lancement d'une campagne pour rappeler le danger des drogues aux jeunes

f | Qui a tué le photoreporter Christian Poveda ?

■ LA PRESSE VA MAL

COMPRÉHENSION ORALE

1re écoute ~~directeur~~

1 Qui est interviewé ? Quelles sont ses fonctions et spécialités ?

2 De la santé de quel média parle-t-il et quel est son diagnostic ?

2e écoute

3 Quelle différence fait-il entre information et communication ?

4 Quels sont les points forts et les points faibles…

a | de la presse gratuite ?

b | de la presse payante ?

5 Quel est le paradoxe de l'information et quelle relation entretient-elle avec la démocratie ?

Vocabulaire

6 Quels sont les autres médias évoqués dans cette interview ?

7 Reliez les termes suivants à leur définition :

a | le rééquilibrage   **1** | et cetera (etc.)

b | l'instantanéité   **2** | le nouvel équilibre

c | l'agendamento   **3** | extrêmement grand ou important

d | gigantesque   **4** | le fait d'être soumis à une autorité

e | la subordination   **5** | l'action de se libérer d'une autorité

f | et compagnie   **6** | le caractère de ce qui est immédiat

g | l'émancipation   **7** | l'ordre du jour établi par les médias pour le public en hiérarchisant l'information

unité 1 **médias à la une**

LA PRESSE ET VOUS

PRODUCTION ORALE

1 Vous tenez-vous au courant de l'actualité ? À quelle fréquence ? Comment ? Sinon, pourquoi ?

2 Achetez-vous un journal ? Si oui, lequel ? Êtes-vous abonné(e) ? Le lisez-vous du début à la fin ? Sinon, quelles sont vos rubriques favorites ? Et les rubriques qui ne vous intéressent pas ? Pourquoi ?

3 Quand et où préférez-vous lire le journal ?

4 Quelle catégorie de journaux ou magazines vous ne lisez jamais ? Pourquoi ?

5 Comment pourriez-vous caractériser les journaux ou magazines que vous lisez (forme, lectorat, tendance politique…) ?

6 Connaissez-vous des journaux ou des magazines français ? Lesquels ? Qu'en pensez-vous ?

7 Voyez-vous des différences importantes entre la presse française et celle de votre pays ?

8 Présentez le journal ou le magazine de votre pays que vous préférez (format, tirage, tendance politique, rubriques les plus importantes…).

Terrorisés
Terrorisés
Terrorisés les gens sont terrorisés (bis)

Ils s'inventent des tics et des tocs
Pas moyen d'avancer
Deux petits pas devant
Et trois pour reculer
Oppressés prenant des coups
Des claques de tous côtés
La pression est si forte
Qu'on ne peut la stopper

Terrorisés
Terrorisés
Terrorisés les gens sont terrorisés (bis)

Politique sans éthique
C'est du toc de mauvaise qualité
Des statistiques et des tactiques
Pour nous faire paniquer
Trop de beaux discours
Et les cerveaux sont saturés
Trop de longs discours
Les gens sont désabusés

Dans la presse et le journal
Téléguidés
Qu'importe la chaîne ou le canal
Télévisés
Dans le stress et les scandales
Médiatisés
Ils ne font pas dans le détail
pour nous contaminer

Contaminés
Contaminés
Contaminés les gens sont contaminés (bis)

Dans un monde plastique qui débloque
Les fous sont alignés
En rang par deux bien symétrique
Tout est numéroté
Formaté robotisé
Plus question de s'échapper
La pression est si forte

Tous les jours la panique trop de chocs
Ça craque de tous côtés
La peur s'invite et tout se bloque
Pas moyen de respirer
Tic tac le temps passe
On est saturés
La peur et l'angoisse
Ne font qu'avancer

Terrorisés
Terrorisés
Terrorisés les gens sont terrorisés

Manipulés
Manipulés
Manipulés les gens sont manipulés

Terrorisés
Terrorisés
Terrorisés les gens sont terrorisés

Manipulés
Manipulés
Manipulés
les gens sont
manipulés

Interprétation,
paroles et musique : Kana
Album *Les Fous,*
les Savants
et les Sages, 2008.

COMPRÉHENSION AUDIOVISUELLE

1er visionnage (sans le son)

1 Quelle est la nature de ce document ?
À votre avis, quel en est le sujet ?

2 Quels sont les différents médias représentés ?

3 Quels types d'images reconnaissez-vous ?
Qu'est-ce qui les caractérise ? Savez-vous à quels
types de programmes ou de presse elles renvoient ?

2e visionnage (avec le son)

4 Quel est le style musical ?

5 De quoi parle cette chanson ?

6 Quel est le refrain ? Combien y a-t-il de couplets ?

7 Quel titre pouvez-vous donner à chaque couplet ?

3e visionnage (avec le son)

8 Reconnaissez-vous les émissions parodiées par
le clip et les différents rôles joués par les membres
du groupe ?

9 Quelle vision des médias reflète le document ?

Vocabulaire

10 Trouvez dans le texte les équivalents de :

a | un geste bref automatique

b | une manie

c | sans valeur, faux et prétentieux

d | ensemble des moyens pour parvenir à un résultat

e | divaguer, déraisonner

f | ne plus pouvoir supporter quelque chose

11 Êtes-vous terrorisé(e) par les images du monde véhiculées par les médias ? Citez des exemples.

12 Pensez-vous que les médias nous manipulent ? Justifiez votre réponse.

13 Complétez cette chanson : écrivez d'autres couplets possibles.

CIVILISATION

QUIZ : *LA PRESSE ÉCRITE FRANÇAISE*

1 **Parmi ces journaux, retrouvez les trois quotidiens nationaux, les trois quotidiens régionaux, les trois magazines d'actualités générales et le quotidien spécialisé dans le sport.**

a

b **Observateur** *le nouvel*

c **L'ÉQUIPE**

d **Le Point**

e **le Parisien**

f **Le Monde**

g **ouest france**

h **L'EXPRESS**

i

j **LE FIGARO**

2 **Voici les quotidiens qui ont les plus forts tirages. Associez-les au nombre d'exemplaires vendus chaque jour en 2008.**

a | *Le Monde*   **1** | 310 000

b | *Le Parisien*   **2** | 300 000

c | *Ouest France*   **3** | 510 000

d | *L'Équipe*   **4** | 800 000

e | *Le Figaro*   **5** | 320 000

3 **Le média qui a le plus fort tirage est...**

a | la presse nationale.

b | la presse régionale.

c | la presse spécialisée.

4 **Voici les plus anciens quotidiens français. Associez-les à leur date de création.**

a | *Le Figaro*   **1** | 1904

b | *La Croix*   **2** | 1915

c | *Le Monde*   **3** | 1826

d | *L'Humanité*   **4** | 1944

e | *Le Canard enchaîné*   **5** | 1880

5 **Parmi ces journaux, lesquels sont des hebdomadaires satiriques ?**

a | *La Tribune*

b | *Le Canard enchaîné*

c | *Charlie Hebdo*

d | *Les Échos*

e | *Siné Hebdo*

f | *L'Humanité*

g | *Bakchich Hebdo*

6 **Pouvez-vous citer deux journaux français gratuits ?**

VOCABULAIRE > les déclaratifs

LES VERBES « DÉCLARATIFS »

Tous ces verbes peuvent être suivis d'une subordonnée introduite par que, *sauf précision contraire.*

accepter
admettre
ajouter
annoncer
apprendre
assurer
avertir
avouer
bafouiller
balbutier
bégayer
certifier
chuchoter
confier
confirmer
constater
crier
déclarer
demander si/de/que
démontrer
dire
entendre dire
s'exclamer
expliquer
faire remarquer
gueuler *(fam.)*
hurler
indiquer
informer
insinuer
insister sur le fait
jurer
mentionner
murmurer
nier
noter

objecter
observer
se plaindre
préciser
prétendre
prévenir
promettre
raconter
rappeler
reconnaître
répéter
répliquer
répondre
révéler
sortir *(fam.)*
souligner
soutenir
supplier
susurrer
vouloir savoir si

expressions :
crier par-dessus les toits
dire haut et fort

Attention !
Ne pas confondre :
demander si (question) et
demander de + infinitif
ou *que* + subjonctif
(ordre)
Il m'a demandé si je venais.
≠ *Il m'a demandé de venir.*

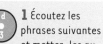 **1** Écoutez les phrases suivantes et mettez-les au discours indirect, en les introduisant par un des verbes de la liste selon la situation évoquée. (plusieurs solutions possibles)

LES PAROLES

l'allusion *(f.)*
l'annonce *(f.)*
l'aveu *(m.)*
le baratin *(fam.)*
le bégaiement
le blabla *(fam.)*
le commérage
le cri
la déclaration
le discours
l'engueulade *(f., fam.)*
l'exclamation *(f.)*
l'exhortation *(f.)*
l'exposé *(m.)*
l'injure *(f.)*
l'interrogatoire *(m.)*
la promesse
la répartie
la réplique
le serment

2 Choisissez trois termes de la liste et utilisez-les dans un court dialogue.

LES PERSONNES

le/la baratineur(-euse) *(fam.)*
bavard(e)
l'interlocuteur(-trice)
le/la locuteur(-trice)
le/la médiateur(-trice)
le/la menteur(-euse)
moqueur(-euse)
le/la négociateur(-trice)
l'orateur(-trice)
la pipelette
le vantard

expressions :
avoir du bagout
avoir la langue bien pendue
être bavard(e) comme
    une pie
le beau parleur

le moulin à paroles
ne pas avoir la langue dans
    sa poche

3 Quels termes ou expressions désignent des personnes...
a | qui parlent beaucoup ?
b | qui parlent très bien ?

LES AUTRES VERBES DE PAROLE

appeler
bavarder
calomnier
citer
commenter
dévoiler
discuter
exagérer
exposer
formuler
gronder
injurier
insulter
interpeller
se lamenter
médire
mentir
se moquer
négocier
nommer
papoter
parler
plaisanter
prêter serment
prier
questionner
réclamer
sermonner
(se) taire
taquiner
(se) vanter

LE DISCOURS RAPPORTÉ AU PASSÉ

• **présent** → **imparfait**
Je viens. → *Il a dit qu'il venait.*

• **passé composé** → **plus-que-parfait**
J'ai vu ce film. → *Il a dit qu'il avait vu ce film.*

• **futur** → **conditionnel présent**
Je partirai. → *Il a dit qu'il partirait.*

• **futur antérieur** → **conditionnel passé**
Il sera parti quand nous arriverons. → *Il a dit qu'il serait parti quand nous arriverions.*

Les autres conjugaisons restent inchangées : le conditionnel reste au conditionnel, le subjonctif reste au subjonctif...
Je veux qu'il parte. → *Elle m'a dit qu'elle voulait qu'il parte.*

À noter que l'imparfait peut devenir, dans certains cas, un plus-que-parfait.
Hier j'étais malade, mais aujourd'hui je suis guéri.
→ *Il m'a dit qu'il avait été / était malade la veille...*

L'EXPRESSION DU TEMPS DANS LE DISCOURS RAPPORTÉ

Discours direct	→ Discours rapporté
la semaine dernière	→ la semaine précédente / d'avant
il y a trois jours	→ trois jours avant / auparavant / plus tôt
avant-hier	→ l'avant-veille
hier	→ la veille
aujourd'hui	→ ce jour-là
en ce moment	→ à ce moment-là
ce matin	→ ce matin-là / le matin
ces jours-ci	→ ces jours-là
cette semaine	→ cette semaine-là
ce mois-ci	→ ce mois-là
demain	→ le lendemain
après-demain	→ le surlendemain
dans trois jours	→ trois jours après / plus tard
la semaine prochaine	→ la semaine d'après

PRODUCTION ÉCRITE

À partir de la transcription (p. 197) de l'interview de la p. 17, écrivez un article dans lequel vous rapportez les deux premières questions du journaliste et les réponses correspondantes de Dominique Wolton.

LES FEMMES DANS LES MÉDIAS

1re écoute

1 Quel est le problème évoqué par le journaliste ?

2 Comment ce problème a-t-il été mis en évidence ?

3 Quels médias sont cités ?

2e écoute

4 Pour chaque média, relevez l'inégalité décrite. Quelle autre inégalité est soulignée ?

5 Quelle critique émet le journaliste ?

6 Quelle est la solution proposée par la Commission et que permettra-t-elle ?

Vocabulaire

7 Relevez les termes et expressions synonymes de :

a femme ;

b homme.

8 Que signifie CSA ?

a Conseil supérieur de l'audiovisuel.

b Commission scientifique de l'audiovisuel.

c Conseil des sages de l'audiovisuel.

PRODUCTION ORALE

9 Une telle inégalité existe-t-elle dans les médias de votre pays ? Justifiez par des exemples.

10 Que pensez-vous de l'image de la femme véhiculée par les médias ?

À LA UNE DE LA PRESSE

A

B

COMPRÉHENSION ORALE

Entrée en matière

1 Regardez ces unes de journaux. Quels sont les points communs et les différences dans leur présentation ?

1re écoute

2 De quel type d'émission radio s'agit-il ?

3 Retrouvez les unes évoquées par le journaliste.

4 Parmi les femmes évoquées, laquelle est...

a | la personnalité de la télé ?

b | la personnalité politique ?

c | la star ?

d | la championne ?

2e écoute

5 Pourquoi chacune de ces personnalités fait la une des journaux ?

6 Quel est le ton du journaliste ? Justifiez par des exemples.

Vocabulaire

7 Relevez les expressions utilisées pour décrire la situation de TF1.

PRODUCTION ORALE

8 Pensez-vous que ces informations aient leur place à la une de grands quotidiens nationaux ? Pourquoi ?

9 Pour vous, quelles sont les caractéristiques d'une une de qualité ?

PRODUCTION ÉCRITE

10 Réalisez la une du journal idéal de ce jour en sélectionnant les informations qui vous semblent importantes (nationales et internationales) et en les organisant sur la page (textes et images).

GRAMMAIRE > le futur

1 Quels temps peut-on utiliser pour exprimer le futur ? Dites quelles idées ces temps expriment.

Exemple : *Aujourd'hui, c'est Internet qui doit tuer la presse écrite. La radio, la télévision, non, simplement il y aura un rééquilibrage, c'est évident.* → futur simple / prévision

a | Je crois que je ne vais plus acheter le journal.

b | Nonce Paolini va-t-il survivre à l'arrivée du nouveau numéro 1 bis, Axel Duroux ?

c | C'est encore *Libération* qui annonce les mesures-choc décidées par Martine Aubry : elle va faire rayer des listes 48 000 adhérents socialistes.

d | L'alliance avec le MoDem n'est plus un tabou : pour Ségolène Royal, l'alternance en 2012 ne pourra se faire qu'avec le centre.

e | Mais, si l'industrie médiatique gagne sa guerre contre l'esprit, tous seront perdus.

f | Je serai toujours là pour toi.

g | Tu vas me le dire oui ou non !

h | Quand vous aurez terminé de rédiger, vous relirez votre article.

i | Un jour, nous n'aurons plus besoin de travailler !

j | Ce soir, sur toutes les chaînes, le président fait un discours.

L'EXPRESSION DU FUTUR

Pour exprimer une idée ou un fait futurs, on peut utiliser :

le présent
à condition d'être sûr et de préciser le moment dont on parle (**j**)

le futur proche
• pour une décision (**c**)
• pour marquer la quasi-certitude avec des verbes comme *je crois que / je pense que* (**a**)
• pour une demande forte, une menace, une prière (**g**)
• pour un futur… proche (**b**)

le futur simple
• pour une prévision ou une prédiction (**d**)
• pour un ordre ou des instructions (**h**)
• pour une promesse (**f**)
• pour un projet, un rêve (**i**)
• pour marquer une incertitude, une action qui dépend d'une condition nécessaire (notamment avec *quand* et après une complétive précédée de *si*) (**e**)

le futur antérieur
pour une action future qui se déroule avant un autre fait futur (**h**)

2 Mettez le verbe entre parenthèses au temps qui convient (futur simple, futur proche ou présent).

a | Ce soir, je (aller) au cinéma.

b | Préviens-moi quand tu (être) prêt.

c | Je (se marier) demain.

d | Un jour, je (se marier).

e | Je reviens, je (acheter) du pain.

f | Si tu n'es pas sage, tu (ne pas avoir) de dessert.

3 Mettez les verbes entre parenthèses au temps qui convient (futur simple ou futur antérieur).

a | Qu'est-ce que tu (faire) quand tu (perdre) ton travail ?

b | Quand tu (vouloir) me parler, je te (écouter).

c | Je (ne pas être) là quand tu (rentrer).

d | Tu me le (dire) quand tu (prendre) ta décision ?

e | On (acheter) une maison quand on (gagner) assez d'argent.

f | Je (envoyer) la lettre quand tu l' (relire).

PRODUCTION ORALE

4 Imaginez l'avenir de cet homme.

Rémi Malingrëy

Le jardinier et les 48 nains

Un homme de 68 ans s'est fait arrêter, hier, pour vol… de nains de jardin! Quarante-huit nains subtilisés, sur une période de deux ans dans des jardins du Morbihan, ont été retrouvés au domicile d'un ancien
5 jardinier à la retraite. La police avait été alertée par un voisin qui trouvait étrange la prolifération de ces petits bonhommes dans le jardin (de 20 m²!) mitoyen du sien et encore plus étrange la tendance de son voisin à les re-peindre. La police a rapidement fait le lien entre cette piste
10 et les nombreuses déclarations de vols de décorations de jardin déposées dans les commissariats et gendarmeries de la région.

Le voleur en série a expliqué son geste aux enquêteurs par la tristesse qu'il éprouvait à chaque fois qu'il passait
15 devant un jardin où se trouvait « *un nain seul, sans ami,*

sans personne à qui parler. » Son intention, louable somme toute, était donc de « *les réunir* ».

« *Cela prête à rire, mais reste du vol quand même, ça ne se fait pas. Il est, de plus, interdit de pénétrer dans le jardin*
20 *d'autrui sans y être invité* » a déclaré le lieutenant Pierre Soulier. « *En revanche, les raisons de son geste incitent à penser que le prévenu n'a pas toute sa tête et il sera proba-blement confié à un hôpital psychiatrique.* »

COMPRÉHENSION ÉCRITE

1ʳᵉ lecture

1 Lisez cet article. Choisissez dans la liste « Les rubriques », p. 12, celle à laquelle cet article appartient.

2 Qui est le personnage principal et que lui est-il reproché ?

2ᵉ lecture

3 Pourquoi le lieutenant Pierre Soulier pense que l'homme « *n'a pas toute sa tête* » ?

Vocabulaire

4 Relevez les termes et expressions qui désignent :
a | le personnage principal de cette histoire ;
b | l'objet de son délit.

PRODUCTION ORALE

5 Lisez-vous la rubrique des faits divers ? Pourquoi ?

6 Selon vous, ce genre d'histoire a-t-il sa place dans un journal ? Justifiez votre réponse.

7 Avez-vous eu connaissance de faits divers absurdes ? Si oui, racontez-en un à la classe.

PRODUCTION ÉCRITE

8 Écrivez un article qui raconte un fait divers absurde, réel ou imaginaire.

9 Imaginez un fait divers à partir de ce tableau de David et écrivez un article pour le raconter.

Jacques-Louis DAVID, *La Mort de Marat*, 1793.

ATELIERS

1 REVUE DE PRESSE

Vous allez réaliser une revue de presse pour la radio.

Démarche

En groupes de deux ou trois :

1 Préparation
• Vous sélectionnez trois ou quatre journaux nationaux.
• Vous analysez les informations qui sont à la une et comment elles sont présentées.
• Vous retenez une information sur chaque une.

2 Réalisation
• Pour chaque information retenue, vous lisez l'article du journal.
• Vous résumez l'essentiel de l'information.

3 Présentation
Vous présentez votre revue de presse à la classe.

2 JOURNAL DE LA CLASSE

En grand groupe, vous allez réaliser le journal de la classe.

Démarche

1 Préparation
• Vous choisissez un nom pour le journal.
• Chaque jour, vous désignez deux étudiant(e)s qui rédigeront un article sur un événement qui s'est déroulé dans la ville ou dans le pays. N'oubliez pas les illustrations (dessins, photos).

2 Réalisation
• Après quinze jours, vous réunissez les articles. Vous les classez dans différentes rubriques.
• Vous faites des groupes : chaque groupe s'occupera de la mise en page d'une rubrique.
• Vous réunissez toutes les pages et montez le journal.

C'EST DANS L'AIR !

> « La mode est ce que l'on porte.
> Ce qui est démodé, c'est ce que
> portent les autres »
>
> Oscar WILDE

— Écrire un article racontant l'histoire de l'introduction d'une spécialité culinaire dans une autre culture.
— Commenter un défilé de mode.
  Imaginer, dans une brève, le concept d'un lieu tendance.
— Rédiger un guide des restaurants à la mode.
— Écrire un article qui décrit un groupe sociologique.
— Écrire un article sur un écrivain à succès.
— Organiser un *bookcrossing*.

Note des auteurs : Le lexique de la mode et des tendances comportant un grand nombre de termes anglais, on ne s'étonnera pas du foisonnement des anglicismes dans cette unité.

Le hamburger,

Petits ou grands, étoilés ou non, les chefs se sont approprié le célèbre plat américain et l'ont adapté à leur manière. Un phénomène qui ne relève pas de la simple mode.

5 On peut rendre hommage à la grandeur de la France en respectant une nouvelle tradition locale : manger du hamburger. Introduits il y a quelques années mais ne décollant réellement que depuis neuf mois, hamburgers et cheeseburgers ont envahi la capitale. Partout où les
10 touristes sont susceptibles d'aller cet été – cafés du boulevard Saint-Germain, lieux fréquentés par le monde de la mode et même restaurants trois étoiles –, ils ont toutes les chances de trouver un steak haché juteux, invariablement ou presque servi entre deux tranches de petit pain rond
15 au sésame. « *Il a le goût de l'interdit, de l'illicite, voire du subversif* », assure Hélène Samuel, consultante auprès de restaurants. « *Manger avec les doigts, c'est de la régression pure. Et naturellement, tout le monde en veut.* »
Voilà un retournement de tendance pour le moins inatten-
20 du, dans un pays où un chef a jadis réclamé 2,7 millions de

Entrée en matière

1 Lisez le titre et identifiez la source de cet article. Faites des hypothèses sur son contenu.

1re lecture

2 De quel phénomène est-il question dans cet article ? En quoi est-ce plus qu'une simple mode ?

2e lecture

3 Pourquoi s'agit-il d'un « *retournement de tendance* » ?

4 Quel est le ton de la journaliste ? Justifiez par des exemples.

Vocabulaire

5 Quels sont les ingrédients utilisés pour les hamburgers traditionnels ? Quels sont ceux des hamburgers à la française ?

6 Relevez les termes qui montrent que le hamburger a, maintenant, toute sa place dans les cuisines des restaurants français.

■ LE MOELLEUX

1re écoute

1 De quel gâteau parle ce reportage ? Quelles sont ses caractéristiques ? En avez-vous déjà goûté ? Si oui, qu'en avez-vous pensé ?

2 Par qui, où et quand a-t-il été créé ?

3 Que représentait-il au moment de sa création ?

2e écoute

4 En quoi ce gâteau illustre la démocratisation des tendances ?

5 Quelle est sa place aujourd'hui dans la gastronomie ?

Vocabulaire

6 Relevez les termes qui montrent que le moelleux au chocolat a perdu de son originalité.

cette autre cuisine française

dollars de dommages et intérêts à McDonald's pour une affiche suggérant qu'il rêvait d'un Big Mac. Le hamburger se situait aux antipodes de la cuisine française : sans façon, préparé et avalé en vitesse, d'origine étrangère et
25 impossible à manger proprement. Mais, si les chefs français ont adopté cet aliment typiquement américain, ils se le sont également approprié en y incorporant des fioritures hexagonales comme le cornichon, la fleur de sel et le thym frais. Ces tentatives pour franciser le hamburger, voire
30 l'améliorer, donnent certainement à penser que le produit s'est solidement implanté dans le pays. « *Ce n'est pas une simple mode* », affirme Frédérick E. Grasser-Hermé, qui a créé un burger pour la boîte de nuit *Black Calvados*, sur les Champs-Élysées, auprès de laquelle elle officie comme
35 chef conseil : un hamburger de *wagyu*, le bœuf japonais de Kobé, assaisonné de ce qu'elle appelle du ketchup noir à base de mûres et de cassis. « *Le hamburger est devenu un mets gastronomique.* »
Quelques chefs parmi les plus prestigieux de Paris ont
40 relevé le défi. Yannick Alléno, trois étoiles au *Michelin*, sert un succulent hamburger épais dans son restaurant,

Le Dali. C'est son pâtissier, Frédéric Lalos, lauréat d'un des concours de cuisine les plus disputés du pays, qui fabrique les petits pains ronds. Fourrés de poitrine fumée, de laitue,
45 de pickles à l'aneth, de moutarde, de mayonnaise et accompagnés de frites, il vous en coûtera 35 euros. Romain Corbière, le chef du restaurant d'Alain Ducasse *Le Relais du Parc*, prépare un hamburger saisonnier *à la plancha*. *L'Atelier* de Joël Robuchon propose « Le Burger », com-
50 posé de deux petits steaks hachés surmontés de tranches de foie gras de dimensions quasi égales.
Les hamburgers étaient loin d'être inconnus à Paris. Mme Grasser-Hermé en a goûté pour la première fois en 1961 à la Légion américaine, onze ans avant que
55 McDonald's ait dévoilé ses arches dorées en France. Mais, à quelques rares exceptions près, ils étaient insipides, trop cuits et boudés même par les expatriés américains. De nos jours, les chefs reconnaissent qu'un hamburger n'est pas simplement 170 grammes de bœuf haché maigre et grillé
60 un peu trop longtemps. [...]

Jane SIGAL, *The New York Times*, dans *Courrier international*, n° 929, 21 août 2008.

PRODUCTION ORALE

7 Que pensez-vous de ce phénomène ? Pensez-vous que le hamburger ait sa place dans la gastronomie française ?
8 Dans votre pays, une spécialité culinaire étrangère est-elle devenue un phénomène de mode ?

PRODUCTION ÉCRITE

9 Choisissez une spécialité française qui soit à l'opposé des traditions culinaires de votre pays (les escargots, les cuisses de grenouille, le foie gras...) et imaginez qu'elle y soit introduite et devienne un véritable phénomène de mode. Écrivez un article pour *Courrier international* dans lequel vous raconterez l'histoire de l'introduction de cette spécialité, son adaptation par les cuisiniers et ce qui indique qu'elle est devenue un phénomène de mode.

PRODUCTION ORALE

7 Dans votre pays, existe-t-il une création culinaire qui, après avoir été à la mode, est devenue un classique ? Si oui, laquelle ? Racontez son histoire.

unité 2 c'est dans l'air !

JACTEZ-VOUS « HYPE » OU « BRANCHÉ » ?

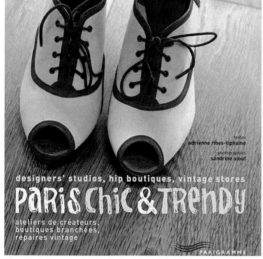

designers' studios, hip boutiques, vintage stores

PARIS CHIC & TRENDY

ateliers de créateurs,
boutiques branchées,
repaires vintage

PARIGRAMME

Les mots trahissent aussi sûrement que des fringues ou un *make-up* trop marqués. Et le désir de faire « jeune » côté vocabulaire peut nous classer dans le pathétique aussi immanquablement qu'un Régé Color[1]
5 un peu trop uniforme sur des tempes argentées.

Vous pensez faire « branché » ? Mais ce mot lui-même remonte à 1866 lorsque Théodore de Banville, dans *Gringoire*, écrivait « *Il y avait là force gens branchés* ». À l'époque, « branché » voulait dire « pendu à un arbre ou
10 à un gibet ». C'est dans les années 1980 que le mot commence à fleurir au sens de « dans le coup ». Il y a bien sûr aussi eu « in » et « out », terribles « franglismes » qui ont surtout eu leur heure de gloire dans les magazines, pour désigner les personnalités « en hausse » ou « en baisse ».
15 Sorte de retour au gibet version médias…

De « branché », on a filé la métaphore[2] électrique pour risquer un « câblé » qui ne clignota que quelques courts trimestres à nos oreilles. Puis avec Internet apparaît « connecté », dont seul le contraire (« déconnecté ») a
20 réussi à détrôner « démodé », « obsolète » ou « désuet ».

Aujourd'hui ? On n'est plus « branché », on est « hype », voire « trendy », et, dans le cas contraire, on ne fait plus seulement « plouc » mais « ringue » (pour ringard). Et puiser dans le lexique des années 1980-1990 revient

25 en gros, aux yeux de nos enfants ou de leurs copains, à s'habiller façon Deschiens[3] pour une soirée « clubbing ».

De la même façon, le verlan, qui a eu son heure de gloire dans ces années-là, n'est plus guère prisé et classe d'emblée son utilisateur dans les « paléobranchés » (des per-
30 sonnes un poil « déconnectées »). De ce parler à l'envers ne sont restés que « chelou » (louche), « à donf » (à fond), « keuf » (flic), « teuf » (fête) ou « truc de ouf » (histoire de fou). Pour le reste, se croire « chébran » est pire encore que s'imaginer « branché ».

35 Le vieil argot, lui, se classe désormais aux côtés du vieux français : sur les étagères de la désuétude. Car lui aussi se renouvelle aussi vite que passent les saisons. Désormais, on n'est plus « accro » (au chocolat, au chant choral), on est « addict », on « kiffe » bien ce qu'on fait. Et quand
40 on trouve un truc « génial », on ne s'écrie plus « super ! » mais « mortel ! » (« elles sont mortelles, tes pompes », entendez : « ils sont jolis, tes souliers »).

Depuis belle lurette, on ne cherchait plus « chicane » : désormais, on « provoque grave ». Les « chiards » ou
45 « gniards » sont depuis deux ou trois ans devenus des « nains », la « scoumoune », un « manque de bol », les « embrouilles », de simples « complications » et les « gonzesses » et autres « nénettes » sont en passe de (re)devenir des « fiancées » (même si l'on y ajoute
50 parfois le suffixe « du moment »). […]

Hélène VIALA,
Le Monde, 30 août 2006.

1. Produit pour colorer les cheveux. – 2. Développer une métaphore sur le même thème. – 3. Série télévisée française, créée par Jérôme Deschamps et Macha Makeïeff, qui met en scène des personnages kitsch représentant chacun le stéréotype d'une région française.

COMPRÉHENSION ÉCRITE

1re lecture

1 Lisez l'article et expliquez son titre.
2 Quelle évolution raconte-t-il ?

2e lecture

3 Quels sont les procédés linguistiques du parler « hype » ou « branché » ?

Vocabulaire

4 Relevez les expressions qui signifient :
a | à la mode ;
b | démodé.

PRODUCTION ORALE

5 Que pensez-vous du parler « hype », « branché » ? Selon vous, enrichit-il ou appauvrit-il la langue ?
6 Dans votre langue, ce phénomène existe-t-il ? Si oui, citez des exemples.
7 **En scène !** Avec un(e) ami(e), vous venez d'assister au défilé de mode d'un couturier très « branché ». À la sortie, vous comparez (avec le vocabulaire « branché ») vos impressions : l'un(e) a trouvé la collection très novatrice, l'autre non. Jouez la scène devant la classe.

BRÈVE DE COMPTOIR : LES PARENTS BOIVENT, LES ENFANTS TRINQUENT !

Reflet d'une société où l'enfant est roi, la tendance du bar pour chères têtes blondes est née dans la capitale en 2002 avec l'ouverture du *Cafézoïde* pour les 0 à 16 ans. Café culturel et sans alcool, il propose aux minots, pour une cotisation annuelle de 2,50 €,
5 un accès à Internet, des ateliers, des cours de danse, des consos à 1,50 €…
Le phénomène s'est vite répandu partout en France avec, par exemple, le *Nidouillet* à Caen, l'*Abord'âge* à Nantes et le *Merci qui ?* à Marseille où un salon de thé-resto propose aux adultes tartes et
10 salades tandis qu'une salle de jeux bien garnie offre dînettes, poupées, petites voitures et jeux de société à des bambins aux anges. De quoi détourner l'expression « les parents boivent » (un thé ou un café) et « les enfants trinquent » (avec des verres en plastique multicolores) !

COMPRÉHENSION ÉCRITE

Entrée en matière
1 Regardez la photo : de quel lieu s'agit-il et à qui est-il destiné, à votre avis ?

1re lecture
2 De quel phénomène parle cet article et que reflète-t-il selon l'auteur ?

2e lecture
3 Quelles sont les particularités de ces lieux ?
4 Expliquez les noms des bars de Caen, Nantes et Marseille.

Vocabulaire
5 Relevez les mots ou expressions qui signifient « enfant ».

PRODUCTION ORALE
6 Le phénomène des bars pour enfants existe-t-il dans votre pays ?
7 Citez des points positifs et des points négatifs de cette tendance.

PRODUCTION ÉCRITE
8 Imaginez le concept d'un lieu (bar, restaurant, cinéma, théâtre…) qui correspond à un phénomène de mode et écrivez une brève pour le décrire.

VOCABULAIRE > **la mode**

ÊTRE À LA MODE… OU NE PAS ÊTRE !
branché(e) *(fam.)*
être un basique
câblé(e) *(fam.)*
être un classique
connecté(e) *(fam.)*
dans le coup *(fam.)*
déconnecté(e) *(fam.)*
démodé(e)
désuet(-ète)
en vogue
fashion
hype (fam.)
in
être incontournable
être indémodable
avoir un look /
   être looké(e) *(fam.)*
obsolète
out (fam.)
plouc *(fam.)*

être prisé(e)
ringard / ringue *(fam.)*
être sapé(e) *(fam.)*
avoir du style / être stylé(e)
être tendance
trendy (fam.)

expressions :
avoir son heure de gloire
avoir un air de déjà-vu
ça craint *(fam.)*
être dans l'air du temps
être une tarte à la crème

> **1** Quels termes ou expressions signifient…
> **a** | être à la mode ?
> **b** | être démodé ?
> **c** | ne pas se démoder ?

LES PERSONNES
le couturier / le grand
   couturier
le créateur / la créatrice

la fashionista
le mannequin
le modèle
la modeuse
le/la photographe
le top model
le/la styliste

> **2** Qui…
> **a** | conçoit les vêtements ;
> **b** | les diffuse ;
> **c** | les porte ?

LE MOUVEMENT DE LA MODE
adapter
adopter
amorcer
s'approprier
apparaître
cartonner *(fam.)*
commencer
créer

déclencher
démarrer
se démoder
diffuser
envahir
s'implanter
influencer
introduire
inventer
passer (de mode)
plébisciter
se répandre

expressions :
jeter aux orties
tomber aux oubliettes

> **3** Quels termes ou expressions désignent…
> **a** | la naissance d'un phénomène de mode ;
> **b** | sa vie ;
> **c** | sa mort ?

LES TENDANCES SONT *TENDANCE*

Boire | Manger | Danser | Draguer | Se looker | Bouger | Écouter+Voir | Et aussi...

Nous voilà intrigués par ces focalisations du désir, par lesquelles des individus différents les uns des autres, sans s'être concertés, se découvrent les mêmes envies. Ces convergences du goût collectif ont
5 par exemple plébiscité le moelleux au chocolat puis les macarons, le tennis puis le golf, les voitures hybrides après les « 4 x 4 ». Les médias accordent une grande attention à ce phénomène, consacrant un large espace à ce que nos contemporains aiment ou… devraient aimer.

10 Sous leur apparente légèreté, les tendances ne se limitent pas à des phénomènes frivoles et marchands. Les plus réfléchis de nos actes peuvent eux aussi être régis par des modes. C'est par exemple le cas de l'opération qui consiste à choisir le prénom d'un enfant. Les parents mettent tout leur
15 soin dans cette décision qui accompagnera leur progéniture d'un bout à l'autre de leur existence. Certains cherchent à singulariser leur rejeton, d'autres au contraire à lui donner un prénom signant son appartenance à un groupe ; les uns ont recours à leur intuition, les autres aux guides disponi-
20 bles autour de cette question. Mais au bout du compte, il existe bel et bien des cycles durant lesquels apparaissent l'engouement puis le désamour vis-à-vis d'un prénom.

Les tendances nous accompagnent désormais dans chacun des domaines de notre existence. De la maison aux
25 vacances, en passant par la gastronomie ou les danses : chaque domaine connaît ce télescopage entre les choix individuels et les goûts collectifs. Tout se passe comme si les désirs du grand nombre étaient désormais régis par une autorité aussi puissante que capricieuse : la mode. Les
30 jeans ont été larges pendant plusieurs saisons ? La tendance leur somme de devenir moulants – slims – la saison d'après. Les dandys avaient le visage glabre ? Maintenant, ils optent pour le bouc ou la moustache. L'été, la Méditerranée était l'endroit incontournable ; désormais, il fau-
35 dra préférer l'Atlantique. Et puis, un jour, la mode passe ; l'objet tant désiré hier, le *must have*, devient le comble du démodé ; le signe distinctif, objet de toutes les convoitises, se mue en stigmate. Le cimetière des tendances gagne un nouvel occupant.

Guillaume ERNER, *Sociologie des tendances*, PUF, 2008.

Entrée en matière

1 Lisez le titre de ce texte et prenez connaissance de sa source. De quoi va-t-il être question et selon quelle approche ?

1ʳᵉ lecture

2 Dans le premier paragraphe, retrouvez la définition d'une tendance. Quels exemples Guillaume Erner a-t-il choisis pour illustrer ce phénomène ?

2ᵉ lecture

3 Les tendances sont-elles sans importance d'après l'auteur ? Justifiez votre réponse par des exemples.
4 Dans quels domaines se manifestent les tendances ?
5 Retracez les étapes de la vie d'une tendance en citant des passages du texte.

Vocabulaire

6 Relevez les mots et expressions :
a | synonymes de « tendance » ;
b | qui montrent la toute puissance des tendances.
7 Cherchez dans le texte un équivalent de :
a | approuvé par la majorité
b | l'enfant
c | ordonner
d | prêt du corps
e | dépourvu de poils
f | se transformer

QUIZ : *L'HOMME FRANÇAIS ET LA MODE*

Choisissez la réponse qui vous semble correcte.

1 Le matin, la majorité des hommes…
a | passent un certain temps à choisir leur tenue.
b | prennent le premier vêtement qui leur tombe sous la main.
c | ne se posent pas de questions : ils ont préparé leur tenue la veille.

2 Quelle star inspire le plus les tendances vestimentaires masculines ?
a | Le footballeur David Beckham.
b | Keanu Reeves dans le film *Matrix*.
c | Dani Boon dans le film *Bienvenue chez les Ch'tis*.

3 Si les hommes attachent de l'importance à leur tenue vestimentaire, c'est pour…
a | se sentir bien dans leur peau.
b | donner une certaine image d'eux sur leur lieu de travail.
c | séduire les femmes.

4 Dans quelle tenue les hommes se sentent-ils le plus séduisant ?
a | En jean et tee-shirt.
b | Moulés dans des vêtements près du corps.
c | En costume chic.

5 Quel avis compte le plus pour les hommes dans le choix d'un vêtement ?
a | Celui des amis.
b | Celui des femmes.
c | Aucun : ils n'ont besoin de personne.

6 Quelle est l'équation correcte ?
a | Les femmes aiment la mode, donc les femmes aiment les hommes à la mode, et comme les hommes aiment plaire aux femmes donc, oui, les hommes aiment la mode !
b | Les hommes aiment plaire aux femmes qui aiment les hommes qui aiment la mode donc, oui, les hommes aiment la mode !
c | Les femmes aiment plaire aux hommes qui aiment les femmes à la mode donc, oui, les hommes aiment la mode !

L'HISTOIRE DU TALON

Entrée en matière

1 Regardez les photos et décrivez-les.
2 Comment trouvez-vous ces chaussures ?

1ʳᵉ écoute

3 Qui est interviewé et de quoi parle-t-il ?
4 Quand ont été inventées les chaussures à talons et pourquoi ?

2ᵉ écoute

5 Quelles sont les grandes étapes de l'histoire du talon haut à partir de Catherine de Médicis ?
6 Quelles sont les particularités des talons de cette saison ? Regardez à nouveau les photos et retrouvez les exemples cités dans l'interview.

p. 159

Vocabulaire

7 Cherchez dans le document un équivalent de :
a | un talon très haut et très fin
b | l'origine
c | le contraire du BCBG
d | se débarrasser de quelque chose

8 Vous aimez les hauts talons ? Pourquoi ?
9 Les chaussures vous paraissent-elles être un élément important d'une tenue vestimentaire ? Justifiez votre réponse.

unité 2 **c'est dans l'air !**

GRAMMAIRE > le passé

ÉCHAUFFEMENT

1 Dans les phrases suivantes, quel est le temps utilisé ? Qu'exprime-t-il ? Par quel autre temps peut-il être remplacé ? Quel est l'infinitif des verbes soulignés ?

a | Donc avant d'être un objet de mode, le talon haut <u>fut</u> d'abord un objet pratique.

b | La Révolution <u>coupa</u> non seulement les têtes, mais aussi les talons.

c | La renaissance du talon <u>eut</u> lieu au XIXe siècle.

d | De « branché », on a filé la métaphore électrique pour risquer un « câblé » qui ne <u>clignota</u> que quelques courts trimestres à nos oreilles.

LE PASSÉ SIMPLE

Le passé simple exprime un fait passé, considéré de son début à sa fin. Il ne marque aucun contact entre ce fait et le présent. Il est utilisé principalement dans la langue écrite littéraire, universitaire ou journalistique (où il peut parfois apparaître à l'oral).

Dans la langue orale et dans la langue écrite non littéraire, il est remplacé, depuis le XXe siècle, par le passé composé.

Conjugaison

Il y a quatre conjugaisons différentes :
Les verbes qui se terminent par **-er**

J'aim**ai**	Nous aim**âmes**
Tu aim**as**	Vous aim**âtes**
Il/elle aim**a**	Ils/elles aim**èrent**

La majorité des verbes qui se terminent par **-ir** et **-re**

Je fin**is**	Nous fin**îmes**
Tu fin**is**	Vous fin**îtes**
Il/elle fin**it**	Ils/elles fin**irent**

La majorité des verbes qui se terminent par **-oir**

Je voul**us**	Nous voul**ûmes**
Tu voul**us**	Vous voul**ûtes**
Il/elle voul**ut**	Ils/elles voul**urent**

Les verbes qui se terminent par **-enir**

Je v**ins**	Nous v**înmes**
Tu v**ins**	Vous v**întes**
Il/elle v**int**	Ils/elles v**inrent**

Formation

Le passé simple se construit en général sur la forme du participe passé :

Parler :	parlé	→ *je parlai*
Finir :	fini	→ *je finis*
Connaître :	connu	→ *je connus*
Avoir :	eu	→ *j'eus*

Exceptions :

• les verbes en **-andre** / **-endre** / **-erdre** / **-ompre** / **-ondre** / **-ordre**
je perdis / je rendis / j'interrompis
• les verbes en **-attre**
je battis
• les verbes en **-indre**
je peignis / je craignis / je rejoignis
• les verbes en **-frir** et **-vrir**
je couvris / je découvris / j'offris / j'ouvris / je souffris
• les verbes en **-uire**
je conduisis / je cuisis
et aussi :

convaincre	→ *je convainquis*
écrire	→ *j'écrivis*
être	→ *je fus*
faire	→ *je fis*
mourir	→ *je mourus*
naître	→ *je naquis*
tenir	→ *je tins*
venir	→ *je vins*
vêtir	→ *je vêtis*
voir	→ *je vis*

On peut utiliser :

• le passé composé pour :
- un événement passé ponctuel
Roger Vivier a créé le talon aiguille en 1952.
- le résultat passé ou présent d'une action passée
Le moelleux au chocolat est apparu en 1981 et est devenu une parfaite illustration de la démocratisation des tendances.

• l'imparfait pour :
- le cadre d'un événement, un état, une situation passée
Le talon matérialisait l'élévation sociale de son propriétaire.
- une description
Le grand roi soleil était en réalité tout petit.

- une habitude passée
Louis XIV portait ses fameux talons rouges.
- une action en cours d'accomplissement dans le passé (généralement en relation avec un passé composé ou un passé simple)
Quand Catherine de Médicis s'est fait fabriquer des talons, elle s'apprêtait à épouser le duc d'Orléans.

• le plus-que-parfait pour
- un fait terminé antérieur à un autre passé
Avant La Consolante, *Anna Gavalda avait publié quatre livres, dont un pour enfant.*

N.B. : La distinction entre passé composé et imparfait existe également pour un sentiment, un état d'esprit.

ENTRAÎNEMENT

2 Lisez cet extrait de *Au Bonheur des Dames* d'Émile Zola.

a | Conjuguez les verbes entre parenthèses à l'imparfait ou au passé simple.
b | Remplacez le passé simple par le passé composé.

C'(être), à l'encoignure de la rue de la Michodière et de la rue Neuve-Saint-Augustin, un magasin de nouveautés dont les étalages (éclater) en notes vives, dans la douce et pâle journée d'octobre. Huit heures (sonner) à Saint-Roch, il n'y (avoir) sur les trottoirs que le Paris matinal, les employés filant à leurs bureaux et les ménagères courant les boutiques. Devant la porte, deux commis, montés sur une échelle double, (finir) de pendre des lainages, tandis que, dans une vitrine de la rue Neuve-Saint-Augustin, un autre commis, agenouillé et le dos tourné, (plisser) délicatement une pièce de soie bleue. Le magasin, vide encore de clientes, et où le personnel (arriver) à peine, (bourdonner) à l'intérieur comme une ruche qui s'éveille.

— Fichtre ! (dire) Jean. Ça enfonce Valognes…
Le tien n'était pas si beau.
Denise (hocher) la tête. Elle (avoir) passé deux ans là-bas, chez Cornaille, le premier marchand de nouveautés de la ville ; et ce magasin, rencontré brusquement, cette maison énorme pour elle, lui (gonfler) le cœur, la (retenir), émue, intéressée, oublieuse du reste. Dans le pan coupé donnant sur la place Gaillon, la haute porte, toute en glace, (monter) jusqu'à l'entresol, au milieu d'une complication d'ornements, chargés de dorures. Deux figures allégoriques, deux femmes riantes, la gorge nue et renversée, (dérouler) l'enseigne :
Au Bonheur des Dames.

3 Mettez la biographie de Coco Chanel au passé. Si vous le souhaitez, utilisez le passé simple.

Gabrielle Chanel naît le 19 août 1883 à Saumur. À la mort de sa mère, elle est abandonnée par son père et placée dans un orphelinat.
À 20 ans, Chanel devient chanteuse de « cafés-concerts » à Vichy, où elle rencontre son premier producteur, Étienne Balsan, qui l'initie à la vie mondaine et finance ses premières créations.
En 1915, Coco ouvre sa maison de couture à Biarritz.
En vingt ans, elle impose le pantalon, le bijou fantaisie, le tweed, la petite robe noire… Elle est aussi la première créatrice de mode à avoir donné naissance à un parfum et une ligne de produits de beauté.

Mais la Seconde Guerre Mondiale marque le déclin de la maison qui, en 1939, ferme ses portes. En 1944, Mademoiselle s'exile en Suisse.
À son retour, elle découvre une France passionnée par le « New Look » de Christian Dior, une mode à l'opposé de la sobriété féminine Chanel. En 1954, la Maison de Couture ouvre à nouveau ses portes. Les codes de la maison Chanel s'affinent avec le sac matelassé dans sa version définitive, le sac surpiqué à chaînes dorées et les sandales à bout noir.
Le 10 janvier 1971, Coco Chanel décède alors que, le lendemain, sa dernière collection couture est présentée et remporte les louanges de la critique.

LE JEU DES STYLES

**Voici cinq styles vestimentaires que l'on peut rencontrer dans les rues de Paris.
Faites correspondre la photo, le nom du style et sa description.**

1 Vintage

2 Punck Rock

3 Gothique

4 BCBG

5 Kawaii

a | Abréviation de « bon chic bon genre », il désigne un style classique et élégant, jouant avec des couleurs discrètes.

b | Ce style utilise des vêtements datant au plus tard des années 1980, et reflétant un moment particulier de l'histoire de la mode du xxᵉ siècle. Il s'attache à une authenticité, que ce soit par la marque, les techniques de couture ou les tissus employés, contrairement à la fripe qui désigne toute pièce d'occasion.

c | Style enfantin qui utilise les dentelles, les tons pastel et souvent le rose. Les accessoires incluent fréquemment des jouets ou des sacs ornés de re-présentations de personnages de bandes dessinées et de dessins animés.

d | Style jouant sur le mélange de couleurs sombres (noir, gris, kaki...) et de couleurs vives (rose, jau-ne...). Les vêtements laissent apparaître tatouages et piercings.

e | Style volontairement sombre et macabre, es-sentiellement basé sur le noir, souvent accessoirisé avec des clous, des têtes de morts ou des éléments considérés comme mystiques.

PRODUCTION ORALE

Quel style préférez-vous ? Lequel aimez-vous le moins ? Expliquez pourquoi.

HAUTE COUTURE

Entrée en matière

1 Quels grands noms de la haute couture française connaissez-vous ?

1er visionnage

2 Sur quel grand couturier porte ce reportage ?

3 Où a-t-il été tourné ? Justifiez votre réponse.

2e visionnage

4 Dans quelle situation se trouve la maison de couture ? Pourquoi ?

5 En quoi ce défilé est une première dans l'histoire de la couture ?

6 Quels sont les arguments du couturier pour justifier l'existence de ce défilé ?

7 À votre avis, qu'entend-il par : « *on n'est pas une marque, on est une maison, on est une griffe mais une griffe de couture* » ?

Vocabulaire

8 Expliquez les termes et expressions suivants :

a | un mercenaire

b | déserter le navire

c | la munificence

d | un bolide de course

e | un repreneur

PRODUCTION ORALE

9 Que représente la haute couture pour vous ?

10 Que pensez-vous de l'union mode-finance ? Laquelle a le plus à y gagner : la mode ou la finance ? Expliquez pourquoi.

1987 : naissance de la maison Christian Lacroix.

1988 : lancement d'une collection de prêt-à-porter de luxe.

2000 : habillage des voitures du TGV Méditerranée.

2004 : première collection pour homme.

2005 : cession par Bernard Arnault, le principal actionnaire et reprise par un groupe américain, *Falic Fashion Group*.

2009 : l'entreprise est déclarée en cessation de paiement.

PRODUCTION ORALE

1 Vous reconnaissez-vous dans la situation évoquée par ce dessin ?

2 Quelle est votre relation avec la mode ? Vous la suivez, vous la fuyez ou vous l'inventez ?

3 Que pensez-vous des victimes de la mode ?

4 Choisissez une citation et commentez-la.

a | « *Si j'avais du talent, on m'imiterait. Si l'on m'imitait, je deviendrais à la mode. Si je devenais à la mode, je passerais bientôt de mode. Donc il vaut mieux que je n'aie pas de talent.* » Jules Renard

b | « *Il n'y a qu'une chose qui se démode : la mode, et c'est la mode qui emporte le succès.* » Pierre Reverdy

c | « *La mode domine les provinciales, mais les Parisiennes dominent la mode.* » Jean-Jacques Rousseau

d | « *L'influence de la mode est si puissante qu'elle nous oblige parfois à admirer des choses sans intérêt et qui sembleront même quelques années plus tard d'une extrême laideur.* » Gustave Le Bon

e | « *L'élite de ce pays permet de faire et défaire les modes, suivant la maxime qui proclame : "Je pense, donc tu suis."* » Pierre Desproges

unité 2 **c'est dans l'air !**

37

ÉCHAUFFEMENT

1 Soulignez les termes qui donnent une indication de temps.

a | C'était il y a quatre ans et aujourd'hui, *The Sartorialist* est une star dans le petit milieu de la photo de *street style*.

b | Un chef a jadis réclamé 2,7 millions de dollars de dommages et intérêts.

c | Mme Grasser-Hermé a goûté des hamburgers pour la première fois en 1961 à la Légion américaine, onze ans avant que McDonald's ait dévoilé ses arches dorées en France.

d | De nos jours, les chefs reconnaissent qu'un hamburger n'est pas simplement 170 grammes de bœuf haché maigre et grillé un peu trop longtemps.

e | Tout se passe comme si les désirs du grand nombre étaient désormais régis par une autorité aussi puissante que capricieuse : la mode.

f | Naguère le coulant était follement à la mode.

g | Donc avant d'être un objet de mode, le talon haut fut d'abord un objet pratique.

h | Les jeans ont été larges pendant plusieurs saisons.

i | Depuis belle lurette, on ne cherchait plus « chicane ».

GÉNÉRALITÉS

le temps
temporaire
l'époque *(f.)*
l'ère *(f.)*
l'instant *(m.)*
le moment
la période

> **Attention !**
> En français, on utilise assez peu le mot *temps*, sauf dans certaines expressions (*un certain temps*, *en même temps*…) et pour la météo. Vous lui préférerez *moment*, *période* ou *époque*.

1 Complétez les énoncés suivants avec un des termes de la liste.

a | Nous avons passé de bons ..... .

b | À cette ....., il était journaliste.

c | Ils ont parlé en même ..... .

d | Tout peut disparaître en un ..... .

LE PRÉSENT

à ce jour
à notre époque
à présent
actuellement
aujourd'hui / d'aujourd'hui
ces jours-ci
de nos jours
désormais
dorénavant

en ce moment
maintenant
pour l'instant
pour le moment
maintenant que

LE PASSÉ

à l'époque
autrefois
en ce temps-là
jadis
naguère
récemment
une fois
il y a

L'AVENIR

à jamais
à l'avenir
bientôt
dans un délai de
d'un moment à l'autre
dans

L'ANTÉRIORITÉ

au préalable
auparavant
avant / d'avant
avant de + *inf.*
avant que + *subj.*
en attendant
en attendant que + *subj.*
d'ici là
d'ici à ce que + *subj.*
jusqu'à
jusqu'à ce que + *subj.*
plus tôt

LA POSTÉRIORITÉ

à partir de
après

après que
ensuite
par la suite
plus tard
une fois + *participe passé*
une fois que

> **Attention !**
> *après que* + indicatif
> *avant que* + subj.
> À l'oral, *après que* + subj. est toléré.
> *après* + inf. passé
> *avant de* + inf.

LA SIMULTANÉITÉ

à ce moment-là
alors
alors que
au cours de
au même moment
en même temps
en même temps que
au moment de
au moment où
comme
lors de
lorsque
pendant que
quand
simultanément
tandis que

LE COMMENCEMENT

à partir de
au début
à l'origine
d'abord
de… à…
dès
depuis

LA FIN

à la fin
enfin
en fin de compte
finalement
jusqu'à
jusqu'au moment où
jusqu'à ce que + *subj.*

expression :
jusqu'à la nuit des temps

LA DURÉE

brièvement
continuellement
définitivement
en un clin d'œil
en un rien de temps
longtemps
sans arrêt
un certain temps
un instant
un moment
ça fait… que
depuis
durant
en
il y a… que
pendant
pour
tant que

expressions :
depuis belle lurette
depuis la nuit des temps

2 Quels termes désignent…

a | une durée courte ?

b | une durée longue ?

L'IMMÉDIATETÉ

aussitôt
aussitôt que
dès
dès que
immédiatement
soudain
tout à coup
tout d'un coup
tout de suite

3 Choisissez l'expression correcte.
a | Viens ici *tout de suite / soudain* !
b | Ils se sont levés *aussitôt / dès qu'*il est entré.
c | Promis ! Je le fais *immédiatement / tout à coup*.
d | *Dès / Tout à coup*, il y eut un grand bruit !

LE RYTHME

à mesure que
au fur et à mesure que
par étapes
petit à petit
peu à peu
progressivement

LA RÉPÉTITION

de nouveau
encore
encore une fois
une nouvelle fois

cd 8 **4** Écoutez les phrases et dites si elles expriment le rythme ou la répétition.

ENTRAÎNEMENT

2 Choisissez l'expression correcte.

a | *À ce jour / Désormais*, cette théorie n'a toujours pas été prouvée.
b | Il n'est *actuellement / à ce jour* pas disponible. Veuillez le rappeler ultérieurement.
c | Je n'ai pas envie de le voir *à notre époque / en ce moment*.
d | *Aujourd'hui / D'aujourd'hui*, la mode se permet tout et n'importe quoi.
e | Je t'aime *autrefois / à jamais*.
f | *Une fois / Bientôt*, il lui a menti.
g | *En ce temps-là / Maintenant que* tu as ton diplôme, tu dois chercher du travail.

3 Conjuguez le verbe entre parenthèses au temps et au mode corrects.

a | Réfléchis avant de (parler) !
b | Ils sont repartis après que la pluie (cesser).
c | J'insisterai jusqu'à ce que tu me (dire) la vérité.
d | Nous commencerons une fois que tout le monde (être) là.
e | D'ici à ce que tu (finir) de lire ce livre, j'ai le temps d'en lire trois !
f | Je m'occupe de son chat en attendant qu'il (aller) mieux et qu'il (sortir) de l'hôpital.

4 Reliez les phrases suivantes en utilisant une expression de simultanéité (plusieurs solutions sont possibles).

Exemple : *Les parents dégustent tartes et salades tandis que les enfants s'amusent.*
a | Il est arrivé. Tout le monde s'est tu.
b | Il a souri. Elle a souri.
c | Je partais. Je m'en suis souvenu.
d | Il est arrivé. C'était la nuit.

5 Complétez le texte suivant avec des expressions de commencement et de fin.

....., Christian Lacroix était historien d'art ..... il rencontre Jean-Jacques Picart, attaché de presse pour de nombreuses maisons de luxe comme Hermès et Jean Patou, chez qui il travaille ..... 1981. En 1987, il ouvre sa propre maison de couture et organise son premier défilé de haute couture ...... 1988, il lance une collection de prêt-à-porter de luxe. ....., en mai 2009, la maison Christian Lacroix, victime de la crise financière, se déclare en cessation de paiement.

PRENDRE SES VACANCES AU DÉBUT DE L'ÉTÉ C'EST "IN"

LES PRENDRE À LA FIN C'EST AOÛT

TENDANCES BOBOS, MÉTROSEXUELS ET AUTRES TRIBUS

49. Teknohippies-Rotterdam 2001

En se diffusant, le terme de « tendance » en est venu à désigner non plus seulement des modes mais des modes de vie. Dans le vocabulaire des hommes du marketing, ont commencé à apparaître des tendances désignant des communautés humaines. La société se décomposerait en différentes tribus, pour reprendre l'expression chère

à Michel Maffesoli, lesquelles se distingueraient par leur mode de consommation. Cette représentation semble congruente[1] avec l'idée selon laquelle le lien social serait aujourd'hui profondément fragilisé, la société devenant une mosaïque de communautés.

Ainsi, au début des années 1980, on a vu apparaître aux États-Unis les « Yuppies »[2], Young Urban Professionnal. Le magazine *Time* a annoncé leur mort en 1991 ; il a fallu attendre neuf ans pour que les bobos, inventés par le journaliste David Brooks, les remplacent. En substance, les Yuppies symbolisaient de jeunes gens ambitieux avides de réussite matérielle et des symboles susceptibles de l'attester. Les bobos partageaient cette même aisance matérielle mais brandissaient d'autres signes de réussite matérielle, différents de ceux qui distinguaient d'ordinaire les classes aisées. Puis sont nés les métrosexuels[3], hétérosexuels censés être aussi soucieux de leur apparence physique que les homosexuels.

On a souvent accusé ces catégories d'être forgées par les journalistes pour les journalistes. De fait, aucun travail précis n'a permis de vérifier que ces groupes correspondaient à une réalité sociologique. S'ils ont connu un tel succès, c'est qu'ils résonnent par rapport au sens commun du moment. Les Yuppies symbolisaient l'argent facile ; les bobos, la culpabilité morale du bourgeois moderne et les débuts du développement durable. Les métrosexuels, enfin, donnent corps aux interrogations du moment sur la redéfinition des genres.

Guillaume ERNER, *Sociologie des tendances*, PUF, 2008.

1. Concordante. – 2. Terme qui désigne des jeunes cadres évoluant dans les milieux de la haute finance. – 3. Néologisme des années 2000 s'appliquant à des hommes ayant un fort souci de leur apparence.

Lecture

1 Que désigne le terme « tendance » pour les hommes du marketing ?

2 Quelles « tribus » sont citées ?

3 Qu'est-ce qui définit chacune d'entre elles ?

Vocabulaire

4 Relevez les synonymes de *tribu*.

PRODUCTION ORALE

5 Que pensez-vous des bobos et de leur manière de vivre ?

6 Les bobos existent-ils dans votre pays ? Leurs caractéristiques sont-elles comparables à celles des bobos français ?

7 Estimez-vous faire partie d'un groupe particulier ? Si oui, lequel ? Définissez-le en quelques mots.

8 En scène ! Vous êtes un bobo et vous répondez aux questions d'un journaliste sur votre mode de vie, vos choix et vos goûts.

PRODUCTION ÉCRITE

9 L'expression « bobo » est apparue dans la presse française dans un article du *Courrier international* intitulé « Après les Yuppies, "les bobos" » et dont le chapeau précisait :

« *Héritiers des années 60, les bobos ont réussi le mariage de la bourgeoisie et de la bohème. Enfants de la prospérité, des privilèges et du plaisir, ils constituent une nouvelle élite "à la fois égalitaire et prétentieuse".* »

À la lumière de ce que vous avez appris, écrivez un article qui décrit les bobos pour accompagner ce chapeau.

■ BOBOLAND

Dupuy et Berberian, *Bienvenue à Boboland*, Fluide glacial, 2008.

COMPRÉHENSION ÉCRITE

Entrée en matière

1 Expliquez le titre de la BD dont cette planche est issue.

2 Regardez les différentes vignettes.
Que représente la première ? À votre avis, qui sont les personnages et où se passe la scène ? Justifiez vos réponses.

1re lecture

3 Vérifiez vos hypothèses précédentes.

4 Quel est le sujet de conversation des deux personnages ?

2e lecture

5 Quelle image du bobo cette BD donne-t-elle ? Justifiez votre réponse.

Vocabulaire

6 Relevez les expressions caractéristiques du langage bobo.

GRAMMAIRE > les pronoms relatifs

ÉCHAUFFEMENT

1 Dans les phrases suivantes, quelle est la fonction des mots soulignés ?

a | Un phénomène <u>qui</u> ne relève pas de la simple mode.

b | Ce sont des gens <u>à qui</u> je voudrais ressembler.

c | Nous voilà intrigués par ces focalisations du désir, <u>par lesquelles</u> des individus différents les uns des autres, sans s'être concertés, se découvrent les mêmes envies.

d | La société se décomposerait en différentes tribus, <u>lesquelles</u> se distingueraient par leur mode de consommation.

2 Justifiez l'emploi des pronoms relatifs dans les phrases suivantes.

a | Il existe bel et bien des cycles durant lesquels apparaissent l'engouement puis le désamour vis-à-vis d'un prénom.

b | Cette représentation semble congruente avec l'idée selon laquelle le lien social serait aujourd'hui profondément fragilisé, la société devenant une mosaïque de communautés.

c | Frédérick E. Grasser-Hermé a créé un burger pour la boîte de nuit *Black Calvados*, auprès de laquelle elle officie comme chef conseil.

d | Versailles, où se tient actuellement une formidable exposition sur le costume de cour, était peuplé de « perruqués » vacillants.

e | Le talon est métallique et effilé chez Ferragamo dont on parlait tout à l'heure.

Voir Mémento grammatical, p. 190.

ENTRAÎNEMENT

3 Transformez les phrases comme dans l'exemple.

Exemple : *C'est un couturier. Il a une boutique à New York. Les célébrités l'adorent.*
→ *C'est un couturier qui a une boutique à New York et que les célébrités adorent.*

a | J'ai déjeuné dans un restaurant. Il est branché. Il faut être vu dans ce restaurant.

b | Anna Gavalda est un écrivain. Elle n'a pas écrit beaucoup de livres. Le monde entier a entendu parler d'elle.

c | *Bienvenue à Boboland* est une bande dessinée. Les auteurs sont Dupuy et Berberian. Dans cette bande dessinée, on se moque des bobos.

d | Le *Saint-Jérôme* est un restaurant. Son activité principale est le bar. On peut y manger des tapas.

e | Il y a quelques grands chefs. Chez ces grands chefs, on peut savourer des hamburgers. Ces hamburgers sont francisés.

f | Cette année, les grands couturiers ont sorti des chaussures à talons. Ces talons sont très hauts. À cause de ces talons, les mannequins sont tombés sur les podiums pendant les défilés.

4 Complétez avec un pronom relatif et, si nécessaire, une préposition.

a | C'est un mannequin ..... le visage fait la une des magazines et ..... tous les couturiers s'arrachent.

b | Le prénom ..... on choisit pour son enfant est assujetti à la mode.

c | La robe ..... tu m'as vue hier n'est pas à moi.

d | Le *bookcrossing* est un phénomène de mode ..... je ne m'intéresse pas du tout.

e | Michel Bras, ... le moelleux au chocolat a été inventé, est un célèbre restaurateur de Laguiole dans l'Aveyron.

f | La *street fashion* est un phénomène ..... passionne les foules et ..... les créateurs s'inspirent.

LE SUCCÈS DE *LA CONSOLANTE*

COMPRÉHENSION ORALE

1ʳᵉ écoute

1 De qui parle ce reportage et à quelle occasion a-t-il été diffusé ?

2 Quel est le ton des journalistes ? Justifiez par des exemples.

3 À quoi est comparé *La Consolante* ?

4 Qu'avez-vous appris sur Anna Gavalda ?

2ᵉ écoute

5 Quelles informations sont données sur ce nouveau livre ?

6 Comment Marion Ruggieri explique le succès d'Anna Gavalda ?

PRODUCTION ORALE

7 Ce reportage vous donne-t-il envie de lire les livres d'Anna Gavalda ? Pourquoi ?

8 À votre avis, pourquoi est-elle l'écrivaine française la plus lue en France et dans le monde ?

9 Existe-t-il des auteurs considérés comme des phénomènes de société dans votre pays ? Les lisez-vous ? Pourquoi ?

PRODUCTION ÉCRITE

10 Choisissez un(e) écrivain(e) à succès et écrivez un article dans lequel vous citerez ses livres et vous expliquerez pourquoi il (elle) a du succès.

UN PHÉNOMÈNE MONDIAL : LE *BOOKCROSSING*

DUPUY et BERBERIAN, *Bienvenue à Boboland*, Fluide Glacial, 2008.

COMPRÉHENSION ÉCRITE

1 Lisez cet extrait de bande dessinée et définissez le *bookcrossing* en quelques mots.

PRODUCTION ORALE

2 Avez-vous déjà trouvé un livre dans la rue ? Qu'en avez-vous fait ?

3 Pourriez-vous laisser un livre pour qu'il soit trouvé et lu par un(e) inconnu(e) ? Pourquoi ?

ATELIERS

1 GUIDE DES RESTAURANTS TENDANCE

Vous êtes journaliste, chargé de rédiger les notices descriptives des restaurants tendance de votre ville pour un guide.

Démarche

En groupes de deux ou trois :

1 Préparation
• Vous choisissez les restaurants qui vous semblent les plus à la mode.
• Vous vous y rendez : vous prenez quelques photos, vous regardez la carte et notez les spécialités
• Vous repérez en quoi ils sont particulièrement tendance.

2 Réalisation
Vous rédigez votre guide.

3 Présentation
Vous présentez votre guide à la classe : avez-vous des restaurants en commun avec les autres groupes ? Pourquoi ?

Comment faire pour...

Choisir les restaurants
• Choisir des restaurants que vous connaissez.
• Prendre des renseignements auprès d'autres personnes.

Déterminer pourquoi ces restaurants sont tendance
• Être attentif aux spécialités culinaires, au décor, à la situation géographique...

Rédiger le guide
• Noter certaines informations essentielles : le nom du restaurant, ses coordonnées, certaines de ses spécialités.
• Décrire le lieu.
• Préciser pourquoi il est tendance.

2 BOOKCROSSING

Vous allez organiser un bookcrossing.

Démarche

En groupes de trois ou quatre :

1 Préparation
• Vous choisissez le lieu : l'école, le quartier, la ville.
• Vous choisissez le livre que vous allez déposer.
• Vous décidez par quel moyen vous allez suivre le livre : mise en place d'une boîte aux lettres dans l'école, création d'un blog...

2 Réalisation
• Vous rédigez un court message dans lequel vous expliquez le principe de votre *bookcrossing* pour accompagner le livre.
• Vous laissez le livre et le message à l'endroit que vous avez choisi.
• Vous suivez le livre selon les règles que vous avez préétablies.

3 Présentation
Vous présentez votre *bookcrossing* à la classe : vous expliquez pourquoi vous avez choisi ce livre, les règles de votre *bookcrossing* et son résultat.

Comment faire pour...

Former les équipes
• Se réunir de manière aléatoire.
• Se regrouper autour d'un livre commun.

Définir les règles du *bookcrossing*
• Concevoir un moyen de suivre le livre : placer une boîte aux lettres dans l'école, prévoir une boîte vocale ou créer un blog (en allant sur http://www.creerunblog.fr/) pour que chaque personne qui trouve le livre y laisse un message pour préciser où il est.
• Spécifier ces règles dans le message que vous rédigez pour accompagner le livre : préciser ce que la personne devra faire une fois qu'elle aura trouvé et lu le livre.

Présenter votre *bookcrossing*
• Expliquer le choix du livre.
• Présenter les règles de votre *bookcrossing*.
• Exposer son résultat : a-t-il fonctionné ou pas ? pourquoi ?

LES ARTS
en perspective

« *D'une façon générale, il faut dire que l'art, quand il se borne à imiter, ne peut rivaliser avec la nature, et qu'il ressemble à un ver qui s'efforce en rampant d'imiter un éléphant.* »

HEGEL

— Faire la présentation d'une œuvre d'art.
— Écrire une critique de film.
— Écrire un synopsis.
— Écrire une lettre à un artiste à qui on a commandé un portrait.
— Faire la critique d'une œuvre d'art.
— Organiser un événement.
— Écrire un article sur l'art contemporain.

Comment Astérix

Le succès des aventures du héros d'Uderzo est salué par l'hebdomadaire russe *Kommersant-Vlast*. La France (et le monde avec elle) redécouvre enfin sa veine populaire.

5 *Astérix aux Jeux olympiques* est la version cinématographique d'une bande dessinée très populaire née il y a plusieurs décennies. L'humour, la mise en scène spectaculaire et les vedettes à l'affiche lui ont valu un succès certain dans les salles françaises. Déjà, *Astérix & Obélix: Mission Cléopâtre*
10 d'Alain Chabat avait totalisé une des plus grosses recettes de l'histoire du cinéma en France, juste derrière la fameuse *Grande Vadrouille*. Bien qu'*Astérix aux Jeux olympiques* ait été mis en scène par d'autres réalisateurs (Frédéric Forestier et Thomas Langmann), la « marque » Astérix a suffi à
15 lui assurer une belle réussite – la popularité du personnage ne se dément pas. La mythologie qu'elle véhicule est censée redorer l'image des Français qui – il faut bien le dire – n'ont rien fait de très héroïque depuis fort longtemps. Dans l'univers d'Astérix et Obélix, les petits Français se transforment
20 en mâles dominants dotés d'un appétit féroce, d'un courage indomptable et d'une virilité hors norme.

COMPRÉHENSION ÉCRITE

1re lecture

1 De quel journal est extrait cet article ? Quelle en est l'origine ?

2 Quel est le sujet principal du texte ?

3 Deux arts y sont nommés, le 7e et le 9e. Identifiez-les.

2e lecture

4 Trouvez dans le texte une phrase qui montre l'ironie de l'auteur face à la France.

5 Quels styles de cinéma sont opposés dans l'article ?

6 À quel autre genre cinématographique étranger ce cinéma populaire est-il comparé ?

7 Quel était le charme de ces films d'antan (des années 50 à 70) ?

8 À la fin du texte, l'auteur ironise sur les moyens de réussir des films populaires. Nommez lesquels.

▌D'ART D'ART 🔘 dvd 3

COMPRÉHENSION AUDIOVISUELLE

1er visionnage (sans le son)

1 Quelle est la nature de ce document ? Comment est-il organisé ?

2 Combien d'œuvres avez-vous vues ? Les connaissez-vous ?

3 Que représentent-elles ?

4 Quelles parties sont filmées en gros plan ? À votre avis, pourquoi ?

2e visionnage (avec le son)

5 Quel est le titre et l'auteur de l'œuvre présentée ?

6 Quelle place a-t-elle dans l'histoire de l'art ? Pourquoi ?

7 Quels autres artistes sont cités ?

8 La première exposition de ce mouvement a-t-elle eu du succès ? Justifiez votre réponse par des exemples.

a liquidé la nouvelle vague

Depuis quelques années, l'industrie cinématographique française, dont la production attire de plus en plus de spectateurs, s'appuie sur ce type de films grand public. Le
25 bon vieux style historique de cape et d'épée en costumes a été ressorti des oubliettes cinématographiques. On a ainsi pu redécouvrir récemment les aventures du célèbre policier *Vidocq*, ou une nouvelle version d'*Arsène Lupin*, ou encore un remake de *Fanfan la Tulipe*.
30 Tout cela fleure bon les films tirés des romans d'Alexandre Dumas, et la série des *Angélique, marquise des Anges*, qui avait en son temps suscité le mépris des esthètes. Les critiques français, surtout à l'époque de la *nouvelle vague** et de l'apogée du cinéma d'auteur, reprochaient souvent
35 à leur cinéma national de ne pas respecter la vérité historique, de l'utiliser comme simple prétexte à des aventures distrayantes ou comme décor frivole, sans créer une mythologie propre, comme l'avaient fait les Américains avec le western.
40 Ces critiques en lutte contre le cinéma commercial ont eu un seul défaut : ils ont jeté le bébé avec l'eau du bain. Les histoires de cape et d'épée ont connu des décennies de purgatoire, pour ne réapparaître qu'aujourd'hui. Et c'est

avec elles que renaît une mythologie. La France l'a enfin
45 compris.
Dans le genre pseudo-historique, le style BD efficace de la série des *Astérix* représente la seule réussite proprement gauloise de l'industrie du cinéma. La plupart des autres resucées font regretter leurs erreurs de casting et de mise
50 en scène, mais aussi l'absence de vrais rôles d'aventuriers, qu'ils soient chevaliers sans peur et sans reproche ou *femmes fatales**. Tout le charme de cette façon de filmer et de jouer tenait à sa simplicité. Et, d'ailleurs, tout le monde se prenait au jeu. Dans les films d'aventures actuels,
55 s'ils ne tiennent pas le rôle principal, les acteurs, même honorables, ne s'investissent souvent qu'à moitié, et aucun n'atteint l'excellence. À quoi bon se donner du mal ? De nos jours, les trucages ont remplacé le jeu, et, au lieu de dialogues percutants, on nous abreuve d'effets spéciaux.
60 Mais imagine-t-on Arsène Lupin piller des églises et séduire de riches dames sur Internet ?

Andreï PLAKHOV, *Kommersant-Vlast*,
dans *Courrier international*, n° 908, 27 mars 2008.

* En français dans le texte.

Vocabulaire

9 Associez ces mots et expressions à leur équivalent.

a	décennies	**1**	amusantes, divertissantes
b	ne se dément pas	**2**	reprises
c	redorer l'image	**3**	le sommet, le zénith
d	ressortir des oubliettes	**4**	inonder, accabler
e	l'apogée	**5**	périodes de dix ans
f	distrayantes	**6**	ne cesse pas de se manifester
g	frivole	**7**	léger, superficiel
h	resucées	**8**	réactualiser, remettre à la mode
i	percutants	**9**	frappants, efficaces
j	abreuver	**10**	redonner une réputation positive

PRODUCTION ORALE

10 Pour vous, le cinéma doit-il être objet de réflexion ou objet de distraction ? Pourquoi ?

11 Êtes-vous plutôt cinéma d'auteur (intimiste, d'art et d'essai) ou plutôt cinéma grand public (populaire) ? Pourquoi ?

Vocabulaire

9 Quel est le jeu de mots dans le titre de l'émission ?
10 Expliquez :
a | peindre en plein air
b | las !
c | crever littéralement de faim
d | fustiger
e | une aberration

PRODUCTION ORALE

11 Existe-t-il une émission comme *D'art d'art* dans votre pays ? Si oui, la regardez-vous ? Sinon, la regarderiez-vous ? Pourquoi ?
12 Aimez-vous la peinture impressionniste ? Pourquoi ?
13 Quels mouvements artistiques appréciez-vous le plus et lesquels ne supportez-vous pas ? Expliquez pourquoi en citant des exemples d'œuvres.
14 À la manière de *D'art d'art*, faites une courte présentation d'une œuvre d'art que vous appréciez.

unité **3** les arts

VOCABULAIRE > l'art

LES DISCIPLINES (f.)
ARTISTIQUES
l'architecture (f.)
la bande dessinée / la BD
le cinéma
le dessin
la gravure
la peinture
la photographie
la sculpture

1 Citez deux arts plastiques et deux arts visuels.

LES PERSONNES (f.)
l'acteur(-trice)
l'architecte (m. et f.)
l'artiste (m. et f.)
l'artiste majeur(e),
    important(e)
l'artiste mineur(e)
l'auteur(e)
le/la collectionneur(-euse)
    d'art
le commissaire-priseur
le/la conservateur(-trice)
le/la créateur(-trice)
le critique
le/la dessinateur(-trice)
l'école (f.)
le galeriste
le/la graphiste
le groupe
l'illustrateur, l'illustratrice
le maître
le mécène
le modèle
le mouvement
le peintre
le/la plasticien(-ne)
le/la producteur(-trice)
le/la réalisateur(-trice)
le sculpteur
le/la visiteur(-euse)

2 Qui peut-on associer...
a | à la peinture ?
b | au cinéma ?
3 Qui fait du commerce avec les œuvres d'art ?

LES LIEUX (m.)
l'atelier (m.)
le cabinet d'architectes
le cinéma
la galerie (dans un musée)
la galerie d'art (privée)
le musée
la salle des ventes
le studio
la vitrine

4 Quels lieux sont associés...
a | aux personnes qui créent ?
b | au public ?

LES ŒUVRES (f.)
Peinture et sculpture
le chef-d'œuvre
la copie
le croquis
la croûte (fam.)
l'ébauche (f.)
l'esquisse (f.)
le faux
l'œuvre d'art (f.)
la sculpture
la statue
la statuette
le tableau
la toile
Cinéma
la bande-annonce
la comédie
le court métrage,
    le long métrage,
    le moyen métrage
le documentaire
le (mélo-)drame
le film
le film d'auteur, le film
    d'art et d'essai
le film grand public,
    populaire
le navet (fam.)

5 Trouvez le synonyme pour...
a | un mauvais film,
b | un mauvais tableau.
6 Quelles sont les œuvres à l'état de projet ?

LES ACTIONS (f.)
achever
adapter au cinéma,
    porter à l'écran
avoir un rôle
bâtir
collectionner
concevoir
conserver
construire
créer
critiquer
dessiner
esquisser
estimer
exécuter
exposer
peindre
poser pour
produire
réaliser
représenter
sculpter

7 Quelles sont les actions de l'architecte ?
8 Que fait un conservateur de musée ?
9 Que fait le modèle ?

LES ÉVÉNEMENTS (m.)
la collection permanente,
    privée
l'exposition (f.) temporaire
la première
la rétrospective
le tournage
la vente aux enchères
le vernissage

10 Quels événements sont associés...
a | aux objets d'art ?
b | au cinéma ?

**LA DESCRIPTION
D'UNE ŒUVRE**
l'arrière-plan (m.)
l'autoportrait (m.)
le bâtiment
la bulle
la construction
la bonne, mauvaise critique
la critique unanime
d'avant-garde
les dialogues
la distribution
l'éclairage (m.)
l'édifice (m.)
la façade
le personnage
le plan
populaire
le portrait
le premier plan
le second plan
le / la protagoniste
la réalisation
révolutionnaire
le rôle (un premier,
    un second rôle)
le rôle principal
le scénario
le sujet
le thème
la vignette

11 Placez les mots manquants dans les phrases suivantes :
a | Tintin et Milou sont .....
/..... des bandes dessinées d'Hergé.
b | Dans ..... du dernier film de Jean-Paul Lilienfeld, Isabelle Adjani tient ..... et Denis Podalydès .....
La critique est ..... :
La Journée de la jupe est un chef-d'œuvre.

PRODUCTION ÉCRITE

Choisissez une œuvre que vous aimez particulièrement (picturale, plastique, cinématographique...).
Présentez-la en 150 mots environ, en réutilisant les mots du lexique.

VOCABULAIRE > **décrire un objet d'art**

LA MATIÈRE

l'acier *(m.)*
l'argent *(m.)*
l'argile *(f.)*
le béton
le bois
le bronze
le caoutchouc
le ciment
le cristal
le cuir
le marbre
l'or *(m.)*

le papier
la pierre
le plastique
le tissu
le verre

LA FORME

carré(e), cubique
en forme de
    (cube, cylindre, cœur,
    …)
hexagonal(e)
octogonal(e)

ovale
pyramidal(e)
rectangulaire
rond(e), circulaire
triangulaire

LES CARACTÉRISTIQUES

brillant(e) ≠ mat(e)
court(e) ≠ long(ue)
creux(-euse) ≠ plein(e)
éclatant(e) ≠ terne
épais(se) ≠ fin(e)
étroit(e) ≠ large

flexible ≠ rigide
fragile ≠ résistant(e)
imposant(e) ≠ riquiqui
    (fam.)
liquide ≠ solide, ferme
lisse ≠ rugueux(-euse)
lourd(e) ≠ léger(-ère)
majestueux(-euse) ≠
    insignifiant(e)
plat(e) ≠ en relief
rond(e) ≠ anguleux(-euse)
transparent(e) ≠ opaque
uni(e) ≠ bigarré(e)

PRODUCTION ORALE

1 À l'aide de cette page de vocabulaire, décrivez les deux œuvres d'art ci-dessous.

a | Indiquez la matière et les caractéristiques de la sculpture de Puget.

b | Décrivez l'objet d'art de Jean Gilles : sa forme, ses matières et ses caractéristiques.

c | Si vous deviez choisir l'un de ces deux objets d'art pour mettre dans votre salon, lequel préféreriez-vous ? Justifiez votre choix en insistant sur les caractéristiques qui vous plaisent.

2 Choisissez un objet d'art et trouvez sa reproduction. Préparez une description que vous présenterez à la classe qui en fera le dessin.

Pierre PUGET,
Milon de Crotone, 1682.

Jean GILLES,
Les Mains de la harpe, 1996.

unité **3** les arts

49

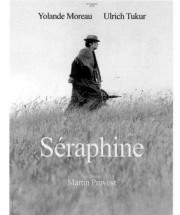

Yolande Moreau Ulrich Tukur

Séraphine

un film de
Martin Provost

« *Séraphine* », l'art et le dénuement

Séraphine
de Martin Provost
Film français,
2 h 05

Le jour, elle fait des ménages chez les bourgeois de Senlis, la nuit, elle peint. Pour réaliser ses tableaux, Séraphine Louis accomplit des petits miracles de pauvre, remplissant ses pots de peinture de sang récupéré chez le
5 boucher, de cire furtivement dérobée à l'église, et d'autres mélanges préparés lors d'échappées où la nature s'offre à elle dans sa profusion.

En ce début de xxᵉ siècle, la domestique touche au plus grand dénuement – un état de vie que Yolande Moreau
10 personnifie avec justesse. Jusqu'au moment où Wilhelm Uhde (Ulrich Tukur), un marchand d'art allemand, s'installe dans la paisible cité de l'Oise. Lui qui, très tôt, avait frémi pour les toiles de Picasso et du Douanier Rousseau, découvre fortuitement un tableau de Séraphine.

15 **Double hommage**

Fasciné, il prend sous sa protection cette femme ignorée, qui dit que les anges lui dictent de peindre, et dont les cantiques tremblants trahissent le mysticisme. Il encourage celle qui semble juguler, sur ses toiles traversées de
20 fleurs et de fruits, une tiède folie.

Cernées avec retenue par le réalisateur, ses divagations finissent par s'imposer lors d'une scène ô combien saisissante, alors que Séraphine revêtue d'une robe de mariée arpente, titubante, les rues grises de la ville. Avant d'être
25 conduite à l'asile, où elle ne peindra jamais plus.

Avec *Séraphine*, Martin Provost rend un double hommage à l'autodidacte que Wilhelm Uhde classait dans la catégorie des « primitifs modernes » : en retraçant sa destinée artistique – dont le cours douloureux est porté
30 par le lancinement d'une viole de gambe –, et en lui prêtant la voix, les gestes, la présence, d'une Yolande Moreau humblement magnifique.

Marilyne CHAUMONT,
www.la-croix.com, 30 septembre 2008.

COMPRÉHENSION ÉCRITE

1ʳᵉ lecture

1 Quel est le thème de cet article ? À quelle occasion a-t-il été écrit ?
2 À votre avis, dans quelle rubrique du journal se trouve-t-il ?
3 L'avis du journaliste est-il positif ou négatif ? Justifiez par des exemples.

2ᵉ lecture

4 Relevez les expressions en relation avec l'art et classez-les dans le tableau.

	La peinture	Le cinéma
Les personnes		
Les œuvres		
Les actions		
La description d'une œuvre		

■ LA PEINTURE AU CINÉMA 🔘 cd ● 10

COMPRÉHENSION ORALE

1ʳᵉ écoute

1 D'où provient cet enregistrement ?
2 Quel en est le thème ?
3 Comment s'organise cette critique ?

2ᵉ écoute

4 Quelles sont les informations relatives au synopsis (résumé du film, histoire) et celles relatives à la critique du film ?
5 Quelles sont les impressions de l'actrice qui interprète Séraphine Louis ?

PRODUCTION ÉCRITE

6 Rédigez un synopsis : vous pouvez choisir le dernier film que vous avez vu, votre film préféré ou celui que vous avez le moins aimé.
(Voir les Conseils pour la production écrite, p. 195.)
7 Écrivez la critique de ce film.

PRODUCTION ORALE

8 Présentez votre synopsis et votre critique à la classe.

▌PICASSO ET LES MAÎTRES

▐ COMPRÉHENSION ORALE

1ʳᵉ écoute

1 Quel est le sujet de ce reportage ? Qui avez-vous entendu ?

2 Quel est le thème de cette exposition ?

3 Quels noms de peintres et quels titres de tableaux avez-vous entendus ?

2ᵉ écoute

4 Quelles expressions sont utilisées pour décrire Picasso et son travail ?

Vocabulaire

5 Associez ces mots à leur équivalent.

a | l'ambivalence
b | l'avant-garde
c | pictural
d | hanter
e | langoureuse
f | feutrée

1 | qui a rapport à la peinture
2 | obséder
3 | discret, silencieux
4 | caractère de ce qui a deux aspects
5 | ce qui est précurseur
6 | alanguie

6 Relevez tous les mots synonymes de *tableau*.

PRODUCTION ORALE

7 Comparez ces trois œuvres, en insistant sur les ressemblances et les différences.

A Diego Vélasquez, *Les Ménines*, 1657.

B Pablo Picasso, *Variation d'après les Ménines de Vélasquez : vue d'ensemble*, 1957.

C Pablo Picasso, *Les Ménines d'après Vélasquez*, 1957.

GRAMMAIRE > les participes

1 Observez les énoncés suivant : quelle est la nature des participes soulignés ? quelle est leur fonction ?

a | Une artiste née, <u>portée</u> par sa foi et son amour de la nature.

b | En tout cas, en ce qui me concerne, c'est de l'avoir <u>approchée</u> qui me l'a <u>rendue</u> très proche.

c | Pour réaliser ses tableaux, Séraphine Louis accomplit des petits miracles de pauvre, remplissant ses pots de peinture de sang <u>récupéré</u> chez le boucher.

d | Il prend sous sa protection cette femme qui dit que les anges lui dictent de peindre, et dont les cantiques <u>tremblants</u> trahissent le mysticisme.

e | Kiki, je t'ai trop <u>fait</u> souffrir !

f | *Nu <u>descendant</u> un escalier.*

PARTICIPE PASSÉ, PARTICIPE PRÉSENT, ADJECTIF VERBAL

Le participe passé

Le participe passé employé sans auxiliaire

Seul, il s'accorde comme un adjectif. Il présente un sens passif. (**a**, **c**)

L'accord du participe passé

Participe passé des verbes conjugués avec l'auxiliaire *avoir*

• Il s'accorde en genre et en nombre avec le complément d'objet direct lorsque celui-ci précède le verbe. (**b**)

• Dans le cas où le participe passé est suivi d'un infinitif, il y a accord seulement si le complément d'objet direct placé avant le participe fait l'action du verbe utilisé à l'infinitif.

La femme que j'ai entendue chanter.

• Le participe passé des verbes *faire, laisser* ou *se faire* est toujours invariable devant l'infinitif. (**e**)

Participe passé des verbes conjugués avec l'auxiliaire *être*

• Il s'accorde avec le sujet.

Ils sont sortis du musée vers 17 heures.

• Le participe passé des verbes pronominaux s'accorde avec le pronom réfléchi quand celui-ci est complément d'objet direct.

Ils se sont aperçus de leur erreur.

• Le participe passé des verbes pronominaux ne s'accorde pas avec le pronom réfléchi quand celui-ci est complément d'objet indirect.

Ils se sont téléphoné.

• Il n'y a pas d'accord pour le participe passé des verbes pronominaux suivis d'un complément d'objet direct.

Elle s'est lavé les cheveux.

• Pour les verbes qui ont une construction toujours pronominale, le participe passé s'accorde avec le sujet.

Elles se sont tues.

Le participe composé

Généralement employé en tête de phrase, le participe composé a un sens causal et une valeur d'antériorité par rapport au verbe de la principale. Utilisé à l'écrit, il se construit avec le participe présent d'*avoir* ou *être* + le participe passé.

Étant sortie plus tôt, elle n'était toujours pas là quand il a téléphoné. = Comme elle était sortie plus tôt, elle n'était toujours pas là quand il a téléphoné.

Le participe présent et l'adjectif verbal

Le participe présent exprime une action ou un état passager et il est suivi d'un complément. Il peut être remplacé par le verbe précédé de *qui*. Il est invariable. (**f**)

L'adjectif verbal exprime une qualité ; il a la valeur d'un adjectif qualificatif. (**d**)

L'adjectif verbal des verbes en GER / GUER / QUER est différent du participe présent dont il dérive.

Voir *Mémento grammatical*, p. 194.

---

2 Faites l'accord des participes passés, si nécessaire, dans les énoncés suivants.

a | C'est une œuvre que je n'ai pas remarqué… .

b | Le peintre que nous avons choisi… est un ami de Tristan.

c | Elle a fini sa sculpture et s'est lavé… les mains.

d | Cette lettre, Malraux l'a écrit… de ses mains.

e | Benoît et Juliette ont couru… et se sont embrassé… .

f | Ils se sont répondu… hier soir.

g | La toile que tu as vu… hier, c'est celle que je lui ai offert… .

3 Faites l'accord des participes passés, si nécessaire, dans le texte suivant.

La Liberté guidant le peuple, d'Eugène Delacroix

La toile, réalisé... en 1830, n'a rejoint le musée du Louvre qu'en 1874, après tout un parcours qui l'a tenu éloigné... du public, en raison de son contenu révolutionnaire.

L'œuvre représente une scène de l'insurrection qui, en juillet 1830, a mis fin à la politique imposé... par Charles X.

Elle est considéré... par la critique comme une des premières compositions politiques de l'histoire de la peinture moderne.

Elle a été exécuté... l'année même des événements de juillet et acquis... par le Musée royal en 1831 : Louis Philippe n'a pas eu le courage de l'exposer et l'a fait... placer au musée du Luxembourg.

4 Dans les énoncés suivants, dites si les mots soulignés correspondent à un participe présent, à un participe composé ou à un adjectif verbal.

a | <u>Ayant</u> fourni un alibi valable, la présumée coupable a été relâchée.

b | Les clients <u>souhaitant</u> un remboursement doivent se présenter au bureau 145.

c | Je l'ai vu <u>réchauffant</u> ses pieds autour du feu.

d | Le ministre avait un discours <u>perturbant</u>.

e | Il a mentionné ce détail d'un ton <u>insistant</u>.

5 Mettez les verbes entre parenthèses à la forme qui convient.

a | Ce sont deux suggestions ..... (équivaloir).

b | Il fait un froid ..... (glacer).

c | Je t'envoie la commande ..... (correspondre).

d | Elle cherche un livre ..... (comprendre) des astuces de bricolage.

e | Ce restaurant propose des menus ..... (exceller).

f | Vous n'avez pas écouté les avertissements vous ..... (concerner).

▪ET LES RIVERAINS ?

cd ● 12

COMPRÉHENSION ORALE

1re écoute

1 Quel est le thème du reportage ?

2 Combien de personnes parlent et qui sont-elles ?

3 À votre avis, quelle question le journaliste a-t-il posée à ces personnes ?

2e écoute

4 L'avis des personnes interrogées est positif ou négatif ? Justifiez.

5 Que pensent les commerçants et les restaurateurs de ce projet ? À votre avis, pourquoi ?

6 Quelles informations sont données sur le projet ?

Vocabulaire

7 Relevez, dans le reportage, les synonymes de :

a | très grand

b | pas très large

c | longue

d | une chose pas sérieuse

e | ce qui est situé en face

f | sans exception

PRODUCTION ORALE

8 Regardez la photo du projet Triangle. Qu'en pensez-vous ?

9 Dans votre pays, existe-t-il une ou des constructions comme celle-ci ? Quelle est l'opinion publique ?

Comment je suis devenue dessinatrice de BD

À 43 ans, Catel Muller est l'une des dessinatrices de BD les plus en vogue de sa génération. Elle nous raconte son parcours dans cet univers très masculin. […]

Aimiez-vous déjà dessiner lorsque vous étiez enfant ?

Je passais mon temps à cela. Au collège, je dessinais
5 beaucoup en cours de maths, où je m'ennuyais royalement. Un jour, mon prof m'a surprise en train d'esquisser un portrait de lui sous les traits d'un cochon. Peu de temps après, il convoquait mes parents pour leur dire que j'étais très douée en dessin et qu'il fallait absolument que
10 je suive cette voie. C'est finalement grâce à lui que j'exerce aujourd'hui ma passion.

Après votre bac, vous intégrez les Arts décoratifs à Strasbourg…

J'ai suivi la section illustration de cette école, tout en fai-
15 sant une maîtrise d'arts plastiques à la fac de Strasbourg. […] Durant mes études, j'ai fait des dessins pour des magazines locaux, puis j'ai été sélectionnée pour le catalogue de la Foire du livre de Bologne, en Italie. Cela m'a ouvert des portes. Après mon diplôme, je suis partie à Paris avec
20 mon dossier pour rencontrer les éditeurs.

Et tout s'est enchaîné très vite ?

J'ai débuté en publiant des albums pour enfants […]. En collaboration avec Fanny Joly, j'ai dessiné *Marion et Charles* pour le mensuel *Je bouquine*, ainsi que *Les Aventures de*
25 *Bob et Blop* avec Paul Martin, chez Bayard. J'ai aussi collaboré à des séries de la Bibliothèque rose, à des livres pour enfants, à *L'Encyclopédie des filles*, éditée par Plon. Puis est venue la série *Lucie* en 2000, avec l'aide de Véronique Grisseaux. Ma carrière a vraiment été boostée en 2005 quand j'ai
30 obtenu le Prix du public au Festival d'Angoulême pour *Le Sang des Valentines*, avec Christian de Metter.

Peu de dessinatrices réussissent dans ce métier ?

Je suis consciente que j'ai beaucoup de chance de vivre de ma passion. La majorité des femmes de ma promo ne
35 travaille pas dans la BD. C'est vrai que c'est difficile de se faire une place dans cet univers culturellement masculin. Mais des femmes comme Claire Bretécher ont changé les mentalités. Alors, *welcome* aux filles dans la BD !

Vous consacrez d'ailleurs beaucoup d'albums à des
40 *destins de femmes, telle Kiki de Montparnasse ?*

C'est vrai que j'aime rendre hommage à toutes ces femmes qui se sont battues pour obtenir les droits que nous avons aujourd'hui, à celles qui ont préféré choisir leur vie plutôt que de la subir. Je suis aussi passionnée par ces na-
45 nas, comme Kiki de Montparnasse, qui ont donné leur vie à leur art. Je m'intéresse en ce moment à Mireille Balin, une actrice splendide des années 1940, qui a notamment joué dans *Pépé le Moko* avec Gabin. Elle a connu la gloire, mais la fin de sa vie est une véritable descente aux enfers.

50 *Comment travaillez-vous au quotidien ?*

Après avoir amené mes filles à l'école, je vais au café et je prends des notes dans un petit bloc. C'est mon moment de distraction et de concentration. Je dessine tout ce qui me passe par la tête ou les gens qui m'entourent, les objets,
55 je capte des ambiances. Puis je me rends à mon atelier. Je travaille sur plusieurs projets à la fois : je peux bosser deux heures sur *Marion et Charles*, deux heures sur mon prochain roman graphique… Je fais aussi des repérages à l'extérieur. Je suis sur un projet avec l'actrice Mylène
60 Demongeot. Je suis donc allée chez elle, dans le Sud, pour voir sa maison, m'imprégner de son quotidien.

Quels conseils donneriez-vous à un jeune qui veut se lancer ?

Je lui dirais d'être persévérant, car c'est un métier où l'on perd très vite confiance. C'est le travail qui fera la dif-
65 férence. Il ne suffit pas d'être bon techniquement, il faut trouver son style, l'affiner et prendre du plaisir. Enfin, il faut être patient. Il m'a fallu une dizaine d'années pour devenir un auteur plus qu'une prestataire de services…

Propos recueillis par Séverine TAVENNEC,
www.letudiant.fr

BIO express

1964 : naissance à Strasbourg (67).
1989 : obtient son diplôme d'illustration des Arts décoratifs à Strasbourg et, un an après, sa maîtrise d'arts plastiques à la faculté de Strasbourg.
1990 : sélectionnée pour le catalogue de la Foire internationale de l'illustration jeunesse de Bologne.
2007 : Prix du meilleur album au Festival de la BD de Lyon et Prix RTL pour *Kiki de Montparnasse*.
2008 : sortie de *Quatuor* chez Casterman.

COMPRÉHENSION ÉCRITE

1re lecture

1 Qui interviewe qui ?
2 Lisez l'interview et faites le portrait de Catel en quelques mots.
3 Que signifie la dernière phrase de l'interview ?

2e lecture

4 Quelles sont les activités de Catel-prestataire de services et de Catel-auteure ?
5 Qui sont les femmes qui passionnent Catel ? Pourquoi ?

PRODUCTION ÉCRITE

6 Complétez l'interview de Catel à l'aide de sa bio express.

KIKI DE MONTPARNASSE

CATEL et José-Louis BOCQUET,
Kiki de Montparnasse, Casterman, 2007.

COMPRÉHENSION ÉCRITE

Entrée en matière

1 Regardez cette planche de bande dessinée :
décrivez l'espace et les personnages.

2 À votre avis, quelle est la situation et la relation
entre les personnages ?

1ʳᵉ lecture

3 Vos hypothèses précédentes étaient-elles
justes ? Justifiez votre réponse.

2ᵉ lecture

4 Comment comprenez-vous la dernière phrase :
« *L'homme simple jouit de l'éphémère, l'Artiste
jouit pour l'éternité* » ?

PRODUCTION ORALE

5 Pensez-vous que l'artiste ne soit pas un homme
comme les autres ? Pourquoi ?

PRODUCTION ÉCRITE

6 Écrivez la critique de cette planche de bande
dessinée extraite de *Kiki de Montparnasse* de Catel
et Bocquet : vous la présentez, la décrivez et dites
ce que ce que vous pensez du dessin.
(Voir les Conseils pour la production écrite, p. 196.)

VOCABULAIRE > l'appréciation

ÉCHAUFFEMENT

1 Relevez les expressions de l'appréciation présentes dans les énoncés suivants.

a | Yolande Moreau incarne cette femme avec tellement d'intensité qu'elle nous donne envie de mieux découvrir son œuvre.

b | En ce début de xxᵉ siècle, la domestique touche au plus grand dénuement – un état de vie que Yolande Moreau personnifie avec justesse.

c | On a souvent traité Picasso de destructeur de formes…

d | *Picasso et les maîtres*, une exposition qui retrace toute l'histoire de la peinture grâce à un géant de l'art, Picasso.

e | Dans les films d'aventures actuels, s'ils ne tiennent pas le rôle principal, les acteurs, même honorables, ne s'investissent souvent qu'à moitié, et aucun n'atteint l'excellence.

LES ÉMOTIONS (f.) DU/DE LA SPECTATEUR(-TRICE)	L'ARTISTE (m. et f.)	L'ŒUVRE (f.)	LES SPECTACLES (m.) (LE THÉÂTRE / LE CINÉMA)
L'appréciation positive	**L'appréciation positive**	**L'appréciation positive**	**L'appréciation positive**
aduler	appartenir au Panthéon artistique	être enchanteur(-teresse)	bien jouer
être bouleversé(e) par	avoir du goût	être inoubliable	faire qqch avec justesse
être ému(e) par	avoir du succès	être magnifique	humblement magnifique
être enchanté(e)	être un(e) artiste au parcours hors-norme	être merveilleux(-euse)	incarner qqun avec intensité
être fasciné(e) par	être un(e) artiste majeur(e)	être mortel(le) (fam.)	tourner une scène ô combien saisissante
être fou/folle de (fam.)	être un monstre sacré	être original(e)	une actrice splendide
être enthousiaste	être un génie (artistique)/ génial (e)	être remarquable	une mise en scène spectaculaire
être fan de (fam.)	être un géant de l'art	être splendide	
frémir pour	faire un tabac	être terrible (fam.)	
raffoler de		être unique	
L'appréciation négative	**L'appréciation négative**	**L'appréciation négative**	**L'appréciation négative**
avoir horreur de	être un imposteur	être affreux(-euse)	être à l'eau de rose
être choqué(e)	être nul(le)	être décevant(e)	faire un bide (fam.)
être déçu(e)	être un(e) artiste mineur(e)	être horrible	être un navet (fam.)
s'ennuyer	être un(e) destructeur (-trice) de formes	être kitch (+ ou –)	être un film de série B
déplaire	être un peintre du dimanche (fam.)	être monstrueux(-euse)	mal jouer
détester	exposer la vulgarité	être pittoresque (+ ou –)	jouer comme un pied (fam.)
laisser de glace		être scandaleux(-euse)	surjouer
laisser froid(e)		être vulgaire	ne pas atteindre l'excellence
laisser indifférent(e)		être une imposture	ne pas être crédible
			ne pas s'investir dans son rôle

i b f h j

a c
d
e

ENTRAÎNEMENT

2 Les appréciations positives : qu'est-ce qui peut être *enchanteur, inoubliable, magnifique, merveilleux, mortel, original, remarquable, splendide, terrible, unique* dans cette liste ? (Attention, plusieurs choix possibles.) Justifiez votre choix.

a | la dernière BD de Catel

b | Le Louvre

c | l'œuvre de Léonard de Vinci

d | un tag de Taki 183

e | le dernier film de Luc Besson

f | les grandes eaux de Versailles

g | les quais de la Seine

h | le viaduc de Millau

i | la nuit des Musées

j | les hospices de Beaune

3 Les appréciations négatives : qu'est-ce qui peut être *affreux, décevant, horrible, kitch, monstrueux, nul, pittoresque, scandaleux, vulgaire, une imposture* dans cette liste ? (Attention, plusieurs choix possibles.) Justifiez votre choix.

a | les colonnes de Buren
b | *Les Bronzés 3*
c | le Centre Pompidou
d | une exposition de corps humains de Gunther Von Hagens
e | la chaîne MTV
f | une toile blanche

g | *L'Urinoir* de Marcel Duchamp
h | le village des Baux de Provence
i | le chien rose de Jeff Koons
j | la nouvelle cité de la Mode et du Design

4 Écoutez ces appréciations et dites si elles sont positives ou négatives en fonction de l'intonation.

5 Vous venez de voir un film qui vous a beaucoup plu ou déplu : quelles expressions pouvez-vous utiliser pour caractériser la mise en scène ? le jeu des acteurs ?

Le moderne investit l'ancien
Placées sous le signe de la création, les Journées du patrimoine relient les vieilles pierres au contemporain.

Toujours aussi fermement attachée à ses vieilles pierres, la France célèbre pourtant ce week-end son patrimoine, sur le thème de la création. Mais loin d'opposer les anciens aux modernes dans une querelle d'un autre âge, ces journées devraient permettre, au contraire, de les réunir.

Réhabiliter l'héritage de nos aînés comme développer le dynamisme créatif actuel ne sont pas des dépenses inutiles mais des investissements productifs.

Le design s'invite donc dans les églises, l'art contemporain ou le slam, dans les musées. Sélection.

Bénédicte PHILIPPE et Carole LEFRANÇOIS,
Télérama Sortir, 20 septembre 2008.

**Les 20 et 21 sept. Rens. : 0820-202-502 (9 h - 19 h),
www.journeesdupatrimoine.culture.fr.
Voir aussi notre guide pages 34-35.**

unité 3 les arts

COMPRÉHENSION ÉCRITE

1re lecture

1 Quel événement est annoncé dans l'article ?
2 À votre avis, que peut-on faire à cette occasion ?

2e lecture

3 Quelle est la particularité de cet événement ? Quels exemples sont cités dans l'article ?

PRODUCTION ORALE

4 Qu'évoque, pour vous, la querelle des Anciens et des Modernes ? Connaissez-vous des exemples ?
5 Pensez-vous qu'il faille relier « les vieilles pierres » au contemporain ?
6 Regardez l'extrait du programme des Journées du patrimoine sélectionné par *Télérama* : à quels événements auriez-vous envie de participer ? Expliquez pourquoi.

Paris
4e
Pavillon de l'Arsenal
21, bd Morland, 01-42-76-33-97. Sur rés. Sam. 15 h (3 h à pied). Entrée libre.
www.pavillon-arsenal.com
Circuit découverte.

12e
Cité nationale de l'histoire de l'immigration
Palais de la Porte-Dorée, 293, av. Daumesnil, 01-53-59-64-13. Sam. et dim. 10 h - 19 h. Entrée libre.
www.histoire-immigration.fr
Trois grands plasticiens contemporains font l'événement : Tadashi Kawamata, Kader Attia, Melik Ohanian.

78-Yvelines
Versailles
La Maréchalerie
5, av. de Sceaux, 01-39-07-40-22/27. Sam. et dim. 14 h-18 h. Visite commentée toutes les heures.
www.versailles.archi.fr
L'artiste Tadashi Kawamata va recouvrir les façades de la Maréchalerie de cagettes de fruits et de légumes.

94-Val de Marne
Vincennes
Av. de Paris. Dim. 14 h-22 h. Entrée libre. http://www.souslaplage.com
Bal électro au château.

**Tout le programme des Journées du patrimoine
à Paris et en Ile-de-France est sur le site
www.journeesdupatrimoine.com**

Marcel Duchamp, *Nu descendant un escalier*, 1912.
Huile sur toile, 146 x 89 cm, Musée des Beaux-Arts de Philadelphie.

COMPRÉHENSION ORALE

Entrée en matière
1 Observez ce tableau : que représente-t-il ?
Qu'en pensez-vous ?

1ʳᵉ écoute
2 Où et quand le tableau a-t-il été exposé ?
3 Qui sont les deux autres personnalités françaises
connues aux États-Unis à cette époque ?

2ᵉ écoute
4 Marcel Duchamp était connu pour ses
provocations. Nommez-en deux.

5 Pourquoi y a-t-il eu un scandale aux États-Unis
en 1913 ?
6 Comment ont réagi les Américains ?
7 Quelles étaient les idées de Marcel Duchamp
sur l'art ?

PRODUCTION ORALE

8 Comme Marcel Duchamp, pensez-vous aussi
que n'importe quel objet puisse devenir une œuvre
d'art ?
9 Selon vous, une œuvre d'art doit-elle répondre
à des critères de « bon goût » ?

Procès surréaliste autour de *L'Urinoir* de Duchamp

Avec un marqueur, il a signé son délit : « Dada ». Pierre Pinoncelli estime avoir rendu hommage à Marcel Duchamp en attaquant le célèbre urinoir de l'artiste, le 4 janvier.

⁵ L'œuvre faisait partie de l'exposition « Dada » au Centre Pompidou.

Ses coups de marteau sur cette céramique évaluée à 2,8 millions d'euros lui ont valu trois mois de prison ¹⁰ avec sursis

Le tribunal correctionnel de Paris l'a aussi condamné hier à 14 000 d'euros pour la restauration de l'œuvre et 200 000 euros au titre du ¹⁵ préjudice matériel.

L'audience a viré au dialogue de sourds : « *La vie en société exige le respect des règles et notamment de la propriété publique* », avance la présidente ²⁰ « *L'esprit dada, c'est l'irrespect*, rétorque le prévenu.

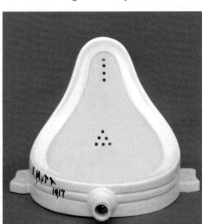

C'est dans la dialectique du ready-made* de refaire d'un objet ordinaire devenu œuvre d'art un objet ordinaire. »

« *C'est la* Fontaine *de Duchamp, ce n'est plus un urinoir comme un* ²⁵ *autre* », assène la présidente.

Le tribunal a justifié sa peine par le risque de récidive.

Pierre Pinoncelli avait en effet déjà dégradé mais aussi uriné dans ³⁰ le même exemplaire de l'œuvre, en 1993 à Nîmes afin de « *redonner sa dignité à l'objet* ».

Il a réitéré son attaque parce que Beaubourg n'avait pas fait mention de cette ³⁵ « singularité » d'un des huit urinoirs.

Sophie CAILLAT, *20 minutes*,
8 février 2006.

* *le ready-made : objet d'art fait d'une réunion d'objets naturels sans aucune élaboration (les premiers* ready-mades *ont été présentés par Marcel Duchamp).*

COMPRÉHENSION ÉCRITE

1re lecture

1 À quelle occasion cet article a-t-il été écrit ?
2 Pourquoi a-t-on fait un procès à Pierre Pinoncelli et quel est le verdict rendu par le tribunal ?

2e lecture

3 Relevez les arguments de l'accusation et ceux de la défense.

Vocabulaire

4 Quelle est l'expression du texte qui montre l'incompréhension entre la présidente et le prévenu ?
5 Cherchez dans le texte un équivalent de :
a | répondre par une objection
b | répondre avec force
c | renouveler
d | signaler
e | la logique

L'ART ET VOUS

PRODUCTION ORALE

Choisissez une citation et dites ce que vous en pensez.

1 « *Un tableau ne vit que par celui qui le regarde.* »
Pablo Picasso
2 « *Pour approcher le spirituel en art, on fera usage aussi peu que possible de la réalité, parce que la réalité est opposée au spirituel.* »
Piet Mondrian
3 « *Pourquoi ne pas concevoir comme une œuvre d'art l'exécution d'une œuvre d'art ?* »
Paul Valéry

4 « *Il faut bien comprendre que l'art n'existe que s'il prolonge un cri, un rire ou une plainte.* »
Jean Cocteau
5 « *La fonction de l'art n'est jamais d'illustrer une vérité, ou même une interrogation. Elle est de mettre au monde des interrogations, qui ne se connaissent pas encore elles-mêmes.* »
Alain Robbe-Grillet
6 « *L'art est un jeu d'enfant.* » Max Ernst

GRAMMAIRE > la concession et l'opposition

ÉCHAUFFEMENT

1 Quel est le rôle des énoncés soulignés ?

a | Je dirai que ça va cacher <u>quand même</u> une partie de la visibilité, <u>tandis que</u> là on a la vue dégagée.

b | Toujours aussi fermement attachée à ses vieilles pierres, la France célèbre <u>pourtant</u> ce week-end son patrimoine sur le thème de la création.

c | Mais loin d'opposer les anciens aux modernes dans une querelle d'un autre âge, ces journées devraient permettre, <u>au contraire</u>, de les réunir.

d | De nos jours, les trucages ont remplacé le jeu, et, <u>au lieu de</u> dialogues percutants, on nous abreuve d'effets spéciaux.

EXPLICATIONS/RÉFÉRENCE

Il est d'usage de différencier la **concession** et l'**opposition**.

La concession met en relation deux faits qui ne sont pas contraires mais le deuxième nie le premier et marque donc une conséquence qui n'est pas logique. La concession porte ainsi l'idée d'un paradoxe (phrase **b**).

Certains énoncés (comme *mais, cependant, en revanche, or...*) peuvent exprimer ces deux notions.

L'opposition met en relation deux faits contraires indépendants l'un de l'autre (phrases **a**, **c**, **d**).

2 Dans les phrases suivantes, quels sont les éléments qui expriment une opposition ou une concession ?

Exemple : *Picasso a fait plusieurs variations des Ménines de Vélasquez en peinture, <u>tandis qu'il n'a jamais fait de dessin sur ce thème.</u>*

a | Bien que la *Fontaine* de Duchamp soit dans un musée, ce n'est pas une œuvre d'art pour moi !

b | Pour certains, la *Fontaine* de Duchamp n'est pas une œuvre d'art. Or elle est dans un musée. C'est donc bel et bien une œuvre d'art.

c | Goya, Vélasquez, Titien sont des artistes ! Alors que Picasso ne dessinait pas mieux qu'un enfant !

d | Je pense que les Journées du patrimoine sont une bonne initiative. Toutefois, je n'y suis jamais allé.

e | J'adore la peinture. En revanche, je ne m'intéresse pas à la sculpture.

f | Le geste de Pinoncelli est un délit même si je le trouve intéressant d'un point de vue artistique.

LA CONCESSION

Conjonctions de subordination
• bien que
• quoique / encore que + *subjonctif* (de niveau de langue très soutenu, ces deux expressions sont très peu utilisées)
• même si + *indicatif*

Prépositions
malgré / en dépit de + *nom*

Adverbes et conjonctions
• mais / pourtant / cependant / néanmoins / toutefois / or / en revanche
• tout de même / quand même / malgré tout

Expressions
• avoir beau + *infinitif*
• ça n'empêche pas que / n'empêche que *(fam.)*

Or introduit toujours le deuxième élément d'une opposition et est souvent suivi d'une conséquence :
Les Journées du patrimoine célèbrent les vieilles pierres. Or, cette année, elles sont placées sous le signe de la création. Il n'y a donc pas de querelle entre anciens et modernes.

Néanmoins et **en revanche** sont précédés d'une idée négative et suivis d'une idée positive :
La tour Triangle va cacher une partie de la visibilité, néanmoins c'est un projet intéressant.
C'est généralement le contraire pour **toutefois** :
La tour Triangle est un projet intéressant, toutefois elle va cacher une partie de la visibilité.

Quand même est souvent utilisé pour renforcer **mais** :
Très peu de femmes sont dessinatrices de BD, mais il y en a quand même quelques-unes.

Conjonctions de subordination	Adverbes et conjonctions
alors que / tandis que + *indicatif*	• mais / or / cependant / néanmoins
	• par contre / en revanche / au contraire /
Prépositions	à l'inverse
contrairement à / à l'opposé de + *nom*	
au lieu de + *verbe*	

ENTRAÎNEMENT

3 Mettez les verbes entre parenthèses au temps et au mode correct.

a | Il est arrivé à l'heure bien qu'il ..... (partir) en retard.

b | Je ne le reverrai jamais, même s'il me ..... (supplier).

c | Quoiqu'il ne ..... (savoir) pas conduire, je lui ai prêté ma voiture.

d | Il se peut qu'il pleuve, même si la radio..... (annoncer) le contraire.

e | Elle portait des lunettes de soleil, alors qu'il ..... (faire) gris.

f | Il trouvera la réponse, encore que la question ne ..... (être) pas facile.

4 Placez les mots manquants dans le dialogue.

pourtant – contrairement à – tout de même – bien que – avoir beau – malgré tout – quand même – au lieu de – n'empêche que

— Ça fait une heure que je t'attends ! Tu aurais (**a**) pu m'appeler !

— Tu n'as pas eu mon message ! Je t'en ai (**b**) envoyé un pour t'avertir de mon retard !

— Non ! Regarde mon portable, il n'y a rien !

— Si, regarde, tu as un message.

— Ah ! oui. J'aurais (**c**) préféré que tu appelles.

— (**d**) continuer à me faire des reproches, tu pourrais t'excuser !

— Tu m'as peut-être envoyé un message, (**e**) ça fait une heure que j'attends sous la pluie.

— Je (**f**) m'excuser, tu n'es jamais contente !

— Je suis très contente, (**g**) tu ne fasses aucun effort !

— Bon ! On va le voir ce film (**h**) ?

— D'accord, mais (**i**) ce que tu crois, je suis très contente !

5 Introduisez une idée de concession ou d'opposition dans les phrases suivantes. Variez les tournures autant que possible.

a | Le ciel est tout bleu ; il va pleuvoir.

b | Le chien aboie ; le chat miaule.

c | C'est une ville très polluée ; je m'y sens bien.

d | Il a l'air sympathique ; il n'est pas sympathique.

e | Je suis fatiguée ; je ne parviens pas à m'endormir.

f | Il n'a rien fait de sa vie ; il avait de l'or dans les mains.

g | Je ne viendrais pas ; tu insistais.

■ VOTRE PORTRAIT

Vous souhaitez offrir votre portrait à votre bien-aimé(e) afin qu'il(elle) pense à vous lorsque vous n'êtes pas là. Vous passez une commande auprès de Georges Dubuffet dont vous ne connaissez pas le travail mais qui vous a été recommandé par un ami passionné d'art.

PRODUCTION ÉCRITE

Quelques semaines plus tard, vous recevez le portrait ci-contre de la part de Dubuffet. Vous écrivez à l'artiste pour lui dire ce que vous pensez de son œuvre.

ATELIERS

1 ORGANISATION D'UN ÉVÉNEMENT

À l'occasion des Journées du patrimoine, organisez un événement qui relie l'ancien et le contemporain dans un monument de votre ville ou un monument parisien.

Démarche

En groupes de trois ou quatre :
1 Vous choisissez le monument et l'événement.
2 Vous décidez des modalités de cet événement et créez le programme.
3 Vous faites une affiche pour l'annoncer.
4 Vous le présentez à la classe.

Comment faire pour...

Désigner l'événement
Le concert, la représentation, la lecture, la visite...

Préciser le lieu
L'événement aura lieu à / se déroulera à + le nom du lieu et son adresse
Venez nombreux + le nom du lieu et son adresse

Préciser le jour et l'heure
L'événement débutera + jour, à + horaire.
L'événement aura lieu / se déroulera + jour, à + horaire ou de + heure à + heure

Préciser les modalités de participation
Entrée libre / gratuite
Entrée / visite sur réservation
Visite guidée / commentée

Écrire un texte pour décrire l'événement
• Présenter le ou les intervenant(s) : l'artiste, le plasticien, le musicien, l'architecte, l'historien...
• Ce qu'il(s) fera/feront : proposer, présenter, inviter, se produire, réaliser, jouer, expliquer, intervenir...
• Ce que le public fera : visiter, assister, admirer, écouter, se promener...
• Le lieu : accueillir, ouvrir ses portes, être assiégé...

Niki de Saint Phalle, *Nana*, 1973 (Hanovre).

2 ÉCRIRE ET COMMENTER UN ARTICLE SUR L'ART CONTEMPORAIN

Votre ville veut acquérir une œuvre d'art contemporain qui vaut 4 millions d'euros.
Vous donnez votre point de vue en écrivant un court article dans le journal local que vous défendrez lors d'une rencontre avec d'autres citoyens.

Démarche

En groupes de trois ou quatre :
1 Préparation
• Vous faites une liste avec des arguments « pour » et une autre avec des arguments « contre ».
• Vous les présentez à la classe.
• Mise en commun.
2 Réalisation
• Vous rédigez votre texte en défendant vos idées.
3 Présentation
• Vous présentez votre article aux autres étudiants qui y réagissent.

Comment faire pour...

Donner son point de vue par écrit
• Présenter l'œuvre et la décrire.
• À l'aide des arguments relevés, rédiger votre point de vue.
• Conclure.

Réagir à une opinion à l'oral
• Relever un des arguments des autres participants.
• Le reformuler.
• Donner votre avis.

LES NOUVEAUX VOYAGEURS

« *Ah ! les Français, ça voyage mal,*
c'est comme le camembert. »

Claude ZIDI

— Décrire, dans un courriel, les différentes formes d'écotourisme.
— Rédiger une brochure d'accueil pour des touristes.
— Raconter, dans une carte postale, une situation comique.
— Écrire une lettre de réclamation.
— Écrire un article qui donne des « bons plans » pour les vacances.
— Raconter une expérience de vacances « frissons ».
— Réagir à un projet de loi sur un forum.
— Réaliser un carnet de voyages papier et sonore.

Dans les brumes

Comment passer un 14 juillet sous le drapeau tricolore sans traverser l'océan lorsqu'on est une journaliste californienne ? Il suffit de se rendre dans le plus septentrional de nos territoires
5 d'outre-mer. Exotisme et *Marseillaise* garantis !

Le drapeau tricolore flotte sur la place du Général-de-Gaulle par cette matinée brumeuse, tandis que des gendarmes, uniforme bleu impeccable et gants blancs, torse barré d'un fusil, se mettent au garde-à-vous dès que la fan-
10 fare entonne *La Marseillaise.* Nous sommes le 14 juillet. Je suis en France, entourée de Français patriotes, et pourtant, 4 500 kilomètres et un océan me séparent de Paris. Car Saint-Pierre-et-Miquelon, c'est la France, même si les deux îles se situent à une trentaine de kilomètres au large
15 de la pointe sud de Terre-Neuve. […]
   Saint-Pierre, le chef-lieu, qui abrite la plupart des insulaires, est une ville on ne peut plus[1] française. On y trouve de bons restaurants français servant des escargots et des cuisses de grenouille. Et bien entendu, le français est ici la
20 langue maternelle. Ce n'est pas l'endroit le plus facile à atteindre, ce qui contribue sans doute à expliquer la rareté des hôtels. Pour m'y rendre, j'ai d'abord dû prendre un avion pour New York, puis une correspondance pour Halifax, en Nouvelle-Écosse canadienne. Le lendemain, j'ai embarqué

Entrée en matière

1 D'où provient cet article ?
2 Lisez le titre et le chapeau. Quel est le défi proposé ?

1re lecture

3 Combien d'îles composent Saint-Pierre-et-Miquelon et où sont-elles situées ?
4 Comment l'article est-il organisé ?

2e lecture

5 Comment la journaliste est-elle allée à Saint-Pierre-et-Miquelon ?

6 Pourquoi l'archipel est-il qualifié d'insolite ?
7 Quels sont les principaux points d'intérêt de Saint-Pierre-et-Miquelon ?
8 Relevez dans ce texte tout ce qui se rapporte à la France et aux Français.

Vocabulaire

9 Cherchez dans le texte un équivalent de :
a | nordique   **c** | triste
b | qui a peu de chance   **d** | francophonie
    d'exister   **e** | faire un bilan

■ CONNAISSEZ-VOUS L'ÉCOTOURISME ? 🔘 cd 15

1re écoute

1 Quelle est la source du document et combien y a-t-il d'interlocuteurs ?
2 Quel est le thème de ce reportage ?

2e écoute

3 Comment peut-on pratiquer l'écotourisme ?
4 Comment savoir si un hébergement est écologique ?

5 Quelles sont les idées de séjours écotouristiques proposées par Pascal Languillon ?

Vocabulaire

6 Relevez :
• les différents noms de l'écotourisme ;
• les termes et expressions en relation avec le tourisme sur l'eau.

de Saint-Pierre-et-Miquelon

25 dans un gros coucou qui assurait la liaison jusqu'à Saint-Pierre. Théoriquement, une voiture de location m'attendait sur place mais le lecteur de carte de crédit du loueur ne fonctionnait pas (ce qui arrive souvent sur l'île) et je n'avais pas d'euros sur moi. Qu'à cela ne tienne, on m'a remis les 30 clés, sans poser la moindre question. J'ai très vite compris que j'allais me sentir bien dans cet endroit improbable qui aime à se faire appeler la *terre insolite*[2]. [...]

Si je n'avais pas eu la chance de me trouver à Saint-Pierre par un magnifique 14 juillet, l'île aurait pu me paraître 35 plutôt morne. Par moments, il n'y a pratiquement aucune visibilité sur les routes, où on ne rencontre pas le moindre feu rouge. (Il est vrai que le bout de terre sur lequel est sis Saint-Pierre ne fait guère plus de 25 kilomètres carrés.) Par une journée froide et pluvieuse, je ne résiste pas 40 à demander à une jeune guide du musée de l'Arche à quoi peuvent bien ressembler les hivers, s'ils ont ce temps-là en juillet. « *C'est pire encore* », répond-elle simplement en souriant. Ce sont peut-être les rigueurs du climat qui ont poussé les habitants à barioler leurs maisons de tons bleus, 45 verts, jaunes, roses et violets. Elles sont bâties au ras des chaussées étroites du quartier qui domine le port. Outre sa francité, c'est son absolu isolement qui donne à Saint-Pierre son côté un peu surnaturel. Mon téléphone portable, qui marche presque partout dans le monde, n'a pas 50 de réception ici. J'en suis quitte pour[3] acheter une carte téléphonique française. [...]

Je me demande si les Saint-Pierrais se sentent différents des autres Français. Je pose la question à Bruno Arthur, menuisier et membre du conseil municipal, qui a fait 55 trois voyages en métropole. « *Nous vivons comme des gens d'Amérique du Nord, mais nous ne sommes pas américains. Nous sommes français. Nous voyons les choses plus en grand qu'en Europe. Nous prenons le meilleur de la France, la nourriture, le fromage…* »

60 Le soir venu, le grand bal public a commencé. Je vais me chercher un verre de vin rosé et je m'assieds à une table de pique-nique pour faire le point sur ce que m'inspire cet étrange territoire. Tout compte fait, je crois que Bill Marshall, professeur d'études françaises modernes à 65 l'université de Glasgow, que j'ai rencontré ici, a parfaitement résumé la situation. À ses yeux, la commémoration du 14 juillet à Saint-Pierre – et Saint-Pierre avec – est « *un théâtre de la francité. Ils jouent très bien leur rôle de Français. Cela étant*, ajoute-t-il comme en repentir[4], 70 *les Français aussi jouent très bien leur rôle de Français.* »

Beverley BEYETTE, *Los Angeles Times*,
dans *Courrier international*, n° 820, 20 juillet 2006.

1. Qui ne peut pas être plus. – 2. En français dans le texte. – 3. En être quitte pour : n'avoir à subir que l'inconvénient de. – 4. Comme pour corriger son propos.

PRODUCTION ORALE

10 Avez-vous déjà passé un 14 juillet en France ou dans un centre français à l'étranger ? Racontez votre expérience.

11 Chaque pays a ses stéréotypes : par exemple, les Italiens mangent tous des pâtes, les Allemands boivent tous de la bière… Décrivez les clichés qui concernent votre pays et donnez des conseils à un touriste qui se rend dans votre pays pour la fête nationale.

PRODUCTION ÉCRITE

12 Vous organisez un séjour à destination de touristes étrangers. Rédigez une brochure d'accueil à l'usage de touristes francophones dans laquelle vous présenterez de façon objective votre pays, votre région ou votre ville.

PRODUCTION ORALE

7 Partiriez-vous en écotourisme même si vous deviez dormir sous la tente ? Pourquoi ?

8 Considérez-vous que l'écotourisme soit un moyen de protéger l'environnement ? Pourquoi ?

9 Que pourriez-vous proposer comme séjours alternatifs ?

PRODUCTION ÉCRITE

10 Votre ami(e) écologiste vous demande comment faire de l'écotourisme dans votre pays. Répondez-lui par courriel en lui expliquant les différents types de séjours mis en place :
• les tours opérateurs à qui s'adresser ;
• les différentes étapes du voyage (transports, hébergements, séjour) ;
• le matériel nécessaire, la durée et le montant du séjour.

unité **4** les nouveaux voyageurs

VOCABULAIRE > le tourisme

LE TYPE DE TOURISME

chez l'habitant
le circuit
la croisière
la cure
l'écotourisme (m.)
l'excursion (f.)
le groupe
la location
le tourisme de masse
le tourisme durable
le tourisme équitable
le tourisme éthique
le tourisme responsable
le tourisme solidaire
le tourisme vert
le/la touriste
le village-vacances
le voyage (organisé)
voyager
le/la voyageur(-euse)

1 Quels types de tourisme s'adressent à des personnes...
a | qui souhaitent se reposer ?
b | qui souhaitent être actives ?

AVANT DE PARTIR

l'agence de voyages (f.)
la brochure
le catalogue
le dépliant
le forfait
la prestation
la réduction (pour les étudiants, les seniors, les jeunes mariés)
régler (le règlement)
le remboursement
la réservation

LES INTERVENANTS

l'accompagnateur(-trice)
l'agent de voyages (m.)
le/la guide
l'interprète (m. et f.)
l'office de tourisme (m.)
le syndicat d'initiative
le tour-opérateur
le/la voyagiste

2 Quels termes se rapportent...
a | à un voyage individuel ?
b | à un voyage organisé par une agence ?

LES BAGAGES (m.)

le bagage à main
défaire sa valise
faire sa valise
la malle
le sac à dos
le sac à main
le sac de voyage
la valise

LE SÉJOUR

le cadre
la capacité d'accueil
la demi-pension
les équipements
l'établissement (m.)
haut de gamme
l'hébergement (m.)
les installations (f.)
l'itinéraire (m.)
la nourriture
la nuitée
passer la nuit
la pension complète
le petit-déjeuner
le refuge
rester deux nuits
séjourner
le transfert

expressions :

en cours de route
faire l'école buissonnière
faire le tour du monde
jeter/lever l'ancre
mettre les voiles

3 a | Quels bagages utilise-t-on pour une escapade ? un séjour d'une semaine ? un long séjour ? (plusieurs choix possibles)
b | Quels termes se rapportent à un séjour à l'hôtel ? chez des amis ? à un pèlerinage ? (plusieurs choix possibles)

LES VACANCES (f.) ET LES ACTIVITÉS DE VACANCES

le baroudeur
bourlinguer
les congés
l'escapade (f.)
le jour férié
l'estivant (m.)
le/la vacancier(-ière)
bronzer
la détente
faire la fête
faire de la natation
faire de la randonnée
faire du ski
faire la sieste
lézarder
nager
se détendre
se promener
le repos
le/la routard(e)
la haute/basse saison
hors saison
la saison estivale
visiter des sites

4 Quels termes caractérisent...
a | l'écotourisme ?
b | le tourisme de luxe ?
c | le tourisme bon marché ?
5 Quelles sont les activités pour chaque type de tourisme ?

ACTIVITÉ

Placez les mots manquants.

vacances – camping – congés – sacs à dos – voyages organisés – chambre d'hôtel – héberge-ment – routard – escapade – baroudeurs – estival – camper – avons loué – repos

Selon une étude, un quart des jeunes adultes ne devraient pas prendre de vacances cet été.
Les vacanciers de moins de 25 ans peuvent ressortir leurs (**a**), leurs abonnements « auberge de jeunesse » et leurs Guides du (**b**). Plus que les autres, ils sont les premiers concernés par les conséquences de la crise pour leurs (**c**) d'été.
Quand ils ont déjà prévu un voyage ou une (**d**), ils précisent qu'ils feront attention : presque la moitié d'entre eux dépenseront en effet un peu moins de 250 € pour tout le séjour (**e**). Déjà habitués à partir avec un budget limité, les jeunes (**f**) cumulent cette année les bons plans pour financer le mieux possible leur besoin d'évasion. Quatre jeunes sur dix ne vont pas payer leur (**g**) en partant chez leurs proches.

Interviews

Quels sont vos projets pour l'été ?
Guillaume – 18 ans : « D'habitude, je pars (**h**) avec des potes, sur l'île d'Oléron. Mais, là, je vais me faire des longs week-ends pas très loin. Je vais quand même profiter de ces (**i**) en partant dans la famille. »
Pascal – 32 ans : « Je vais faire du (**j**) et dormir chez l'habitant alors que, d'habitude, je m'autorise une (**k**). Ma destination : la Bretagne du sud. »
Lise – 23 ans : « Ma famille me prête un apparte-ment en Vendée. Avant, j'optais pour les (**l**), tout est prévu à l'avance en plus. Là, nous aurons dix jours de (**m**) sur la côte atlantique. »
Étienne - 24 ans : « C'est ma boîte qui m'emmène en vacances : je pars deux semaines à Barcelone. Mes amis et moi (**n**) un appartement à 450 euros. »

CIVILISATION

Répartition en % des différents moyens de transport utilisés par les Français pour motif personnel (en 2007)

en %	France métro-politaine	Europe	Autres desti-nations	Ensemble
Voiture	82,3	41,7	4,7	77,4
Avion	1,5	36,2	92,2	6,3
Train	12,8	8,6	0,9	12,2
Autocar	1,2	10,5	0,7	1,8
Autre mode	2,2	3,0	1,5	2,5

Source : suivi de la demande touristique, TNS Sofres/Ministère du Tourisme

L'ÉPANOUISSEMENT AUTHENTIQUE
À 1 HEURE DE PARIS

WWW.LELOIRETVOUSREUSSIT.COM   Le Loiret VOUS réussit   le Loiret

COMPRÉHENSION ÉCRITE

1 À partir de la lecture de son titre, quelles informations pouvez-vous déduire sur le contenu de ce tableau ?

2 Lisez le document. Quelles constatations pouvez-vous faire ?

3 Comparez avec les moyens de transport utilisés par vos compatriotes pour partir en vacances.

Poids touristique des espaces de séjours français des résidents (en 2007)
(en)%

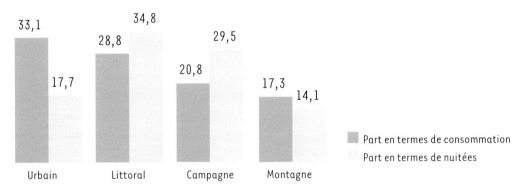

Champ : résidents âgés de 15 ans et plus, voyageant pour motif personnel.
Source : suivi de la demande touristique, TNS Sofres/Ministère du Tourisme

COMPRÉHENSION ÉCRITE

1 Lisez le document et identifiez son thème.

2 Observez les titres des colonnes. Quels sont les types de séjours présentés et selon quels critères les données sont-elles réparties ?

3 Quelles remarques pouvez-vous formuler à partir de ce document sur...

a | la destination des Français la plus populaire ?

b | les dépenses les plus élevées et les moins élevées ? Comment pouvez-vous les expliquer ?

c | les dépenses de consommation et le nombre de nuitées à la montagne ?

PRODUCTION ORALE

4 Comment répartissez-vous votre budget en vacances ?

5 Quelles sont vos activités de vacances ? Quelle est la part de vos dépenses pour ces différentes activités ?

■ VOYAGE ORGANISÉ

Parler petit nègre : parler de façon élémentaire, sans maîtrise de la langue.

Christian BINET, *Les Bidochon en voyage organisé*, Fluide Glacial, 1991.

COMPRÉHENSION ÉCRITE

Entrée en matière

1 Regardez cette planche de bande dessinée et faites des hypothèses sur :
a | la situation ;
b | les personnages ;
c | l'état d'esprit des personnages.

1re lecture

2 Quelle situation pose problème aux membres du groupe ?
3 Quelle est la solution trouvée par le groupe pour ne pas attendre l'organisateur sous la pluie ?

2e lecture

4 Quelles sont les techniques de communication utilisées par monsieur Bidochon ?
5 Quelles sont les caractéristiques du comique de situation ?

PRODUCTION ÉCRITE

6 Vous êtes en vacances dans un pays dont vous ne parlez pas la langue. Écrivez une carte postale à un(e) ami(e) dans laquelle vous racontez une situation comique que vous avez vécue en raison de votre non-maîtrise de la langue.

LES VACANCES ET VOUS

PRODUCTION ORALE

1 Comment communiquez-vous dans les pays dont vous ne parlez pas la langue ?

2 Selon vous, est-il important de parler la langue des pays que l'on visite ? Pourquoi ?

3 Avec qui partez-vous en vacances ?

4 Quels sont les critères importants pour réussir vos vacances ?

5 Quels sont les pays que vous aimeriez visiter ou revisiter ?

6 Vous êtes plutôt un(e) aventurier/aventurière ou un(e) voyageur/voyageuse très organisé(e) ?

7 Vos prochaines vacances : où, quand et avec qui ?

8 Quel(le) citation ou proverbe correspond le mieux à votre perception du « voyage » ? Pourquoi ?

a | *« Le voyage n'est nécessaire qu'aux imaginations courtes. »* Colette

b | *« Rien ne développe l'intelligence comme les voyages. »* Émile Zola

c | *« Tous les globe-trotters du monde le savent, c'est dans les rues qu'ils se frottent à l'identité d'un pays, tant esthétique que politique, tant mystique qu'économique. »* Manu Chao

d | *« Le plus grand voyageur est celui qui a su faire une fois le tour de lui-même. »* Confucius

e | *« À quoi sert de voyager si tu t'emmènes avec toi ? C'est d'âme qu'il faut changer, non de climat. »* Sénèque

f | *« Un des grands malheurs de la vie moderne, c'est le manque d'imprévu, l'absence d'aventures. »* Théophile Gautier

g | *« Celui qui ne voyage pas ne connaît pas la valeur des hommes. »* Proverbe maure

■ SONDAGE SUR LES DESTINATIONS DE VOS RÊVES

En votant sur notre site, vous nous avez révélé votre voyage idéal.
Découvrez les résultats du sondage le plus ensoleillé de l'année.

Vos *îles* préférées

Buller*, dormir, nager… Objets de tous les fantasmes des occidentaux stressés, les îles sont synonymes de paradis terrestre.
Lesquelles vous font le plus rêver ?

1. Les Maldives
2. Les Seychelles
3. La Nouvelle-Calédonie
4. Les Philippines
5. Cuba

Vos *pays* préférés

À la question « *Quel pays rêvez-vous d'explorer ?* », vous avez répondu par le chaud, le lointain, l'exotisme :

1. La Thaïlande
2. L'Australie
3. Le Kenya
4. Le Brésil
5. L'Inde

Vos *sites* préférés

On a tous pensé un jour : « *Une fois dans ma vie, j'aimerais voir…* ».

1. La Grande Muraille de Chine
2. L'Égypte des pharaons
3. Le Machu Picchu
4. Les chutes Victoria
5. Le Grand Canyon

* Ne rien faire.

COMPRÉHENSION ÉCRITE

1 Quels commentaires vous inspirent les résultats de ce sondage ?

2 Répondez à ce sondage. Quels sont les îles, les pays et les sites de vos rêves ?

3 Cherchez sur Internet, pour chaque voyage, des offres promotionnelles de billets d'avion, d'hébergements, de séjours « tout compris » et de bonnes adresses de restaurant « bon marché ».
Présentez le résultat de vos recherches.

VOCABULAIRE > les transports

LES TRANSPORTS AÉRIENS

aérien(ne)
l'aéroport (m.)
l'aiguilleur du ciel (m.)
    = le contrôleur aérien
l'altitude (f.)
l'appareil (m.)
attacher sa ceinture
atterrir
l'atterrissage (m.)
l'aviation (f.)
l'avion (m.)
le billet électronique
la cabine
le charter
la classe (touriste / affaires)
le commandant de bord
la compagnie
le comptoir
    d'enregistrement
la convocation
le débarquement
débarquer
le décollage
décoller
la descente
l'embarquement (m.)
embarquer
l'enregistrement (m.)
l'équipage (m.)
l'escale (f.)
le gilet de sauvetage
l'hélice (f.)
l'hélicoptère (m.)
l'hôtesse de l'air (f.)
le hublot
la ligne
le passager
la passerelle

perdre de l'altitude
le pilote
piloter
la piste
la porte d'embarquement
reconfirmer
le retrait des bagages
la salle d'embarquement
le siège
le steward
le survol
survoler
le tapis roulant
le terminal
la tour de contrôle
le trajet
le trou d'air
via
le vol (aller-retour)
voler

expressions :

appuyer sur le champignon
    (fam.)
faire la navette
mettre sur les rails

---

1 Quelles sont les différentes étapes du voyage en avion dans l'ordre chronologique ? (plusieurs choix possibles)
Ex. : *l'arrivée à l'aéroport, le terminal, …*

2 Quels termes peuvent se rapporter au transport maritime ou fluvial ?

LES TRANSPORTS FERROVIAIRES

Les types de train

le corail
le direct
l'express (m.)
l'omnibus (m.)
le rapide
le TGV
le train de banlieue
le train de grande ligne
le train de marchandises

La gare et la voie

le buffet
le chariot à bagages
le chemin de fer
la consigne
le distributeur
ferroviaire
les grandes lignes
le guichet
l'horaire (m.)
la ligne
le passage à niveau
le passage souterrain
le quai
le rail
la salle d'attente
la SNCF
le terminus
le tunnel
le viaduc
la voie

Le train

la banquette
la classe
première / deuxième classe
le compartiment
la couchette

le couloir
la fenêtre
la locomotive
la place
la place assise
la portière
en queue de train
le signal d'alarme
en tête de train
la voiture
voyager debout
le wagon
le wagon-lit
le wagon-restaurant

Le billet

l'aller simple (m.)
l'aller-retour (m.)
le compostage
composter
le composteur
le supplément
le tarif
le billet plein tarif
le tarif réduit

Les personnes

le chef de gare
le cheminot
le conducteur
le contrôleur
le garde-barrière
le passager
le porteur

---

3 Quelles sont les différentes étapes du voyage en train dans l'ordre chronologique ? (plusieurs choix possibles)
Ex. : *la gare, le guichet…*

ACTIVITÉ

Remplacez les lettres en gras par des mots de la liste sur les transports aériens.

```
(a) ELECTRONIQUE :

    CE DOCUMENT EST À PRÉSENTER AU (b) DE LA COMPAGNIE À L'ALLER ET AU RETOUR

REF DOSSIER    :   A237259
(c) émettrice  :   VUELING
Nom            :   FISTER / ADELINE
Numéro de billet:  ETKT  0309655309008
20 kilos   (d) par Adulte
VOL ALLER : (e) 2h avant le départ au (f) de la compagnie VUELING, muni DE CE DOCUMENT
(g) : 28/05/2009 PARIS CD1 BCN 280509 VY 5077 16h25 18h10 PARIS ROISSY 1 - BARCELONE
    31/05/2009  BARCELONE - PARIS BCN CDG 310509 VY 5076 08h30 10h20
Les horaires du (h) sont à reconfirmer EXCLUSIVEMENT auprès de la compagnie.
```

■ RÉCLAMATION

COMPRÉHENSION ORALE

1ʳᵉ écoute

1 Quel est le thème de l'émission ?

2 Combien y a-t-il d'intervenants et qui sont-ils ?

2ᵉ écoute

3 Quels problèmes a rencontrés Anne ?

4 Quels sont les moyens de prévention suggérés par Gisèle Coquelin ?

5 À qui doit s'adresser Anne pour obtenir réparation et comment doit-elle procéder ?

Vocabulaire

6 Cherchez dans le document un équivalent de :

a | changer en mal   **d** | une action conciliante

b | une requête   **e** | un défaut

c | accepté   **f** | un dommage

*Hôtel Bonvent*****

Du haut de la mythique plage de surf de la Côte des Basques, le Bonvent offre 150 chambres et suites. Un restaurant sur le toit-terrasse panoramique, le Transat Café, au bord de la piscine. Un spa jouxtant l'hôtel, concept exclusif réservé aux clients de l'hôtel.

PRODUCTION ORALE

Vous avez passé une semaine de vacances à l'hôtel Bonvent**** par l'intermédiaire de l'agence « Promovacances ». Or, vous étiez venu(e) pour faire du surf, il n'y avait pas de vent. L'hôtel était sale, la nourriture était immangeable, le circuit proposé n'avait rien à voir avec celui de la réservation, la piscine était en travaux. Vous avez dû passer la semaine dans votre chambre.

En scène ! À votre retour, vous téléphonez à l'agence pour lui exprimer votre insatisfaction.

PRODUCTION ÉCRITE

L'agent de voyages paraît compréhensif et vous demande d'écrire une lettre de réclamation.

POUR VOUS AIDER

AU TÉLÉPHONE

Exprimer son mécontentement

Ce n'est pas sérieux !

Je suis vraiment déçu(e) par…

Je ne suis pas content(e) du tout.

C'est pas possible !

Ça ne va pas se passer comme ça !

C'est inadmissible !

Je trouve ça scandaleux !

Assumez vos responsabilités.

Calmer quelqu'un

Je suis désolé(e).

C'est la première fois que…

Je vous comprends parfaitement.

Écoutez…

Nous allons trouver une solution.

DANS LA LETTRE

Suite à notre conversation téléphonique de ce matin, …

Je vous demande donc de bien vouloir me rembourser la somme de…

LES 10 COMMANDEMENTS

POUR PROFITER DE LA CRISE EN VACANCES

Malgré la crise – à cause de la crise ? –, les Français n'ont aucune intention de renoncer aux vacances. Mais, si l'on en croit l'enquête effectuée en janvier par Benchmark auprès de 1 403 personnes, ils se contenteront de quinze jours de vacances, et surveilleront leur budget de près. D'ailleurs, 43 % des vacanciers privilégieront l'accueil chez des amis, dans la famille ou le séjour dans leur résidence secondaire. À ceux qui souhaitent partir un peu plus loin sans éponger leur compte épargne, *Marianne* donne 10 précieux conseils.

1 Mes dépenses j'arbitrerai

Lézarder quelques semaines au soleil sans manger des pâtes le reste de l'année, c'est encore possible. À condition de jouer les fourmis plutôt que les cigales. Finis les restos et les activités à tout-va : les Français sont prêts à se serrer la ceinture pendant le séjour pour ne pas sacrifier leurs vacances. Pour faire baisser la facture, d'autres partent moins longtemps. Mais beaucoup changent carrément leurs plans.

2 Pour l'été, au dernier moment je réserverai

Pas de précipitation. Inutile de réserver trop vite, il y a fort à parier que les prix chuteront à l'approche de l'été. Hôtels et voyagistes seront contraints de brader les séjours s'ils veulent faire le plein, surtout pour le mois de juillet. Les compagnies finiront par solder les sièges pour remplir les avions sur certaines destinations. Et un zeste de système D pour ceux qui prennent le train : de nombreux particuliers revendent leurs billets non remboursables par la SNCF sur le site trocdesprems.com. Avis aux retardataires !

3 Pour les week-ends, à l'avance je m'y prendrai

Depuis l'instauration des 35 heures, les escapades en Europe sont à la mode. Mais, pour bénéficier des meilleurs tarifs, mieux vaut préparer son *city break* en amont. La combinaison gagnante ? Un vol pas cher (*low cost* ou promo des compagnies régulières) couplé avec un hôtel réservé au moins trente jours à l'avance.

4 Marchander j'oserai

Eh oui, tout finit par se marchander aujourd'hui. Marianne Chandernagor, directrice du salon *Le Monde à Paris*, estime que, cette année, « *il sera possible d'obtenir des ristournes même sur la haute saison, ce qui n'était pas le cas jusqu'à présent* ». *Idem* dans les agences de voyages : un transfert gratuit, une excursion en plus… tout est négociable.

5 Des nouvelles lignes *low cost* je profiterai

Aujourd'hui, 14 % des Français partent en vacances avec une compagnie *low cost*, d'après les chiffres du Credoc. Et, cette année encore, les *low cost* promettent de nombreuses échappées belles. Pour obtenir ces tarifs alléchants, pas de secret, il faut s'y prendre à l'avance et déjouer les nombreux pièges qui font grimper la facture au dernier moment. Au rayon des frais indésirables : l'assurance, qu'il faut supprimer systématiquement avant de finaliser la commande.

6 Les destinations en crise je repérerai

Au lieu de choisir sa destination en fonction de sa bourse, pourquoi ne pas décider en fonction de la Bourse ? Les États-Unis et la Grande-Bretagne sont particulièrement attractifs depuis la dévaluation du dollar ou de la livre sterling. […] Le tourisme du désastre, un nouveau créneau ? Pas sûr. Mais un eldorado potentiel pour ceux qui s'y risquent.

7 Ma maison j'échangerai

Une villa avec piscine à Saïgon, une maison les pieds dans le sable sur la Riviera maya, un pavillon à Brooklyn… des lieux idylliques qui coûtent… *nada*. Zéro. Rien. Pour en profiter, il suffit d'échanger son logement le temps des vacances. Quel que soit le potentiel de votre appartement, soyez certain d'une chose : la France reste un vieux fantasme pour de nombreux étrangers. Certains sites demandent une contribution pour mettre les candidats à l'échange en rapport, mais, au final, cette formule se révèle très économique, puisque seuls les frais de transport et la nourriture restent à charge.

8 Au luxe dégriffé je succomberai

Tout au long de l'année, les hôtels de luxe proposent aussi des promotions comme des nuitées gratuites, des séjours gratuits pour les enfants ou encore une deuxième semaine entièrement à l'œil. La classe affaires à petit prix, c'est possible ? Plus que jamais. Non seulement il existe une ligne qui n'effectue que des vols Paris-New York en classe affaire mais toutes les compagnies sont susceptibles de discounter leurs sièges.

9 Les valeurs sûres je redécouvrirai

La baignade à Djerba ? On connaît. Pourtant, les destinations les plus classiques offrent beaucoup de potentiel, il suffit de les assaisonner différemment. Aujourd'hui, si on file en Afrique du Nord, c'est pour profiter des spas, et non plus de la plage.

10 En France je resterai

Chaque année, près de 90 % des vacanciers français restent au pays. Avec la crise, cette tendance devrait s'accentuer. Le tour-opérateur Fram édite même pour la première fois une brochure entièrement consacrée à la France, avec des produits ni trop *cheap* ni trop *bling-bling*. Au rayon des nouveautés, les offres de séjours écotouristiques sont en pleine expansion.

Carine KEYVAN, www.marianne2.fr, 14 mars 2009

COMPRÉHENSION ÉCRITE

Entrée en matière

1 D'où provient cet article ? Quel en est le thème ? Comment est-il organisé ?

2 Avant de lire cet article, imaginez des astuces pour partir en vacances au meilleur tarif.

1re lecture

3 Quels sont les conseils que vous avez découverts à la lecture de l'article ?

4 Pour quelles périodes de l'année la journaliste donne ces conseils ?

2e lecture

5 Quels bons plans proposés par l'article concernent les transports, l'hébergement, les destinations et les activités ?

Vocabulaire

6 Cherchez dans le texte un équivalent de :
a | vider
b | rester au soleil sans rien faire
c | restreindre ses dépenses
d | un peu de
e | la débrouillardise
f | une réduction
g | attractif
h | escapades
i | gratuit
j | combiner
k | ostentatoire et excessif

7 Relevez dans ce texte toutes les expressions qui caractérisent le voyage bon marché.

PRODUCTION ORALE

8 Quels autres conseils pourriez-vous proposer pour partir sans dépenser trop d'argent ?

9 Pensez-vous qu'il faille dépenser beaucoup d'argent pour passer de bonnes vacances ? Argumentez votre réponse.

PRODUCTION ÉCRITE

10 Vous êtes journaliste d'un hebdomadaire dans votre pays. Écrivez un article dans lequel vous proposez quelques conseils pour partir en vacances à moindre coût.

■ RÉSERVATIONS

COMPRÉHENSION ÉCRITE

Entrée en matière

1 Regardez ces deux dessins et faites des hypothèses sur :
a | la situation ;
b | les personnages ;
c | l'état d'esprit des personnages.

Lecture

2 En quoi chaque situation est-elle comique ?

PRODUCTION ORALE

3 Faites des hypothèses sur ce que l'illustrateur a voulu dénoncer dans chaque dessin.

4 Comment réservez-vous vos séjours touristiques ?

GRAMMAIRE > la cause

1 Quelle est la fonction des mots soulignés dans les énoncés suivants ? Qu'expriment-ils ?

a | Les initiatives vont sans doute se multiplier dans les mois et les années qui viennent en France <u>car</u> notre pays n'est pas très en avance.

b | <u>Étant donné que</u> ce n'est pas l'endroit le plus facile à atteindre, les hôtels sont rares.

c | <u>En raison des</u> rigueurs du climat, les habitants ont bariolé leurs maisons de tons bleus, verts, jaunes, roses et violets.

d | Ces éléments sont importants <u>puisque</u> c'est sur la base de ceux-ci que vous pourrez ensuite avoir un recours.

e | <u>Comme</u> l'espace possède trois dimensions, il faudrait ajouter la dimension du temps, et de la hiérarchie sociale pour se faire du voyage une représentation adéquate.

f | <u>En effet</u>, il faut prouver la responsabilité de l'agence, donc tous les moyens sont bons.

g | Vous devez indiquer à l'agence que vous souhaitez un remboursement <u>du fait du</u> préjudice subi.

h | <u>Avec</u> la crise, les Français réduisent leur budget vacances.

LA CAUSE

La cause est introduite par une conjonction

Conjonction de coordination

• **Car** (**a**) (synonyme de *parce que*).

• **En effet** (**f**) est employé à l'écrit et à l'oral ; il introduit une explication à ce qui vient d'être dit.

Conjonctions de subordination

• **Comme** (toujours en tête de phrase) (**e**) et **puisque** (**d**) mettent la cause en valeur.
Comme il y avait du soleil et que nous avions du temps, nous avons décidé d'y aller à pied.

• **Étant donné que** (**b**), **du fait que** et **vu que** introduisent une cause connue ou constatée par tous. Ces locutions se placent en tête de phrase ou après la conséquence. **Étant donné que** s'emploie surtout à l'écrit, **du fait que** et **vu que** sont employés à l'oral et à l'écrit.

• **Sous prétexte que** introduit une cause fausse ou contestée.
Il n'est pas venu sous prétexte qu'il était malade (mais je ne le crois pas).

• **Du moment que, dès lors que** se situent en tête de phrase et expriment des causes liées à une idée de temporalité.

• **Ce n'est pas que** + *subjonctif*. Cette locution exprime une cause réfutée.
Ce n'est pas qu'il soit fatigué, mais il est paresseux.

La cause est introduite par une préposition

• **Grâce à** introduit une cause dont la conséquence est positive. Il est suivi d'un nom ou d'un pronom.
Elle a trouvé un circuit bon marché grâce à des amis qui travaillent dans une agence.

• **En raison de/d'** (**c**) introduit une cause connue de tous dont la conséquence est neutre, il est suivi d'un nom et s'emploie surtout à l'écrit.

• **Du fait de/d'** (**g**) est employé à l'oral et à l'écrit.

• **Vu** s'emploie à l'écrit ou à l'oral, en tête de phrase, c'est une cause constatée par tous.

• **Sous prétexte de/d'** est employé à l'oral ou à l'écrit et introduit une cause fausse ou contestée.

• **Par suite de/d' – À la suite de/d'** = *consécutivement à, suite à*. Il s'agit d'une cause insistant sur la relation temporelle.

• **À force de/d'** indique une cause liée à une répétition ou à une insistance.

• **Avec/sans** (**h**) est suivi d'un nom

Le participe passé / le participe présent
Voir p. 150 et 193.
Éjecté de la voiture, il s'en tira indemne.
Sachant qu'il est malade, tu ne peux pas partir en voyage (parce que tu sais qu'il est malade).

Le gérondif
Il a le même sujet que le verbe principal.
En faisant prendre conscience du réchauffement climatique, son voyage est utile. (= parce qu'il fait prendre conscience). Voir p. 150.

ENTRAÎNEMENT

2 Faites correspondre le début et la fin de la phrase.

a | En raison de la grève des compagnies aériennes...

b | À la suite de la canicule...

c | Comme la route de Sartrouville était glissante...

d | De peur de se perdre...

e | Du fait que le 8 mai tombe un mardi...

f | Étant donné le grand nombre de départs...

g | Vu la vitesse à laquelle le projet avance...

1 | ...l'autocar a dérapé.

2 | ...le trafic aérien a été bloqué pendant des heures.

3 | ...les ventes de ventilateurs ont triplé.

4 | ...la construction de l'aéroport sera terminée pour les prochaines vacances.

5 | ...le délai d'envoi des billets de train va être prolongé.

6 | ...la plupart des Français feront le pont.

7 | ...ces touristes étrangers ne se sont pas aventurés dans le quartier.

3 Transformez les énoncés en y introduisant les expressions entre parenthèses.

Exemple : *Il a réussi son concours. Il a passé deux années en classe préparatoire. (grâce à)* →
Grâce à ses deux années passées en classe préparatoire, il a réussi son concours.

a | Le transporteur est intervenu rapidement. Les voyageurs sont partis à l'heure. (grâce à)

b | Le chauffeur du car a été condamné. Il conduisait en état d'ivresse. (pour)

c | L'agence de voyages a déposé le bilan. Elle n'avait plus assez de moyens financiers. (faute de)

d | Il a tellement insisté qu'il a obtenu une réduction. (à force de)

e | La direction de l'hôtel prétend que les clients sont satisfaits, alors vous n'aurez pas de dédommagement. (sous prétexte que)

4 Pour chaque phrase, choisissez la forme qui convient. Justifiez votre choix.

Exemple : *..... il n'est pas à l'heure à notre rendez-vous, je pars. (comme/sous prétexte que)* →
Comme il n'est pas à l'heure à notre rendez-vous, je pars.

a | Il a arrêté son voyage ..... il souffrait d'une blessure à la cuisse. (comme/car)

b | ..... les Durand ont changé leurs habitudes de consommation, désormais ils partent faire de l'écotourisme. (comme/car)

c | .... temps, l'excursion a été repoussée au lendemain. (en raison de/par manque de)

d | Elle a été surprise de le voir, ... elle le croyait parti à l'étranger. (en effet/étant donné)

e | Il ne peut jamais voyager ..... il travaille dans une ferme. (d'autant plus qu' / vu qu')

5 Dans les énoncés suivants, remplacez la structure nominale par une structure verbale (et vice-versa).

Exemple : *Du fait de son départ en urgence, il a oublié son passeport.* → *Étant donné qu'il est parti en urgence, il a oublié son passeport.*

a | Étant donné qu'il s'absente six mois de l'année, il a été cambriolé.

b | Elle évitait de porter son chapeau de peur du ridicule.

c | Sans gilet de sauvetage, le navigateur s'est presque noyé.

d | Comme monsieur Tartempion est maladroit, il ne rencontre jamais personne lors de ses voyages.

e | L'euro a progressé du fait de la chute du dollar.

Vacances frissons !

Plonger avec des crocodiles, nager avec des orques, visiter l'Irak... Pour ceux qui renoncent aux vacances « pépères », les offres touristiques sont de plus en plus ébouriffantes.

5 [...] Pourquoi ne pas se payer une bonne montée d'adrénaline pour les prochaines vacances ? Ceux qui préfèrent les sensations fortes aux pieds en éventail n'ont que l'embarras du choix, car dans le « loisir frisson », on aime la surenchère. Pour preuve, si depuis quelques années, les 10 bidonvilles des métropoles les plus pauvres de la planète comme Rio ou Mumbai font partie intégrante des circuits touristiques, aujourd'hui les tours operators envoient leurs clients directement dans des pays en guerre. Destination privilégiée : l'Irak ! Les touristes s'aventuraient déjà 15 dans la région du Kurdistan, mais pour la première fois ce mois-ci, un groupe d'Occidentaux en vacances – parmi lesquels plusieurs retraités – s'est baladé au cœur de la zone de conflit (Kerbala, Najaf, Bagdad).

En Europe de l'Est, certains voyagistes ukrainiens pro- 20 posent un crochet par le site de Tchernobyl, au même titre que la découverte de Kiev ou d'Odessa. Plus dingue encore, l'ancienne prison de Karosta, en Lettonie, vous accueille pour la journée et la nuit comme un détenu : cellule spartiate, repas infects et interrogatoire musclé au programme...

25 Pour ceux qui préfèrent palpiter au contact de la nature sauvage, aucun souci : au lieu de plonger avec des crocodiles en Australie, ils peuvent nager avec des orques en Norvège ou marcher avec des lions dans le parc national de Matusadona au Zimbabwe.

30 Si certains renoncent à regarder pousser les noix de coco sous le soleil pendant leurs congés et préfèrent se ficher une bonne pétoche, ce n'est pas si surprenant à en croire Jean-Didier Urbain, anthropologue et auteur de plusieurs ouvrages consacrés aux vacances*. « *Dans tout voyageur* 35 *sommeille un mystique qui a besoin de renouer avec des moments qui sont de l'ordre de la sidération, de l'extase, de l'orgasme. Aujourd'hui, l'ailleurs s'est largement banalisé. Les gens cherchent de l'exotisme, non plus dans la diversité des paysages ou des cultures, mais dans la prise de risque, le* 40 *frisson. Ce n'est d'ailleurs pas tant l'aspect sportif qui importe que le frisson* », explique le Français, avant de compléter notre petit programme pour vacanciers en mal de sensations : « *En Roumanie, une agence proposait de dormir dans le lit de Ceaucescu et en Hollande, une autre de vivre comme* 45 *un SDF...* ».

Tant d'extravagance, c'est à se demander si plus que partager la misère des clochards ou se payer un tête-à-tête avec un saurien mangeur d'hommes, ce n'est pas le fait de pouvoir ensuite raconter son expérience hors normes 50 autour de soi qui motive les gens. « *C'est sûr que l'on gagne sur tous les plans,* reconnaît Jean-Didier Urbain. *Il y a le côté ostentatoire, le prestige de pouvoir dire que son voyage était bien différent des autres. Mais, au-delà de la morbidité que l'on cherche à assouvir dans certaines activités,* 55 *c'est aussi une façon de redonner du sens à son existence. Ces activités ont une dimension thérapeutique : avoir l'impression de revenir de vacances comme d'autres réchappent d'une maladie grave, en appréciant la vie différemment.* » Et si, malgré tout, vous optez pour des vacances farniente, 60 n'allez pas croire que vous êtes has been. « *C'est vrai que ce tourisme d'adrénaline existe et qu'il trouve preneur. Mais il reste tout de même marginal,* rappelle Jean-Didier Urbain. *Ce que les gens, en général, demandent en vacances, c'est être rassurés. D'ailleurs, même ceux qui recherchent* 65 *chent le frisson veulent que les activités auxquelles ils participent soient sécurisées. C'est tout le paradoxe : on veut de l'aventure dont la part d'imprévisible soit prévisible !* »

Geneviève COMBY, *Le Matin Dimanche*,
28 mars 2009.

* *Jean-Didier Urbain a écrit plusieurs livres sur les vacances, dont* Le voyage était presque parfait *(2008), aux Éditions Payot Rivages.*

1re lecture

1 Quel type de séjours présente cet article ?
2 Quelles sont les impressions que vous laisse sa lecture ?

2e lecture

3 Quelles sont les activités proposées ?
4 Selon Jean-Didier Urbain, quelles raisons poussent les vacanciers à renoncer aux vacances classiques ?

Vocabulaire

5 Cherchez toutes les expressions qui se rapportent à la détente.
6 Cherchez comment l'auteur caractérise les vacances « frissons ».

PRODUCTION ORALE

7 Avez-vous déjà une expérience de vacances « frissons » ? Si oui, racontez-la. Sinon, aimeriez-vous en avoir une ? Pourquoi ?

8 Parmi les exemples donnés, lequel vous tente le plus et lequel vous choque le plus ? Expliquez pourquoi.

9 En scène ! Choisissez un des exemples cités dans l'article puis, par deux, imaginez un dialogue entre une personne qui raconte ses vacances et un ami.

PRODUCTION ÉCRITE

10 Vous écrivez une carte postale racontant le voyage que vous avez imaginé précédemment.

11 Voici une brève associée à cet article. Écrivez un message sur le forum du site de France 24 dans lequel vous réagissez.

A LA UNE | France 24

L'ÉTAT NE VEUT PLUS PAYER POUR SAUVER SES TOURISTES EN PERDITION À L'ÉTRANGER

Les Français libérés lors d'une opération de secours après s'être rendus dans une zone étrangère dangereuse pourraient devoir en régler la facture, selon un nouveau projet de loi du ministre des Affaires étrangères, Bernard Kouchner. L'État pourrait dorénavant envoyer aux premiers concernés la facture des opérations de secours qu'il organise pour sauver des touristes français en voyage à l'étranger dans une zone dangereuse, selon le ministre des Affaires étrangères, Bernard Kouchner, qui a présenté mercredi un nouveau projet de loi en ce sens, lors du Conseil des ministres.

Le texte vise à « responsabiliser les ressortissants français qui se rendent sans motif légitime » dans des endroits à risques et précise que « L'État pourra leur demander le remboursement de tout ou partie des frais induits par les opérations de secours ». Il s'inspire directement des règles allemandes et anglo-saxonnes, qui stipulent que la libre circulation des personnes est indissociable de leur responsabilité dans la prise de risque, explique le Quai d'Orsay.

Christophe JOSSET,
www.france24.com,
24 juillet 2009.

■ VACANCES À KOUMAC dvd 4

COMPRÉHENSION AUDIOVISUELLE

Entrée en matière

1 Où aimez-vous passer vos vacances ? Pourquoi ?

1ᵉʳ visionnage

2 De quel type de document s'agit-il et qu'est-ce qui y est raconté ?

3 Comment se sont passées les vacances de l'homme ? Pourquoi ?

2ᵉ visionnage

4 À quels types de désagréments a-t-il dû faire face ?

5 Quelles sont les raisons de ses ennuis ?

6 Quel est le registre de langue employé par l'humoriste ? Relevez des exemples.

PRODUCTION ORALE

7 Avez-vous déjà vécu de tels désagréments lors d'un voyage ? Si oui, racontez, sinon, quels sont les moyens que vous mettriez en œuvre pour ne pas vivre une telle expérience ?

8 En scène ! Vous venez juste de revenir de vos vacances à Koumac. Vous vous rendez à l'agence pour vous plaindre et pour réclamer un dédommagement. L'employé de l'agence ne veut rien entendre.

PRODUCTION ÉCRITE

9 Vous écrivez un message incendiaire sur un forum de consommateurs, pour vous plaindre des prestations de votre agence.

GRAMMAIRE > exprimer la possibilité /

ÉCHAUFFEMENT

1 Quel est le rôle des énoncés soulignés ?

a | Il suffit de se rendre dans le plus septentrional de nos territoires d'outre-mer.

b | Il vaudrait mieux pratiquer le tourisme durable.

c | Pour ces vacances qui font du bien à l'environnement et à l'âme, vous n'avez pas besoin d'aller loin.

d | Il est possible de pratiquer l'écotourisme en France en choisissant un hébergement écologique.

e | Si j'étais vous, j'irais sur le site du ministère du Tourisme afin de vérifier qu'il n'y a pas de risques de sécurité dans le pays en question.

f | Pour bénéficier des meilleurs tarifs, mieux vaut préparer son *city break* en amont.

g | Il sera possible d'obtenir des ristournes même sur la haute saison.

EXPRIMER LA POSSIBILITÉ

- **Pouvoir** + infinitif
- **Pouvoir (au conditionnel présent)** + infinitif
- **Être possible de** + infinitif (forme impersonnelle) (**d**, **g**)

- **Avoir la possibilité de** + infinitif
- **Au lieu de** + infinitif + **pourquoi ne pas** + infinitif

CONSEILLER

- **Falloir** + infinitif
- **Suffire de** + infinitif (**a**)
- **Impératif** + infinitif

Allez-y.

- **Valoir mieux** (**b**, **f**)
- **Devoir (au conditionnel présent)** + infinitif

Vous devriez aller sur ce site.

- **Conseiller de** + infinitif
- **Donner un conseil**

Voici un bon conseil : ...

- **Si + imparfait → conditionnel présent** (**e**)
- **À (votre) place → conditionnel présent**

À votre place, je voyagerais pendant la mousson.

- **Ne pas hésiter à (à l'impératif)** + infinitif

N'hésitez pas prendre des pulls pour aller en Islande.

- **N'avoir qu'à** + infinitif

Vous n'avez qu'à partir en basse saison.

- **Recommander de** + infinitif / **recommander** + nom
- **Surtout** + impératif

Surtout, faites cette excursion !

Expressions

Vas-y, fonce.
Ça vaut la peine d'essayer.
Lance-toi !
Prends garde à toi !
On peut aussi proposer des exemples avec les formes suivantes :
Tu ferais/ Vous feriez mieux de + infinitif
Tu as tout intérêt à + infinitif
Vous auriez bien tort de + infinitif

DÉCONSEILLER / DISSUADER

- **Déconseiller de** + infinitif
- **Impératif négatif**

N'y allez pas !

- **Ne pas valoir (la peine)**

Ça ne vaut pas la peine de pleurer !

- **Ne pas être la peine de** + infinitif

Ce n'est pas la peine de la rappeler !

- **Devoir (au conditionnel présent)** + infinitif

Vous devriez éviter ce site.

- **Si + imparfait → conditionnel présent négatif**

Si j'étais toi, je ne réserverais pas à la dernière minute.

- **À (votre) place → conditionnel présent négatif**

À votre place, je ne voyagerais pas pendant la mousson.

- **Éviter de (à l'impératif)** + infinitif

Évitez de sortir seule le soir.

Expressions

Fais gaffe à toi !
Méfie-toi de lui !
Je te préviens...
Attention à + nom, *de* + infinitif, *que* + proposition
Prends garde à + nom, *de* + infinitif, *que* + proposition
Soyez prudent.

conseiller / déconseiller

ENTRAÎNEMENT

2 Donnez huit conseils pour voyager en forme.
Exemple : Pour la phrase **a** → *Vous devriez faire
la liste des vaccinations.*

a | Pour rester en bonne santé lors de votre voyage.
b | Pour ne pas stresser dans l'avion.
c | Pendant le vol.
d | Pour un long courrier.
e | Que manger, que boire ?
f | Pour visiter le maximum de sites.
g | Comment s'habiller ?
h | Que faire en cas de mal des transports ?

3 Reformulez ces énoncés.
Exemple : *Je vous conseille de boire l'eau en
bouteille.* → *Il vaut mieux boire l'eau en bouteille.*

a | Vous ne devriez pas dépenser trop d'argent.
b | Il faut être prudent dans ce pays.
c | Ne conduisez pas trop vite à Rome !
d | Faites vos vaccinations au préalable.
e | Il vaudrait mieux ne pas dormir en arrivant.

**4 Que conseilleriez-vous ou déconseilleriez-
vous à ces personnes ? (attention au registre
de langue)**
Exemple : *À votre sœur qui part marcher avec des
lions au Zimbabwe.* → *Ne t'approche pas trop
des animaux !*

a | À un(e) ami(e) qui part seul(e) en Inde.
b | À votre supérieur(e) hiérarchique qui veut faire
du tourisme vert.
c | À vos parents qui vont faire une croisière sur le Nil.
d | À un(e) ami(e) étranger(-ère) qui va visiter la
Bretagne.

PRODUCTION ÉCRITE

5 Vous rentrez juste de vacances. Envoyez un courriel à l'un de vos amis pour lui recommander de ne
pas aller au même endroit l'année prochaine.

■ PREMIÈRE MONDIALE AU PÔLE NORD 🔘 cd 17

COMPRÉHENSION ORALE

1re écoute

1 Sous quelle rubrique pourriez-vous classer ce
reportage de France Info ?
2 De qui et de quoi parle ce reportage ?

2e écoute

3 Quel voyage vient d'accomplir Charles Hedrich ?
4 Quel voyage s'apprête-t-il à réaliser ?
5 Pourquoi ce voyage est-il devenu réalisable ?
6 Dans quel but accomplit-il ce voyage ?

Vocabulaire

7 Trouvez dans le document un équivalent de :
a | environ
b | peuple autochtone des régions arctiques de
la Sibérie et d'Amérique du Nord
c | séparation de la Sibérie orientale et de l'Alaska
reliant la partie la plus au nord de l'océan
Pacifique à l'océan Arctique
d | étendue de mer gelée
e | collaborer
8 Relevez tous les mots et expressions en rapport
avec l'exploration en bateau.

PRODUCTION ORALE

9 Que pensez-vous de ce type de voyage ?
10 Pensez-vous qu'on puisse allier le voyage,
l'exploit sportif à une cause (écologique,
humanitaire, scientifique) ?

PRODUCTION ÉCRITE

11 Vous vous rendez sur le blog de Charles Hedrich
pour faire un commentaire sur ses aventures.

ATELIERS

1 RÉALISER UN CARNET DE VOYAGES PAPIER

Vous racontez un voyage, jour après jour, à l'aide d'un carnet en papier.

Démarche

Le carnet doit contenir des illustrations, des photos, des documents issus de magazines de voyages qui permettront de se souvenir du voyage sélectionné.

Chaque groupe sélectionne un voyage fictif ou réalisé.

Le groupe écrit son récit de voyage au jour le jour (pour une escapade de quatre jours maximum). Il doit présenter les gens, les paysages, les coutumes, les événements insolites et les différentes cultures.

Le groupe présente son carnet à la classe.

Comment faire pour...

Constituer les équipes

Répartir dans chaque groupe les différents séjours sélectionnés.

Rechercher le matériel

• Se procurer un carnet en papier, un cahier de petit format.

• Récolter des cartes postales, des brochures, des billets de visites effectuées, des photos, des cartes de visite de restaurants, de personnes rencontrées.

Réaliser le carnet de voyages

• Écrire son récit de voyages (anecdotes, incidents survenus, appréciation des lieux visités, de l'hébergement, des restaurants, des événements, des moyens de transport utilisés et des rencontres).

• Rédiger un synopsis du carnet de voyages.

• Constituer le carnet en lui-même en alternant une page de récit, une page de photos et une page de documents authentiques.

2 RÉALISER UN CARNET DE VOYAGES SONORE

Vous racontez un voyage, jour après jour, à l'aide d'un enregistrement.

Démarche

1 Préparation

Vous vous répartissez en groupes de deux ou trois. Voir atelier 1.

2 Réalisation

Voir atelier 1.

3 Présentation

Vous faites écouter votre travail à la classe qui choisit le meilleur carnet de voyages sonore.

Comment faire pour...

Constituer les équipes

Répartir dans chaque groupe les différentes techniques sonores : reportage, dialogues, bruitage, ambiance...

Rechercher le matériel

• Apporter des photos de la destination que vous avez choisie en amont.

• Se procurer un enregistreur de poche ou un téléphone portable qui puisse enregistrer des sons.

Enregistrer 5 minutes maximum de son sur le CD

• Écrire son récit de voyages (anecdotes, incidents survenus, appréciation des lieux visités, de l'hébergement, des restaurants, des événements, des moyens de transports utilisés et des rencontres).

• Rédiger un synopsis du carnet de voyages sonore.

• Enregistrer votre voyage sonore.

Écouter le carnet de voyages sonore

Chaque groupe fait écouter son carnet de voyages et la classe détermine quel est le meilleur.

GRANDEUR NATURE

*« Que la nature est prévoyante !
Elle fait pousser les pommes
en Normandie sachant que les
indigènes de cette province ne
boivent que du cidre. »*

Henri MONNIER

— Débattre sur les problèmes environnementaux.
— Convaincre une personne du bienfait des gestes
écologiques.
— Décrire un site naturel à la manière de…
— Évoquer un souvenir lié à un animal.
— Faire le portrait insolite d'un animal.
— Créer une suite de BD.
— Réaliser un prospectus publicitaire pour un parc
naturel.
— Écrire une pétition pour la défense de la nature
et des animaux.

AGRICULTURE

Tandis que les Bourses s'effondrent et que l'immobilier plonge, certains redécouvrent une façon simple et sûre de placer ses économies : les vaches. Enquête.

5 En cette période de crise, les Français, qui ont la réputation de se méfier des banques, ne se contentent plus de cacher leur argent sous leur matelas, ils investissent également dans les vaches. Pour Pierre Marguerit, 60 ans, ces animaux constituent un investissement fiable, sans risque
10 et écologique, un placement à long terme sur une ressource renouvelable. Ces types de placement n'ont rien de nouveau – ils remontent à Richard Cœur de Lion –, et le mot anglais *capital* vient d'ailleurs du français *cheptel*. L'année dernière, l'entreprise de M. Marguerit a connu
15 une croissance de 40 % et cette année, elle a déjà « *pratiquement doublé son chiffre d'affaires* », explique le directeur d'Élevage et Patrimoine, une entreprise de conseil en investissement bovin sise à Meyzieu, dans le Rhône, et président de Gestel, une entreprise de « location » de vaches
20 laitières qui met en relation agriculteurs et investisseurs. « *Ceux qui ont des économies ne veulent pas les gaspiller*, dit-il. *Les Bourses ont chuté et les gens veulent désormais placer leur argent dans un investissement plus stable et à long terme.* » Il ne s'agit peut-être pas d'un placement « vache
25 à lait », mais investir dans des holsteins vous rapportera 4 à 5 % nets par an. Un profit basé sur une croissance on ne

COMPRÉHENSION ÉCRITE

Entrée en matière
1 Observez le dessin, et lisez le titre de l'article. Faites des hypothèses sur le thème du texte.
2 Relevez et expliquez le « jeu de mots » du titre.

1re lecture
3 En quoi l'investissement dans les vaches séduit-il les Français ?
4 Cette pratique est-elle inédite en France ?

2e lecture
5 Quelle image ont les Français de la vie rurale qui pourrait expliquer cette pratique ?
6 Pourquoi Richard Durand a-t-il appelé son exploitation « la ferme des vaches heureuses » ?

■ CROISSANCE VERTE   cd ● 18

COMPRÉHENSION ORALE

Entrée en matière
1 À partir du titre, faites des hypothèses sur le contenu du document.

1re écoute
2 Qui est la personne interviewée (nom, nationalité et fonction) ?
3 À quelle occasion a été réalisé cet entretien ?
4 Quel en est le thème ?

2e écoute (1re partie)
5 À quelle contradiction le monde actuel est-il confronté ?
6 Quelles sont les solutions proposées par l'OCDE ?

2e écoute (2e partie)
7 Sur quelles bases se construit le développement durable ?

Un investissement vachement rentable

peut plus naturelle : la vente des veaux « produits » par vos génisses. Comparé aux maigres taux d'intérêt offerts par les banques françaises, c'est un bon placement. En géné-
30 ral, les investisseurs achètent entre dix et vingt génisses, à 1 250 euros par tête, et peuvent soit vendre les veaux chaque année ou les ajouter à leur cheptel, explique L'Association française d'investissement en cheptel (AFIC). En cette période difficile, c'est un bien meilleur investisse-
35 ment que l'immobilier et bien moins volatil que la Bourse, explique M. Marguerit. Il poursuit sa démonstration en faisant l'éloge de la nouvelle passion des Français pour tout ce qui est « *naturel, bio et durable* ».
Les Français ont toujours eu une vision très romantique
40 de la vie à la campagne et se sentent une âme de paysan. « *Ça fait partie de notre patrimoine.* » Depuis la crise financière, « *il y a comme une prise de conscience, le re-tour à la réalité est très dur et les gens se posent de vraies questions,* ajoute-t-il. *Alors, pourquoi ne pas diversifier ses*
45 *investissements en acquérant des vaches ?* »
Cet arrangement a permis à Richard Durand, 48 ans, de moderniser son exploitation laitière, qui couvre 200 hec-tares, à quarante-cinq minutes au sud-est de Lyon. Ses holsteins y sont choyées et jouissent d'une vue superbe sur
50 les montagnes et les verts pâturages où elles paissent l'été. Et elles peuvent même s'offrir un petit massage quand bon leur semble en venant se frotter sur une grande brosse ronde dont leur propriétaire vient de faire l'acquisition.

Il a rebaptisé son exploitation « la Ferme des vaches heu-
55 reuses », et c'est exactement l'impression qu'elle donne. M. Durand, qui connaît toutes ses vaches par leur nom, en loue 37 sur les 100 que compte son cheptel.

Ennuyeuses à mourir mais si attachantes vaches
Élever des vaches qui appartiennent à d'autres lui donne
60 droit à des réductions d'impôts et libère près de 17 % de son capital, qu'il emploie à des travaux ou à des investis-sements, explique M. Durand.
Ses trois enfants ont quitté le foyer et ne veulent plus rien avoir à faire avec les bêtes à cornes. Les vaches ont un bon
65 tempérament mais sont des bêtes ennuyeuses à mourir, reconnaît-il. « *Elles passent huit heures à manger, huit heures à dormir et huit heures à ruminer.* » M. Durand vend sur les marchés artisanaux de la région l'excellent fromage blanc, le beurre et les yaourts qu'il fabrique avec
70 une partie du lait de ses bêtes, et vend le reste de sa pro-duction – 750 000 litres au total – à la coopérative locale. Actuellement, selon l'AFIC, il y aurait 37 000 vaches sous contrat en France dans près de 880 fermes. Mais le mar-ché potentiel est énorme, insiste M. Marguerit : ce chiffre
75 pourrait avoisiner le million de têtes en France et 6 mil-lions en Europe. […]

Steven ERLANGER, *International Herald Tribune*, dans *Courrier International*, n° 966, 7 mai 2009.

unité 5 grandeur nature

Vocabulaire
7 Trouvez dans le texte tous les termes en relation avec les vaches.
8 Expliquez le double sens du terme « vache à lait ».

PRODUCTION ORALE
9 Comme de nombreux Français, investiriez-vous votre argent dans un élevage bovin au lieu de le confier à la banque ? Argumentez en donnant des exemples.

8 Quel est l'avantage majeur de la voiture électri-que ? Mais à quoi doit-on faire attention ?

2ᵉ écoute (3ᵉ partie)
9 Quels sont les gestes que fait quotidiennement Nora Heinonen pour la protection de l'environne-ment ?

PRODUCTION ORALE
10 **Débat :** Pour sauver la planète, peut-on accep-ter que des gens perdent leur emploi ? Réagissez en défendant votre position.

▪ LA MONTAGNE

Ils quittent un à un le pays
Pour s'en aller gagner leur vie
Loin de la terre où ils sont nés
Depuis longtemps ils en rêvaient
5 De la ville et de ses secrets
Du formica* et du ciné
Les vieux ça n'était pas original
Quand ils s'essuyaient machinal
D'un revers de manche les lèvres
10 Mais ils savaient tous à propos
Tuer la caille ou le perdreau
Et manger la tomme de chèvre

> *Pourtant que la montagne est belle*
> *Comment peut-on s'imaginer*
> 15 *En voyant un vol d'hirondelles*
> *Que l'automne vient d'arriver ?*

Avec leurs mains dessus leurs têtes
Ils avaient monté des murettes
Jusqu'au sommet de la colline
20 Qu'importent les jours les années
Ils avaient tous l'âme bien née
Noueuse comme un pied de vigne
Les vignes elles courent dans la forêt
Le vin ne sera plus tiré
25 C'était une horrible piquette
Mais il faisait des centenaires
À ne plus que savoir en faire
S'il ne vous tournait pas la tête

> *Pourtant que la montagne est belle*
> 30 *Comment peut-on s'imaginer*
> *En voyant un vol d'hirondelles*
> *Que l'automne vient d'arriver ?*

Deux chèvres et puis quelques moutons
Une année bonne et l'autre non
35 Et sans vacances et sans sorties
Les filles veulent aller au bal
Il n'y a rien de plus normal
Que de vouloir vivre sa vie
Leur vie ils seront flics ou fonctionnaires
40 De quoi attendre sans s'en faire
Que l'heure de la retraite sonne
Il faut savoir ce que l'on aime
Et rentrer dans son H.L.M.
Manger du poulet aux hormones

> 45 *Pourtant que la montagne est belle*
> *Comment peut-on s'imaginer*
> *En voyant un vol d'hirondelles*
> *Que l'automne vient d'arriver ?*

Paroles et musique : Jean FERRAT, 1964.

* Matériau stratifié recouvert de résine artificielle, faux bois.

COMPRÉHENSION ÉCRITE

1re lecture
1 Quel phénomène est évoqué dans ce texte ?
2 À votre avis, que pense l'auteur de ce phénomène ?

2e lecture
3 Relevez les mots qui évoquent la campagne et la nature.
4 D'autres mots « dérangent » cette image de la nature. Lesquels ?
5 Quelle vie attend les ruraux une fois arrivés dans la ville ?

Vocabulaire
6 Quels noms d'animaux apparaissent dans la chanson ?

PRODUCTION ORALE
7 Dans la chanson, la critique de la vie citadine est très virulente. La partagez-vous ?
Exposez votre point de vue en argumentant.

■ QUO VADEMUS ?

COMPRÉHENSION AUDIOVISUELLE

1er visionnage

1 Quel est le thème du documentaire ?

2 Décrivez les paysages et le climat.

3 D'après vous, dans quelle région de France a été tourné ce documentaire ?

2e visionnage

4 Quels sont les trois éléments naturels indispensables pour produire un grand vin ?

5 Pour obtenir un premier cru, dans quel milieu naturel la vigne doit-elle pousser ?

6 Dans le dernier vignoble, comment cultive-t-on la vigne ?

PRODUCTION ORALE

7 À votre avis, peut-on produire un grand vin dans n'importe quelle région du monde ?

8 *In vino veritas* : croyez-vous en ce proverbe latin ?

VOCABULAIRE > **l'écologie**

L'ENVIRONNEMENT *(m.)*

l'acclimatation *(f.)*
acclimaté(e)
l'agronome *(m. et f.)*
la biodiversité
les conditions climatiques *(f.)*
l'eau potable *(f.)*
l'écolo *(fam.)*
l'écologie *(f.)*
écologique
l'écologiste *(m. et f.)*
l'écosystème *(m.)*
environnemental(e)
l'équilibre *(m.)* naturel
la faune
la flore
le milieu

LA CULTURE

la biodynamie (être en…)
l'humus *(m.)*
le mode de culture
la paille
le sol (pauvre, riche)
la terre
le terreau
le terroir

LA POLLUTION ET SES REMÈDES

l'assainissement *(m.)*
biodégradable
le compost
la couche d'ozone
la décharge (sauvage)
les déchets *(m.)*
la déforestation
dépolluer
la dépollution

la désertification
le désherbant
désherbant(e)
le développement durable
le dioxyde de carbone (CO_2)
l'effet de serre *(m.)*
l'élimination *(f.)* des déchets
les émissions *(f.)* de CO_2
l'énergie *(f.)* propre
l'énergie *(f.)* renouvelable
l'énergie *(f.)* solaire
l'engrais *(m.)*
l'éolienne *(f.)*
l'épuration *(f.)* des eaux
l'espèce *(f.)* en voie d'extinction
l'espèce *(f.)* protégée
la géothermie
l'incinérateur *(m.)*

la marée noire
les nuisances *(f.)* sonores
les ordures *(f.)*
polluant
polluer
la préservation (des forêts)
préserver
le produit chimique
radioactif(-ive)
la radioactivité
le reboisement
le réchauffement climatique
la récupération
le recyclage
recycler
le stockage des déchets
toxique
le traitement des déchets
le vermicompost (lombricompost)

ACTIVITÉ

1 Complétez le texte à l'aide des mots suivants :

en biodynamie – des conditions climatiques – écolo - l'équilibre naturel – la faune et la flore – son mode de culture – le terroir

Un vigneron modèle : malgré ..... de plus en plus chaotiques, Henri de la Vigne, un farouche ....., défend ..... . Pour lui, ... est sacré ! Pour préserver ....., il a choisi de cultiver la terre ....., c'est-à-dire qu'il n'utilisera jamais d'engrais ni de produits chimiques afin de préserver ..... environnantes.

PRODUCTION ORALE

2 Dans votre pays, quels sont les plus gros problèmes environnementaux ? Que proposeriez-vous pour y remédier ?

3 En scène ! Une personne vient de jeter son vieux téléviseur dans une rivière. Une autre personne, très sensible aux problèmes environnementaux, passe au même moment, témoin de cette scène. L'écologiste tente de lui expliquer la gravité de son geste, le pollueur essaie de se justifier. Jouez la scène à deux en utilisant les mots de la liste.

TEST : *ÊTES-VOUS VRAIMENT ÉCOLO ?*

1 C'est l'hiver, il fait −5° dehors.

▲ Vous allumez tous vos radiateurs à fond.

● Vous n'ouvrez qu'un seul radiateur et vous mettez trois pulls.

■ Vous chauffez beaucoup la pièce principale, les autres pièces sont chauffées à 18 degrés.

2 Un lendemain de fête, votre appartement est « sens dessus dessous ».

■ Vous mettez tout dans un sac, mais vous triez quand même le verre.

● Vous vous levez une heure plus tôt pour faire un tri organisé : compost, verre, papiers, canettes…

▲ Vous mettez tous vos détritus dans une même poubelle.

3 Vous voyez un automobiliste qui jette son cendrier sur le bord d'un trottoir.

■ Vous l'invectivez en le traitant de pollueur.

▲ Vous passez devant comme si de rien n'était.

● Vous ramassez les mégots un à un et allez les déposer dans une poubelle plus loin.

4 Vous voulez partir une semaine à Berlin.

● Six jours de vélo ne vous font pas peur. Ah ! Traverser les Ardennes, la Belgique et les Pays-Bas à la force de vos mollets ! Mais une fois sur place, il ne vous reste qu'une seule journée.

■ Vous prenez le train de nuit. Le lendemain matin, vous arrivez en gare de Berlin, un peu fatigué(e).

▲ Vous prenez votre voiture jusqu'à l'aéroport puis un avion. Deux heures plus tard, vous arrivez en pleine forme.

5 Vous venez de gagner un cadeau dans une loterie. Lequel choisissez-vous ?

● Un aspirateur solaire.

▲ Un lave-linge magique qui lave votre linge en trois minutes mais qui est très gourmand en électricité.

■ Un magnifique barbecue à charbon de bois pour faire vos grillades.

6 Pour sauver la planète, vous êtes prêt(e) à :

■ Vendre votre voiture et ne prendre que les transports en commun.

● Rendre tous vos appareils ménagers, vivre à la chandelle et vous laver à l'eau froide toute l'année. C'est excellent pour la santé !

▲ Prendre des douches froides en été.

7 C'est la canicule, il fait 40 degrés à l'ombre.

▲ Vous vous faites tout de suite installer un appareil de climatisation chez vous.

● Vous faites poser des panneaux photovoltaïques sur vos volets afin de récupérer de l'énergie pour l'hiver suivant.

■ Vous transpirez, mais pour vous rafraîchir, vous prenez trois douches froides par jour.

8 Votre nouvelle maison de campagne…

● Un petit chalet adorable fabriqué en matériaux récupérés, mais il n'y a qu'une cheminée à bois et vous devez aller chercher l'eau à la source qui se trouve dans un charmant hameau à 500 mètres de là.

■ Une maison près d'une gare, avec un jardin somptueux et une chaudière à gaz à condensation pour l'eau chaude et le chauffage.

▲ Une villa au bord de la mer avec piscine, jacuzzi, équipée d'appareils électroménagers « dernier cri » et d'un garage pour garer votre 4 x 4.

RÉSULTATS

Un maximum de ▲ : Rien à faire ! L'écologie n'est pas votre préoccupation première. Le confort avant tout !…

Un maximum de ■ : On peut dire que vous êtes sensible à l'environnement. Sans plus.

Un maximum de ● : Vous êtes un(e) vrai(e) écolo. Allez au Parlement européen pour donner le bon exemple.

Voyage dans les Alpes

Le physicien, comme le géologue, trouve sur les hautes montagnes, de grands objets d'admiration et d'étude. Ces grandes chaînes, dont les sommets percent dans les régions élevées de l'atmosphère, semblent être le laboratoire
5 de la nature, et le réservoir dont elle tire les biens et les maux qu'elle répand sur notre terre, les fleuves qui l'arrosent, et les torrents qui la ravagent, les pluies qui la fertilisent et les orages qui la désolent. Tous les phénomènes de la physique générale s'y présentent avec une grandeur et
10 une majesté, dont les habitants des plaines n'ont aucune idée ; l'action des vents et celle de l'électricité aérienne s'y exercent avec une force étonnante ; les nuages se forment sous les yeux de l'observateur, et souvent il voit naître sous ses pieds les tempêtes qui dévastent les plaines, tandis que
15 les rayons du soleil brillent autour de lui, et qu'au-dessus de sa tête le ciel est pur et serein. De grands spectacles de tout genre varient à chaque instant la scène ; ici un torrent se précipite du haut d'un rocher, forme des nappes et des cascades qui se résolvent en pluie, et présentent au specta-
20 teur de doubles et triples arcs-en-ciel, qui suivent ses pas et changent de place avec lui. Là des avalanches de neige s'élancent avec une rapidité comparable à celle de la foudre, traversent et sillonnent des forêts en fauchant les plus grands arbres à fleur de terre, avec un fracas plus terrible
25 que celui du tonnerre. Plus loin de grands espaces hérissés de glaces éternelles, donnent l'idée d'une mer subitement congelée dans l'instant même où les aquilons* soulevaient ses flots. Et à côté de ces glaces, au milieu de ces objets effrayants, des réduits délicieux, des prairies riantes exhalent
30 le parfum de mille fleurs aussi rares que belles et salutaires,

présentent la douce image du printemps dans un climat fortuné, et offrent au botaniste les plus riches moissons.

Horace-Bénédict DE SAUSSURE,
Discours préliminaire aux voyages dans les Alpes, 1779.
* *Vents du nord, froids et violents.*

COMPRÉHENSION ÉCRITE

Entrée en matière

1 Observez la photo et décrivez-la. Que ressentez-vous à la vue de ce paysage ?

1re lecture

2 Quel est l'objet du texte ?
3 D'après le texte, quelle pourrait être la profession du narrateur ?

2e lecture

4 H.-B. de Saussure observe deux aspects contraires de la nature. Lesquels ?
5 Citez quelques exemples qui montrent cette dualité.

Vocabulaire

6 Relevez les termes liés à :
a | la météorologie
b | l'eau
c | la végétation

PRODUCTION ÉCRITE

7 À votre tour, décrivez un site naturel que vous aimez particulièrement. En suivant le modèle de Saussure, vous tiendrez compte de la végétation, de la météorologie et des cours d'eau, et vous exprimerez une dualité, comme celle qui fait le charme de sa description.

PRODUCTION ORALE

8 Lisez votre production à la classe et votez pour le plus beau texte, c'est-à-dire celui qui vous émeut le plus par son jeu de descriptions contrastées.

VOCABULAIRE > la géographie

LE MATÉRIEL DU GÉOGRAPHE

l'atlas (m.)
la boussole
la carte (d'un pays, d'une région)
la mappemonde
le plan (d'une ville)

LA SITUATION GÉOGRAPHIQUE

l'équateur (m.)
le globe
l'hémisphère (m.)
l'horizon (m.)
méridional(e)
occidental(e)
oriental(e)
le pôle (nord, sud)
septentrional(e)

1 Trouvez une région française septentrionale, méridionale, orientale et occidentale. (Voir carte en 2e de couverture)

LA CAMPAGNE

le bourg
la bourgade
la cambrousse (fam.)
le champ
le chemin
la colline
forestier(-ière)
la forêt
le hameau
le lieu-dit (les lieux-dits)
le patelin (fam.)
la plaine
rural(e)
la prairie
le sentier
le village
le vallon

2 Classez par ordre de grandeur les lieux d'habitation suivants : le bourg, la bourgade, le hameau, le lieu-dit et le village.

LA MONTAGNE

l'altitude (f.)
l'avalanche (f.)
la chaîne
le col
le glacier
la grotte
le massif montagneux
le mont
montagneux(-euse)
les neiges éternelles
le pic
au pied de (la montagne)
le rocher
le sommet
rocheux(-euse)
la vallée
le versant

LES COURS D'EAU (m.)

en amont
en aval
le canal
la cascade
la chute d'eau
couler
le courant
le delta
l'embouchure (f.)
l'étang (m.)
le fleuve
fluvial(e)
le lac
le marécage
la rive
la rivière
le ruisseau
la source
le torrent

3 Dans la liste ci-dessus, sélectionnez les trois termes qui appartiennent aux eaux stagnantes.
4 Classez ces cours d'eau selon l'importance de leur débit : la rivière, le fleuve, la source, le ruisseau.

LA MER

l'archipel (m.)
la baie
le bord de mer
la côte
la falaise
le golfe
l'île (f.)
insulaire
le littoral
la marée (basse, haute)
marin(e)
l'océan (m.)
océanique
la péninsule
le phare
le port
la presqu'île
la vague

expressions :
avoir le mal de mer
avoir le pied marin
c'est un vrai loup de mer
arriver à bon port
prendre le large

5 Associez à ces cinq expressions les définitions suivantes :
a | c'est quelqu'un d'un peu rude qui a beaucoup navigué
b | s'en aller, partir
c | avoir la nausée
d | atteindre sa destination sain et sauf
e | être parfaitement à l'aise sur un bateau

ACTIVITÉ

MINI-QUIZ de géographie

1 Quelle est la région la plus septentrionale de France ?
a | la Picardie
b | le Nord-Pas-de-Calais
c | la Normandie

2 Le Mont-Blanc est le plus haut sommet...
a | des Pyrénées
b | du Jura
c | des Alpes

3 Lequel de ces fleuves ne se jette pas dans l'Atlantique ?
a | la Loire
b | le Rhône
c | la Garonne

4 Les îles de Porquerolles, de Port-Cros et du Levant sont baignées par...
a | la Méditerranée
b | la Manche
c | l'Atlantique

5 Le Mont-Saint-Michel se trouve...
a | sur une falaise
b | dans une baie
c | dans un golfe

6 La ville d'Épinal est située sur...
a | la Moselle
b | le Rhin
c | la Meuse

VOCABULAIRE/GRAMMAIRE >
la localisation

SITUER
à l'endroit
à l'envers
ailleurs
ça et là
d'un bout à l'autre
de bas en haut/de haut en bas
de tous côtés
du côté ouest
en avant
ici
là
là-bas
n'importe où
nulle part
par endroits
par terre
partout
quelque part

**SITUER PAR RAPPORT
À UN POINT**
à droite (de)
à gauche (de)
à l'angle (de)

à l'arrière (de)
à l'avant (de)
à l'extérieur (de)
à l'intérieur (de)
à la surface de
à la tête de
à mi-chemin (de)
au bord (de)
au bout (de)
au centre (de)
au coin de
au-devant de
au fond (de)
au-delà de
au-dessous (de)
au milieu (de)
au pied de
au sein de
au seuil de
au sommet (de)
autour (de)
de là
dedans
dehors
du côté de

en arrière
en bas (de)
en dehors de
en dessous (de)
en face (de)
en haut (de)
en tête (de)
entre
face à
face à face
hors de
par là
par-dessous
sur le côté (de)
sur votre droite
sur votre gauche

**EXPRIMER LA DISTANCE
ET LA PROXIMITÉ**
à côté (de)
à l'écart (de)
à la périphérie (de)
à peu de distance de
à proximité de
au loin

autour de
aux alentours (de)
aux environs (de)
contre
du côté de
loin (de)
(tout) près (de)
un peu plus loin

INDIQUER LA DIRECTION
dans la direction de
en chemin
en direction de
jusqu'à
par
par là *(fam.)*
sur la route de
vers

expressions :
à deux pas d'ici
couper à travers champs
sens dessus dessous

ACTIVITÉS

1 Remplacez les expressions en italique par des formes de même sens.
Exemple : ***D'un bout à l'autre*** du mur il y a des glycines. = ***Tout le long du*** mur il y a des glycines.

a | *Au coin de* la rue de Fleurus, il y a un magasin qui vend des produits issus de l'agriculture biologique.
b | Un corbeau est perché *en haut de* l'arbre avec un camembert bio dans son bec.
c | *À proximité du* lac de la Liez se trouve la magnifique ville de Langres.
d | *Autour de* la ville de Vérone, on peut admirer de grands cyprès ornant de beaux jardins à l'italienne.
e | En France, nous rencontrons *ça et là* de charmants villages entourés de paysages bucoliques.

2 Reformulez les phrases pour exprimer l'idée contraire, à l'aide des expressions suivantes :
couper à travers champs – sens dessus dessous – bras dessus bras dessous – sauter dessus *(fam.)* – se prendre pour le centre du monde

a | L'appartement est parfaitement rangé.
b | Pierre est un garçon modeste.

c | Nous allons passer par la route quitte à faire un détour.
d | Il a attendu une heure avant de m'annoncer cette bonne nouvelle.
e | Ils marchent dans la rue séparément.

PRODUCTION ÉCRITE

3 Voici une photo, décrivez-la en détail en situant dans l'espace le plus d'éléments possible.

89

Les animaux de Paris

Louis-Sébastien Mercier* avait déjà remarqué, de son temps, combien les animaux pouvaient être envahissants. Deux siècles plus tard, la voiture, hélas, supplante le piéton sur le « plancher de vaches », et seuls les chiens, et parfois
5 les chats, se risquent sur les trottoirs parisiens. Autrefois, les bœufs, mais aussi les cochons et autres animaux de ferme pouvaient croiser le chemin des promeneurs, et il n'est pas si loin le temps des chevriers de Paris qui menaient leurs troupeaux folkloriques dans les ruelles de Belleville ou de Montmartre.
10 Né vers la fin des années cinquante, je me souviens avoir vu, stationnant devant le marché des Batignolles, le dernier cheval de livraison de la capitale. Ce vaillant animal tirait une imposante charrette en bois des glacières de Paris. Son conducteur ravitaillait les cafés et les commerçants en glace
15 à rafraîchir. On avait chassé ce cheval des quartiers du centre et il termina son activité vers la périphérie. Je garde bien précieusement dans mes archives la photo de cette bête, très insolite pour le petit Parisien que j'étais alors !

Ils ont disparu, ces animaux travailleurs et sont maintenant rangés dans les cartons d'images anciennes, comme
20 de pittoresques souvenirs. De même, nous ne verrons plus jamais des loups dans Paris, sauf au Jardin des Plantes, mais les renards se rapprochent, et les fouines pointent leur museau dans nos rues. Certaines de ces dernières, difficiles à attraper, ont dévoré les durites des voitures d'une caserne
25 de gendarmerie.

Les chiens et chats nous accompagnent dans notre vie quotidienne, mais d'autres animaux, plus discrets, partagent notre espace. Partons à leur rencontre.

Rodolphe Trouilleux,
Histoires insolites des animaux de Paris, 2003.

** Écrivain français (1740-1814) qui a exercé une influence consi-
dérable sur le mouvement réaliste. Auteur notamment du Tableau
de Paris en 12 volumes (1790), qui décrit avec réalisme et en détail
l'ensemble de la société française avant la Révolution.*

COMPRÉHENSION ÉCRITE

Entrée en matière

1 Observez les photos. Que représentent-elles ? À votre avis, où ont-elles été prises ? Et à quelle époque ?

1re lecture

2 Quels animaux « insolites » pouvait-on croiser autrefois dans les rues de Paris ?

2e lecture

3 À quoi servait le dernier cheval de livraison parisien ?

4 Quels animaux sauvages trouve-t-on encore aujourd'hui ?

5 Quel est le ton du texte ? Illustrez votre réponse par des exemples précis.

Vocabulaire

6 Cherchez dans le texte un équivalent de :
a | bergers
b | groupes d'animaux
c | courageux
d | fournissait
e | charmants
7 Reformulez l'expression : « pointer son museau ».

PRODUCTION ÉCRITE

8 Partons donc à la rencontre de ces animaux. Imaginez qui sont ces animaux « discrets » dont veut parler l'auteur et écrivez la suite du texte.
9 À votre tour, évoquez un souvenir d'enfance dans lequel un animal a joué un rôle important.

TENDRES BÊTES

Vache tenace

En 1900, une louve solitaire terrorisait les habitants des campagnes, près de la ville de Villers-les-Pots en Bourgogne. L'animal avait déjà mangé plusieurs enfants lorsqu'il
5 s'attaqua à un petit vacher qui gardait son troupeau loin des habitations. Deux fois, la louve planta ses dents redoutables dans la chair du pauvre gamin affolé, qui, hurlant vainement « Au secours ! À moi, pitié ! », se voyait perdu. Alors, une de ses vaches, nommée GRISETTE, n'écouta que
10 son courage et chargea, encornant deux fois la louve qui finit par s'enfuir. L'enfant guérit de ses blessures et raconta l'exploit de la vache. Au cours d'une émouvante cérémonie, la GRISETTE fut décorée par monsieur le maire.

Souris funambules

15 En 1945, monsieur Nicolas, un forain marseillais, présentait dans sa baraque, un cirque minuscule dont les vedettes étaient des souris blanches (les grises sont indomptables…). JOSEPH, qui pesait 25 grammes, grimpait à une échelle et se tenait debout, en équilibre, sur le plus haut
20 barreau. JOSÉPHINE, elle, après avoir embrassé le nez de son maître, s'aventurait sur un fil. Il y avait aussi TITINE qui ratait tous ses numéros mais qui, en revanche, réussissait ses enfantements : en dix ans, elle avait mis au monde 1 412 souriceaux ! qui eux-mêmes… Oh ! là, là !

25 Lièvre anglophobe

En 1845, sur le boulevard du Temple à Paris, on pouvait voir un lièvre nommé JEAN. Il était le dernier membre de la ménagerie de monsieur Gérôme. Ce vieux montreur d'animaux, qui jadis avait fait la retraite de Russie avec
30 l'Empereur, subsistait grâce à son lièvre. JEAN battait le tambour quand on lui disait « Napoléon ! ». Quand on lui parlait anglais, JEAN tirait un coup de fusil.

Serpent voluptueux

Au milieu du XIXe siècle,
35 Madame de la Mésangère, qui habitait près de Dijon, possédait un serpent nommé FIFI. Le reptile dormait entre ses seins et,
40 au signal donné par un petit coup de sifflet, montait autour du cou de sa maîtresse et venait l'embrasser sur les lèvres. Puis
45 il descendait en spirale, le long d'un des bras de Madame de la Mésangère et, une fois sur le sol, rampait jusqu'à une petite boîte de
50 nacre contenant du son. Après s'être restauré, le serpent, qui était sans doute un orvet inoffensif, regagnait sa place douillette. Ce spectacle laissait pantois les visiteurs : le chanoine, la sous-préfète et ses deux grandes filles.

Lionel KOECHLIN, *Animaux surdoués.*
Histoires vraies, du coq à l'âne, 2008.

COMPRÉHENSION ÉCRITE

1re lecture
1 Lisez les quatre anecdotes et expliquez-en les titres.

2e lecture
2 Comment la vache réussit à faire fuir la louve ?
3 Comment la vache fut récompensée de son courage ?
4 Quel est l'exploit de la souris Titine ?
5 En quoi le lièvre Jean fascinait le public parisien ?
6 Retracez le parcours quotidien de Fifi le serpent.
7 Quelles étaient, selon vous, les réactions des visiteurs de Madame de la Mésangère ?

Vocabulaire
8 Associez ces mots à leur équivalent :

a	la chair	**1**	confortable
b	indomptables	**2**	survivait
c	subsistait	**3**	la peau
d	pantois	**4**	ahuris
e	douillette	**5**	indociles

PRODUCTION ORALE

9 Connaissez-vous des anecdotes comparables à celles-ci ? Racontez-les à la classe.

PRODUCTION ÉCRITE

10 À votre tour, par groupes de trois, imaginez en quelques lignes le portrait insolite d'un animal surdoué. Présentez votre production à la classe et votez pour l'histoire la plus drôle.

VOCABULAIRE > les animaux

LES MAMMIFÈRES (m.)

l'agneau (m.)
l'âne (m.)
la biche
le bœuf
le canard
la chauve-souris
le cheval
la chèvre
le cochon
l'écureuil (m.)
la fouine
le lapin
le loup
le lynx
la marmotte
le mouton
l'ours (m.)
le rat
le renard
le sanglier
la souris

le taureau
la vache
le veau

LES OISEAUX (m.)

l'aigle (m.)
le canard
la chouette
la cigogne
le coq
le corbeau
le cygne
le hibou
l'hirondelle (f.)
le moineau
la mouette
le pigeon
le pingouin
la poule

LES INSECTES (m.)

l'abeille (f.)

l'araignée (f.)
le cafard
la coccinelle
la fourmi
la guêpe
la mouche
le moustique

LES POISSONS (m.)

l'anguille (f.)
le brochet
la carpe
le hareng
la perche
le saumon
la truite

LES REPTILES (m.)
ET BATRACIENS (m.)

la couleuvre
le crapaud
la grenouille

le lézard
le serpent
la tortue
la vipère

TERMES FAMILIERS

le cabot
le canasson
le clébard
le clebs
la cocotte
le corniaud
le dada
le matou
le minet
le minou
le piaf
le toutou

> Classez les mots de la liste ci-dessus par espèces animales : chien (5), chat (3), oiseau (2), cheval (2).

ACTIVITÉS

1 Formez des groupes de trois personnes. Répondez aux questions le plus rapidement possible. Le groupe qui a trouvé toutes les réponses est le gagnant.

a | Quels sont les trois animaux qui bêlent ?

b | Quel est l'animal qui « admire » le corbeau dans la célèbre fable de La Fontaine ?

c | Comment s'appelle la jolie bête qui dort tout l'hiver ?

d | Quels animaux sont associés à la nuit ? Citez-en trois.

e | Quels animaux peuvent vivre dans les forêts ? Trouvez deux mammifères et deux insectes.

f | C'est une personne qui dit beaucoup de mal des autres. C'est une langue de…

g | Vous adorez le miel. Quel animal a travaillé pour vous ?

h | Quel oiseau niche en haut des cheminées d'Alsace ?

i | Cet animal a une espérance de vie incroyablement longue. Quel est-il ?

j | Quel poisson est encore plus muet que tous les autres ?

2 Complétez les phrases à l'aide des expressions suivantes :

poser un lapin – ne pas faire de mal à une mouche – pleurer comme un veau – les rats quittent le navire – avoir des fourmis dans les jambes.

a | Prends un mouchoir et calme-toi ! Il n'y a pas de raison pour …..

b | Il semble que l'entreprise ait de sérieuses difficultés. En tout cas, …..

c | Oh, cette chaise est d'un inconfortable ! Je suis resté trop longtemps assis et maintenant, j'…..

d | Ce garçon n'est absolument pas méchant. Il …..

e | L'agent immobilier n'est pas venu au rendez-vous. Il nous …..

MIX & REMIX

VOCABULAIRE > les plantes

LE JARDINAGE

arroser
la bouture
bouturer
composter
cultiver
désherber
les jeunes pousses *(f.)*
le plant
la plantation
la plante d'intérieur
planter
pousser
repiquer
transplanter

expression :
avoir la main verte

LES FLEURS *(f.)*
ET LES PLANTES *(f.)*

le blé
le colza
le coquelicot
l'edelweiss *(m.)*
le géranium
l'herbe *(f.)*
la jonquille
la lavande
le lilas
la mousse
le muguet
le nénuphar
la pâquerette
le tournesol
le trèfle
la vigne

L'ANATOMIE D'UNE PLANTE

le bouton
la branche
l'épine *(f.)*
se faner
la feuille
la fleur
fleurir
le pétale
la racine
la tige
le tronc

LES ARBRES *(m.)*

le bouleau
le cerisier
le châtaignier
le chêne
l'olivier *(m.)*
le palmier
le peuplier
le platane
le pommier
le sapin
le saule pleureur
le tilleul

ACTIVITÉS

1 Comment s'appellent les différentes parties d'une rose ? Associez un nom à chaque numéro.

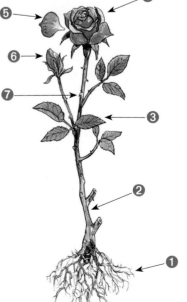

2 Trouvez, dans la liste, les fleurs et les plantes qui correspondent à ces descriptions.

a | C'est une fleur modeste et basse qui ressemble à la marguerite et qui pousse dans les pelouses.
b | Quand on en trouve un avec quatre feuilles, c'est le bonheur assuré.
c | C'est une fleur d'un rouge éclatant et extrêmement fragile.
d | C'est une plante fourragère à fleurs jaunes dont on extrait une huile appréciée.
e | Elle pousse dans le Midi et se distingue par sa couleur violette et par son parfum extraordinaire.
f | Claude Monet en peignait des centaines dans son jardin à Giverny.
g | C'est une fleur composée de petites clochettes au parfum délicat. En France, on en vend le 1er mai.
h | Il ne pousse qu'en haute montagne dans les endroits les plus inaccessibles.
i | Il fleurit tout l'été et il est particulièrement pittoresque sur les balcons des chalets.

3 Reconnaissez-vous ces arbres ? Trouvez un bouleau, un chêne, un peuplier, un pommier, un sapin et un saule pleureur.

Manu Larcenet, *Le Retour à la terre*, tome I: *La Vraie Vie*, Dargaud, 2002.

COMPRÉHENSION ÉCRITE

Entrée en matière

1 Observez les vignettes sans lire le texte, identifiez les lieux et décrivez les personnages.

Lecture

2 Lisez la première partie. Quelle est la situation ?

3 En quoi consiste le trait d'humour ?

4 Lisez la seconde partie et relevez les expressions du visage de chacun. Quels éléments de la bande dessinée montrent que le citadin ne comprend rien à la nature ?

Vocabulaire

5 Dans le texte, cherchez un équivalent de :

a | mon frère

b | le chemin pédestre

c | autrefois

d | un réservoir à céréales

PRODUCTION ORALE

6 De quel personnage vous sentez-vous le plus proche, de Tip Top ou de son frère ? Pourquoi ? Donnez des exemples concrets.

PRODUCTION ÉCRITE

7 Mettez-vous par groupe de trois et composez une troisième partie de la bande dessinée. Veillez à ce que Tip Top, inadapté à la vie rurale, se retrouve une fois de plus dans une situation humoristique.

■ APPRENDRE À JARDINER ? 🎵 cd 19

De la curiosité, le goût de l'observation, du bon sens, voilà les qualités qui – associées – forment ce qu'il est convenu d'appeler « la main verte ». Si en plus vous avez des jardinières et jardiniers dans la parenté, c'est encore mieux ! Mais qu'on se le dise, nul mystère ou don secret ne vous sera nécessaire pour goûter aux grandes joies du jardin.

COMPRÉHENSION ORALE

Entrée en matière

1 Lisez le texte de présentation de l'enregistrement. Qu'est-ce qu'avoir la main verte ?

1re écoute

2 Qui parle ? À qui pourraient s'adresser ces conseils ?

2e écoute

3 Quelles sont les trois qualités requises pour devenir un « bon jardinier » ?

4 Selon le journaliste, pourquoi le jardinage est-il un loisir peu coûteux ?

Vocabulaire

5 Retrouvez, dans l'enregistrement, un synonyme pour : s'étouffer – un fertilisant – un fortifiant pour plantes – la durée de vos cultures – les magazines de jardinage.

6 Lisez la transcription de l'enregistrement page 203 et reformulez les expressions suivantes :

a | souffrir d'un excès de soins

b | le temps travaille pour vous

c | mieux vaut ne pas aller plus vite que la musique

PRODUCTION ORALE

7 En France, une nouvelle tendance s'installe : ce sont les jardins partagés. Ils offrent aux citadins des fruits et des légumes meilleurs au goût et sont aussi un lieu de rencontre, d'échanges et de détente. Qu'en pensez-vous ? Ce phénomène existe-t-il dans votre pays ?

GRAMMAIRE > les pronoms personnels

ÉCHAUFFEMENT

1 Observez les phrases suivantes. Quels mots les pronoms personnels remplacent-ils ?

a | — Vos chats Pollux et Philidor peuvent-ils grimper dans les arbres de votre jardin ?
— Non, nous le leur interdisons car de petits moineaux y font leur nid.

b | — Je peux raconter l'histoire des trois oursons à Antonin et Luan ?
— Oui, raconte-la-leur.

c | — Combien voulez-vous de tulipes ?
— Mettez-m'en une douzaine.

d | — On va chez Bionop'. On achète deux kilos de riz complet pour Lucie ?
— Non, ne lui en apporte pas ! Elle déteste cela.

e | — Alors, quand est-ce que tu te mets au jardinage, maintenant que tu as un beau terrain ?
— Je vais m'y mettre dès que possible.

f | — Tu fais tondre la pelouse à Claire ?
— Oui, je la lui fais tondre toutes les semaines.

g | — Séverine, tu as laissé David conduire un 4 x 4 qui pollue tant ?

— Que veux-tu ! Il adore les grosses voitures. Je l'ai laissé faire.

h | — Anny, ton rosier est devenu magnifique !
— Oui, je le vois pousser et s'embellir de jour en jour.

i | — Heidi, tu me montres enfin le Mont-Blanc sur la photo ?
— Oui, Peter, je te le montre tout de suite.

2 Répondez aux questions suivantes en choisissant des exemples dans les mini-dialogues ci-dessus.

a | Lorsqu'il y a double pronominalisation, quel est l'ordre des pronoms dans les phrases affirmatives ? Quelles sont les combinaisons possibles ?
b | Quelle est la place des pronoms à l'impératif affirmatif et à l'impératif négatif ?
c | Si deux verbes se suivent immédiatement, quand doit-on placer les pronoms avant l'infinitif et quand doit-on les placer avant le verbe conjugué ?

EMPLOIS PARTICULIERS

Emploi de *lui / leur*

Lui et **leur** ne peuvent être employés ni avec un verbe pronominal, ni avec certains verbes (*penser, rêver, songer…*) ou locutions verbales (*faire attention à…*).
Dans ces cas, il faut utiliser les pronoms toniques : *Je pense à toi. Nous faisons attention à eux.*

Emploi de *le / la / l' / les*

• On n'emploie pas **le, la, l', les** avec des verbes liés aux goûts et aux préférences (*aimer, adorer, détester, préférer…*) pour remplacer des choses et des propositions. On emploie plutôt **ça, cela**.

— *Tu aimes la randonnée ?*
— *Oui, j'adore ça.*
— *Tu aimes utiliser la voiture ?*
— *Non, je déteste cela.*
• Parfois, le pronom **le** peut remplacer toute une idée.
— *Tu sais que Hanna a abandonné son chien pendant les vacances ?*
— *Oui, je le sais.*
• Un mot indéfini devient rapidement défini.
J'ai vu un jardinier avec un grand sécateur devant chez toi. Tu le connais ?

EMPLOIS PARTICULIERS

Emploi de *en*

• **En** peut remplacer **un**, **une** ou **des** quand il s'agit de personnes.

– *Vous avez des écologistes dans votre parti ?*

– *Oui, nous en avons quelques-uns.*

• Mais avec un verbe suivi de **de**, on doit en principe utiliser **de lui**, **d'elle**, **d'eux**, **d'elles**.

– *Daniel, il y a Colin Hulac, le géologue, qui vous attend !*

– *Oui, d'accord, je m'occupe de lui sous peu.*

• **En** remplace le **de** de provenance mais ne peut remplacer le **de** qui indique le lieu d'origine.

– *Tu es parti en Bourgogne en vacances ?*

– *Oui, j'en reviens.*

Mais :

– *Tu connais la Suisse ?*

– *Oui, j'en suis originaire, j'y suis né.* (et non pas : *j'en viens*)

Emploi de *y*

• À l'impératif, il est d'usage de ne pas employer **y** avec un autre pronom.

– *Je peux venir avec vous chez le vétérinaire ?*

– *D'accord, accompagne-nous !* (et non pas : *accompagne-nous-y !*)

• Plus généralement, l'emploi du **y** avec un autre pronom n'est pas toujours de bon goût.

Si *Je vais les y conduire* est correct, *Je vais les y écouter* est inusité.

Emploi particulier à l'oral

À l'oral, on a tendance à simplifier.

– *Tu lui as donné son circuit de randonnée ?*

– *Oui, je lui ai donné.* (au lieu de : *je le lui ai donné*, obligatoire à l'écrit).

Expressions figées

Dans ces cas, le pronom ne remplace aucun mot précis.

Il y a. Elle s'en va. Je lui en veux.

ENTRAÎNEMENT

3 Reformulez les phrases avec un ou deux pronoms, selon le cas.

a | Il va à Vézelay.

b | J'apporte des bégonias à mon amie Martina.

c | Donnez-moi trois bulbes de tulipes !

d | Je veux faire du vélo à la montagne.

e | Nous offrons un sapin de Noël à Gustave.

f | Ne parlez pas de marées noires au directeur de Talto.

g | Nous entendons hurler le loup.

4 Répondez négativement aux questions suivantes.

a | Vous vous servez d'un désherbant ?

b | Vous regardez passer les oiseaux ?

c | Vous avez dit au gardien du zoo que le lion s'était échappé ?

d | Vous avez donné des sacs biodégradables aux pollueurs ?

5 Reformulez les phrases avec un ou deux pronoms.

a | Donnez-moi cette marguerite !

b | Achète ce bonsaï à Mimi !

c | Ne leur donne pas d'essence !

d | N'avalez pas cette mygale !

e | Expliquez-lui le vermicompost !

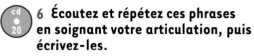 **6 Écoutez et répétez ces phrases en soignant votre articulation, puis écrivez-les.**

unité **5** grandeur nature

ATELIERS

1 PROSPECTUS PUBLICITAIRE POUR UN PARC NATUREL

Vous êtes un publiciste très connu. Un responsable d'un parc naturel fait appel à vous pour rédiger un prospectus qui vante la diversité de la faune et de la flore de sa réserve naturelle.

Démarche

• Par groupes de quatre, vous écrivez le prospectus et vous l'illustrez par des photos.
• Vous le présentez à la classe : vos collègues relèvent les points forts de votre projet.

Comment faire pour...
Écrire un prospectus publicitaire
• Choisir le nom du parc, sa date de création et le localiser.
• Décrire ses caractéristiques générales (les paysages, les ressources naturelles...).
• Insister sur les particularités de ce parc (plantes et animaux rares...).

2 PÉTITION

Vous venez de découvrir avec effroi que le réchauffement climatique fait fondre la banquise et que les pingouins sont menacés d'extinction d'ici cinq ans. Vous écrivez une pétition aux autorités concernées (Unesco, WWF, Greenpeace, Fondation Nicolas Hulot) pour leur faire part de votre indignation.

Démarche

• Par groupes de cinq personnes, vous fixez vos objectifs (par exemple, éviter la fonte des glaces...), débattez du problème et notez les arguments les plus pertinents pour défendre votre cause.
• Puis, vous rédigez votre pétition. À la fin, vous faites circuler et signer cette pétition autour de vous.

Comment faire pour...
Rédiger une pétition
• Créer un comité associatif et lui trouver un nom.
• Rédiger un slogan très accrocheur.
• Choisir parmi les arguments ceux qui soutiennent le mieux ce slogan.
• Rédiger le texte argumentif en l'illustrant par des exemples concrets.
• Terminer la pétition avec des mesures chocs à prendre.

Pour plus d'inspiration, téléchargez la pétition du CRAC sur le site anticorrida.com.

L'HISTOIRE en marche

« La politique c'est cinq ans de droit, tout le reste de travers. »

Coluche

— Écrire un commentaire sur mai 1968.
— Participer à un débat sur la peine de mort.
— Faire la critique d'un jeu de société sur un blog.
— Tester ses connaissances historiques.
— Écrire une lettre formelle sur le fonctionnement de l'école en France.
— Rédiger un projet pour une école nouvelle.
— Faire le portrait d'une personnalité historique.

Sous les pavés, l'Europe !

Si 1968 a changé le visage de l'Europe, les « événements » de cette année-là ont eu une résonance bien différente, de part et d'autre d'un continent divisé par le rideau de fer. Pendant qu'en France grondait la révolte estudiantine, la
5 Pologne était agitée de mouvements plutôt intellectuels. La Tchécoslovaquie, elle, vivait son Printemps de Prague. Que reste-t-il de ces mouvements ? Plusieurs députés européens de l'Est et de l'Ouest se souviennent et témoignent de « leur » année 68. [...]

10 **Défendre la liberté et provoquer l'ordre établi**
En France, rappelle Nicole Fontaine ancienne présidente du Parlement européen, pour l'anecdote, « *le déclencheur de la révolte des étudiants à Nanterre, qui allait se propager comme une traînée de feu, avait été l'interdiction faite aux*
15 *garçons d'aller dans le dortoir des filles, et vice versa !* ». Mais « *sous le radicalisme de slogans en style révolutionnaire et souvent inventif, qui hérissaient, et continuent d'ailleurs toujours d'hérisser les gens trop bien élevés, perçait une certaine allégresse à provoquer et bousculer une*
20 *société française dont les normes sociales ou morales apparaissaient à la jeunesse, archaïques et insupportables* ».
En Tchécoslovaquie, le Printemps de Prague amorce lui aussi une période de libéralisation politique, sous la conduite d'un Alexandre Dubček qui prône un
25 « socialisme à visage humain ». Mais le Printemps s'achève brutalement avec l'invasion des troupes soviétiques, qui provoque une vague d'émigration.
Milan Horáček fera partie de cette vague : en 1968, celui qui siège désormais au Parlement européen fuyait la
30 Tchécoslovaquie et se réfugiait à Francfort, en Allemagne. « *En tant que réfugiés politiques tchécoslovaques, nous avons rencontré des soutiens chez ceux qui rejetaient à la fois le communisme et le capitalisme* », raconte-t-il, « *mais*

■ MAI 68 AUX « ESCALIERS DU MARCHÉ » (cd ● 21)

L'année 1968 vue par les députés européens

35 bien sûr, nous étions moins enthousiastes face à l'idéalisme gauchiste de certains activistes : car nous avions vu à quoi le socialisme ressemblait en réalité ».

Les effets multiples de 1968

Si 1968 pourrait être vu comme un mouvement « du peuple » à l'Ouest, ce n'était pas le cas en Pologne : « *1968* 40 *en Pologne a été une initiative purement intellectuelle* », explique Bronisław Geremek, ancien ministre et désormais député européen polonais, « *les autres groupes sociaux, et en particulier les ouvriers, ne l'ont pas soutenue. Mais l'expérience de 1968 a été présente dans le mouve-* 45 *ment Solidarnosc : au départ plutôt négative, elle a en fait réveillé la société et amené en conséquence à l'effondrement de l'ancien système* ». [...]

1968 aurait donc amorcé un mouvement qui, vingt ans après, a conduit à l'effondrement du communisme à l'Est 50 de l'Europe. En France, c'est avant tout une libération : « *mai 1968 a été l'accélérateur d'une évolution sociale et des mœurs dont la pression sourde montait depuis un certain nombre d'années* », juge Nicole Fontaine. « *L'effet de mai 1968 a été principalement celui d'une catharsis**. *Sans* 55 *elle, l'évolution des mœurs se serait produite inéluctablement, mais probablement avec plus de convulsions* ».

L'exilé Milan Horáček se souvient aussi de 1968 en Allemagne et de son évolution qui « *rend aujourd'hui tout à fait acceptable d'avoir, par exemple, des maires homo-* 60 *sexuels dans les grandes villes. Avant 1968, la vie publique était plus conservative et de telles choses auraient été impensables* », explique-t-il.

Rendre 1968 à l'Histoire

Avec quarante années de recul, et malgré les différences 65 de part et d'autre du rideau de fer, cela semble clair : 1968 a changé l'Europe. Pendant que le débat se poursuit sur la nature précise de son héritage, certains pourtant considèrent qu'il est temps d'enterrer 1968. Parmi eux, un nom célèbre : Daniel Cohn-Bendit.

70 Désormais député Vert au Parlement européen, l'ancien leader étudiant a toujours de la verve, cette fois pour appeler à tourner la page : « *Voilà, ça s'est passé, ça a eu lieu, à l'époque. Constamment rejouer le débat de 1968 ne nous apporte plus rien. 1968 a changé le monde, que ça plaise* 75 *ou non. Mais aujourd'hui, la société est différente et nous avons donc besoin d'un débat différent* ». Et d'un nouveau slogan : sous les pavés, l'Europe.

www.europarl.europa.eu,
Direction des médias, 16 mai 2008.

* *Purification ou libération d'affects longtemps refoulés.*

8 Reformulez les deux expressions suivantes :
a | en France grondait la révolte estudiantine
b | tourner la page

PRODUCTION ORALE

9 Donnez votre opinion sur ces slogans de mai 1968, en illustrant vos réponses avec des exemples concrets.

Élections, piège à cons.

IL EST INTERDIT D'INTERDIRE

Jouissez sans entraves

La barricade ferme la rue mais ouvre la voie.

L'imagination au pouvoir.

Sous les pavés, la plage.

Soyez réalistes, demandez l'impossible.

PRODUCTION ÉCRITE

10 Pourquoi, à votre avis, les slogans de mai 1968 continuent toujours de hérisser les gens bien pensants (« trop bien élevés ») ? Rédigez votre commentaire en 80 mots environ.

Vocabulaire

7 Lisez la transcription p. 204 et relevez le lexique de la politique.

8 Trouvez dans le texte une expression équivalente de :
a | les retentissements
b | on mangeait un repas froid sans couverts
c | fort
d | expulser
e | il a rayé

PRODUCTION ORALE

9 Pour soutenir un événement politique ou social, faut-il y participer « activement » ou alors peut-on y contribuer d'une autre manière ? Donnez des exemples.

VOCABULAIRE > l'histoire

GÉNÉRALITÉS

l'archéologie (f.)
l'archéologue (m. et f.)
la civilisation
l'époque (f.)
l'ère (f.)
les fouilles (f. pl.)
l'historien, l'historienne
historique
le siècle

LES PÉRIODES (f.)

l'Ancien Régime (m.)
l'Antiquité (f.)
l'Empire (m.)
le Moyen Âge
la préhistoire
la Renaissance
la Révolution française
le Second Empire
la IIIᵉ République
la Vᵉ République

L'ANTIQUITÉ (f.)

barbare
le barde (le poète gaulois)
le chef de la tribu
les dieux grecs
le druide (le prêtre gaulois)
l'empereur romain (m.)
gallo-romain(e)
la Gaule (celtique)
gaulois(e)
grec, grecque
romain(e)
la tribu (gauloise)

> **1** Qui est qui ?
> **a** | Vercingétorix   **1** | empereur romain
> **b** | Junon   **2** | déesse romaine
> **c** | Hermès   **3** | chef gaulois
> **d** | Néron   **4** | dieu grec

LE MOYEN ÂGE

le château fort
la chevalerie
le chevalier
la croisade
féodal(e)
la féodalité
l'hérétique (m. et f.)
l'Inquisition (f.)
médiéval(e)
le seigneur
le vassal (les vassaux)

> **2** Quels mots correspondent à ces définitions ?
> **a** | Institution militaire de la noblesse féodale.
> **b** | Personne qui soutient une doctrine contraire à l'ensemble d'un groupe.
> **c** | Expédition des chrétiens pour délivrer les lieux saints.
> **d** | Personne liée à un seigneur dont il a reçu un domaine.

L'ANCIEN RÉGIME (m.)

l'aristocrate (m. et f.)
l'aristocratie (f.)
aristocratique
le baron, la baronne
le clergé
le comte, la comtesse
la Cour
la couronne
le couronnement
le courtisan
le duc, la duchesse
le marquis, la marquise
la monarchie (absolue)
le monarque
le noble
la noblesse
le prince, la princesse
le privilège

le règne
régner
le roi, la reine
royal(e)
le royaume
le souverain
succéder à
le tiers état
le trône

> **3** Classez par importance décroissante ces titres de noblesse (vous pouvez consulter votre dictionnaire ou Internet) : comte, prince, duc, roi, marquis, baron.
> **4** Quels étaient les trois ordres de la société française sous l'Ancien Régime ?

LA RÉVOLUTION

le citoyen, la citoyenne
la Déclaration des droits de l'homme et du citoyen
la guillotine
la prise de la Bastille
la Terreur

LES TEMPS MODERNES (m.)

le code civil
la colonie
la colonisation
la Commune
la Grande Guerre
la laïcité
le suffrage universel

L'HISTOIRE ET VOUS

PRODUCTION ORALE

1 Vous intéressez-vous à l'histoire ? Lisez-vous des livres historiques ? Allez-vous voir des films ou des expositions historiques ? Donnez des exemples.

2 À quelle époque auriez-vous aimé vivre ? Dans quel pays et à quel endroit ? Justifiez votre réponse.

3 Quel est, à votre avis, l'événement historique le plus important du XXᵉ siècle ? dans le monde ? en France ? dans votre pays ? et dans votre vie personnelle ?

JEU DE L'HISTOIRE

Voici huit citations historiques. Trouvez les événements, les personnages, les portraits et les dates qui leur correspondent.

CITATIONS

a « Après nous, le déluge ! »

b « La montée des extrémismes, c'est toujours la sanction de l'inaction. »

c « La République sera conservatrice ou ne sera pas ! »

d « Paris ! Paris outragé ! Paris brisé ! Paris martyrisé ! mais Paris libéré ! »

e « Mais c'est une révolte ?
— Non, Sire, c'est une révolution. »

f « Paris vaut bien une messe. »

g « Après le pain, l'éducation est le premier besoin du peuple. »

h « L'État, c'est moi ! »

NOMS DES PERSONNAGES

NOMS DES PERSONNAGES	DATES
1 Charles de Gaulle	1593
2 Le Duc de Liancourt	1655
3 Adolphe Thiers	1757
4 Georges Danton	1789
5 La Marquise de Pompadour	1793
6 Jacques Chirac	1872
7 Louis XIV	1944
8 Henri IV	2002

ÉVÉNEMENTS

I Réponse à Louis XVI après la prise de la Bastille.

II Projet d'une instruction publique, gratuite et obligatoire.

III Libération de Paris.

IV Avant le second tour des élections présidentielles face à Jean-Marie Le Pen.

V Le jeune roi s'adresse au parlement de Paris qui conteste son pouvoir.

VI Après la défaite de l'armée de Louis XV à Rossbach contre la Prusse.

VII Conversion au catholicisme avant d'accéder au trône de France.

VIII Message à l'Assemblée nationale, dominée par les monarchistes, après les événements de la Commune.

A

B

C

D

E

F

G

H

ROBERT BADINTER : LE DROIT D'ABOLIR

Symbole du mouvement abolitionniste dans le monde entier, Robert Badinter inscrit dans la Constitution française la fin de la peine de mort en 1981. Histoire d'un long combat.

5 17 septembre 1981. « *La parole est à Monsieur le garde des Sceaux, ministre de la Justice.* » L'hémicycle retient son souffle. Les yeux rivés sur la tribune, Robert Badinter s'avance. À la main, les notes de son discours. L'homme ne tremble pas. Refuse les effets de manche. Les mots
10 suffiront. Il en a l'intime conviction. Ce sera sa dernière plaidoirie. La dernière d'une longue série commencée en 1972. Retour en arrière.

Dans le froid et le brouillard de ce mois de novembre, le verdict est tombé, implacable et réclamé par l'opinion
15 publique : la mort pour Buffet et Bontemps. La mort pour les preneurs d'otages, pour les assassins. La foule exulte. Pour Robert Badinter, l'un de leurs avocats, c'est la consternation. Comment peut-on se réjouir
20 de la mort de ses semblables ?

À 44 ans, ce fils d'immigrés russes vient de trouver sa cause. Il se plonge dans les rapports sur la peine de mort, et milite dans des associations, participe à des congrès. Très vite,
25 il devient une voix. Le porte-parole du mouvement abolitionniste. L'avocat est charismatique, passe bien à la télévision, enchaîne les passages radio. Mais il ne convainc pas. Ni les politiques, ni l'opinion publique ne sont prêts à entendre son credo : distinguer justice et loi
30 du talion. Indifférence totale. Plus de 65 % des Français continuent de croire la peine de mort indispensable.

En 1976, alors que Christian Ranucci vient d'être guillotiné pour le meurtre d'une fillette dont il se disait innocent, Robert Badinter entend parler de Patrick Henry.

35 Ce jeune homme de 22 ans a enlevé et tué un gamin, Philippe Bertrand. Il accepte l'affaire. La France, elle, est sous le choc. « *Elle a peur* », lâche Roger Gicquel, le présentateur du journal télévisé. Des familles entières vibrent à la douleur des parents du petit Philippe. On réclame une
40 justice exemplaire. La mort, bien sûr. Il n'y a qu'elle qui peut réparer le meurtre d'un enfant. Robert Badinter est convaincu du contraire. Il le dit et le redit. Dans la rue, devant les médias, aux familles des victimes : la mort ne soigne pas, ne libère pas. L'affaire le hante. Ce procès ne
45 sera pas celui d'un paumé, d'un irresponsable, mais celui de la peine de mort. Une première en France. À la barre, il convoque des experts en criminologie. Tous sont formels : « *La peine de mort ne dissuade pas les criminels.* » Plus tard, l'abbé Clavier, aumônier de la prison de la Santé, explique qu'« *on ne répond pas à l'horreur par l'horreur. Il faut
50 savoir pardonner.* » Puis vient l'instant de l'ultime plaidoyer. Robert Badinter cherche le regard des jurés, les fixe un à un et déclare : « *Si vous votez la mort, vous resterez seuls avec votre verdict, pour toujours. Et vos enfants sauront
55 que vous avez condamné un jour un jeune homme, et vous verrez leur regard.* » Il a touché juste. La sentence tombe : réclusion à perpétuité. Désormais rien ne sera plus jamais comme avant. Dans l'histoire de l'abolition, la sentence est décisive. Pour le crime le plus abominable qui soit,
60 des hommes et des femmes, des jurés ont pu comprendre, gracier. Ils ont donné sa chance au pire des criminels. Et accepté que Patrick Henry puisse changer. Mais Badinter, lui, est obligé de filer à l'anglaise du tribunal. Le temps que l'affaire se tasse, ses deux enfants quittent
65 Paris. Lui reste. Pendant des mois, il reçoit des lettres de mort et d'insultes. Mais il ne renonce pas. Plus entêté que jamais, il court les cabinets politiques, les ministères, multiplie les interviews. Il ne faut pas baisser les bras. Pas maintenant. Alors il accepte les affaires et continue de
70 défendre des condamnés à mort. Sans relâche. La rage au ventre. L'opinion publique campe, elle, sur ses positions. En 1979, un journal du Sud-Est affirme que 75 % de ses lecteurs seraient favorables au maintien de la peine de mort.
75 En 1981, guère mieux : 63 %. Mais cette fois-ci, il y a de l'espoir. François Mitterrand, candidat aux présidentielles, vient de déclarer : « *Dans ma conscience, dans la foi de ma conscience, je suis contre la peine de mort* ».
80 La gauche remporte les élections. En acceptant le poste de ministre de la Justice, Robert Badinter, devenu le symbole du mouvement abolitionniste en France, sait que sa longue marche touche à sa fin. En ce 17 septembre 1981, il prononce enfin cette phrase
85 tant attendue : « *Monsieur le président, Mesdames, Messieurs les députés, j'ai l'honneur de demander à l'Assemblée nationale l'abolition de la peine de mort en France.* »

Christelle PANGRAZZI, 21 mars 2005,
www.abolition.fr/

Ensemble contre la peine de mort

Entrée en matière

1 Observez le logo de *Ensemble contre la peine de mort*. Que reconnaissez-vous ?

2 Quel est le but de cette association ?

1re lecture

3 Que s'est-il passé le 17 septembre 1981 et qui en est l'initiateur ?

4 Par quel homme politique cette démarche a-t-elle été soutenue ?

2e lecture

5 Quels ont été les condamnés en 1972 et en 1976 ? De quels crimes ont-ils été accusés ? Et quels ont été les verdicts du tribunal ?

6 Quelle est l'évolution de l' « opinion publique » pendant ces années ?

3e lecture

7 Quels sont les arguments de Robert Badinter en faveur de l'abolition de la peine de mort ?

8 D'autres arguments paraissent dans le texte. Lesquels ?

9 Relevez un contre-argument.

Vocabulaire

10 Par deux, relevez le lexique de la justice et classez-le dans les catégories suivantes : les lieux, les représentants de justice, les accusés, les discours et les jugements.

11 Voici quatre expressions « familières » du texte. Réécrivez-les dans un registre plus soutenu :

a | filer à l'anglaise
b | le temps que l'affaire se tasse
c | il ne faut pas baisser les bras
d | l'opinion publique campe sur ses positions

PRODUCTION ORALE

12 Débat : Que pensez-vous de la peine de mort ? Faudrait-il l'abolir dans le monde entier ? Défendez votre point de vue en vous appuyant sur les arguments du texte.

Exécution capitale, place de la Révolution à Paris (actuelle place de la Concorde), fin XVIIIe siècle.

PRODUCTION ÉCRITE

13 Voici la présentation du jeu de société *Guillotine*. Aimeriez-vous y jouer ? Pourquoi ? ou pourquoi pas ? Écrivez pour un blog votre commentaire sur ce jeu de société en justifiant votre réponse.

unité 6 l'histoire en marche

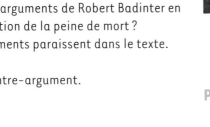

1789, Paris, la Révolution : des têtes vont tomber, beaucoup de têtes, et vous voulez pouvoir vous vanter d'être le meilleur de retour dans la salle de repos des bourreaux. Vous les impressionnerez tous si vous décapitez Marie-Antoinette ou le roi Louis XVI, mais personne ne s'intéressera à vous si vous coupez la tête d'un garde du palais ! Alors assurez-vous de récupérer les caboches les plus prestigieuses et vous conserverez toujours une longueur d'avance !
Pour bien jouer : ne pas se prendre la tête ! Votre devoir : accumuler le plus de points possible en décapitant les nobles les plus prestigieux en trois manches. [...]

Source : www.playfactory.fr

Guillotine est un jeu sous licence Hasbro.

VOCABULAIRE > la nation et les citoyens

LES SYMBOLES (m.) DE LA FRANCE

le bonnet phrygien
le buste de Marianne
la cocarde
le coq gaulois
la croix de Lorraine
la devise de la république
le drapeau tricolore
l'écharpe des élus
l'hymne national (m.)
le monument aux morts
la photo officielle du président
le 14 juillet

1 Associez chaque symbole au dessin correspondant.
a | le bonnet phrygien
b | le buste de Marianne
c | le coq gaulois
d | la croix de Lorraine

LES LIEUX INSTITUTIONNELS (m.)

l'Assemblée nationale (f.)
Bercy
l'Hôtel Matignon (m.)
la mairie
les ministères
le Palais de l'Élysée
le Palais du Luxembourg
le Palais-Bourbon
le parlement
la préfecture
le Quai d'Orsay
le Quai des Orfèvres
le Sénat
la sous-préfecture

2 Où siègent...
a | le président de la République ?
b | le Premier ministre ?
c | les députés ? (2 réponses possibles)
d | le ministère des Affaires étrangères ?
e | le ministère des Finances ?

LES DROITS (m.) DES CITOYENS

la défense de la vie privée
le droit de vote
la liberté d'association
la liberté d'expression
la liberté d'opinion
la liberté de circulation
la résistance à l'oppression
le secret des communications
le secret professionnel

3 Complétez les phrases à l'aide des expressions ci-dessus.
a | Votre médecin parle de vos problèmes de santé à votre employeur. Il ne respecte pas ..... .
b | Vous voulez écrire un article sur la corruption des hommes politiques de votre région. Cela relève de ..... .
c | Votre photo apparaît dans un magazine sans votre autorisation. La rédaction a ignoré le droit à ..... .

LES ÉLECTIONS (f.)

l'abstention (f.)
les abstentionnistes
le bulletin de vote
le/la candida(e)
les députés (m.)
les électeurs (m.)
les élus (m.)
l'isoloir (m.)
la liste électorale
le mandat du président
les partis politiques (m.)
le président
le référendum
le scrutin
l'urne (f.)
la voix
voter

4 Complétez le texte à l'aide des mots de la liste ci-dessus.
Un dimanche de mai, il fait beau, je ne fais pas comme les ....., je vais ..... pour le nouveau ..... . Après être entré dans la mairie, je montre mes papiers pour pouvoir signer la ..... . Puis je prends les ....., je me retire dans l'..... pour en choisir un. Je le glisse dans l'enveloppe, que je dépose dans l'..... . « A voté ! » Soulagé, j'ai donné ma ..... à ma ..... favorite. De retour à la maison, j'attends avec impatience le résultat des ..... .

LES PARTIS POLITIQUES (m.) FRANÇAIS

le Front National (FN)
Lutte ouvrière (LO)

le Mouvement Démocrate (Modem)

le Mouvement Républicain et Citoyen (MRC)
le Parti Communiste Français (PCF)

le Parti Radical de Gauche (PRG)

le Parti Socialiste (PS)

l'Union pour un Mouvement Populaire (UMP)

les Verts

LES FORMES D'EXERCICE DU POUVOIR

l'anarchie (f.)
l'aristocratie (f.)
l'autocratie (f.)
la démocratie
la monarchie
l'oligarchie (f.)
la phallocratie
la ploutocratie
la technocratie
la théocratie
la voyoucratie

5 Associez chaque définition à une forme de pouvoir.
a | Gouvernement par les plus fortunés.
b | Désordre résultant d'une absence ou d'une carence d'autorité.
c | Régime politique dans lequel la souveraineté appartient à une classe restreinte et privilégiée.
d | Pouvoir exercé par des personnes corrompues.
e | Doctrine politique d'après laquelle la souveraineté doit appartenir à l'ensemble des citoyens.
f | Système politique dans lequel les techniciens ont un pouvoir prédominant au détriment de la vie politique.

Rôle positif de la colonisation : la mission civilisatrice de retour

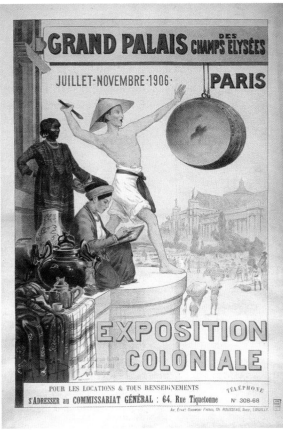

Dans cet article, l'auteur s'élève contre l'idée que la France aurait rempli « une mission civilisatrice » dans ses anciennes colonies (20/12/2005).

[…] Un récent sondage révèle que deux Français sur trois adhèrent à l'idée d'un rôle positif de la colonisation. Ceci révèle, s'il était besoin, le succès de la propagande coloniale des expositions coloniales au cours desquelles des
5 indigènes furent exposés dans des zoos humains dans le but de montrer les bienfaits de civilisation que les colons leur avaient apporté. Ceci a contribué à enraciner dans l'inconscient collectif français un complexe de supériorité et un mépris culturel de ces peuples qui perdure de
10 nos jours. Là sont les racines de la condescendance, et les germes d'un racisme que l'on ne prend plus la peine de cacher. Par les temps qui courent, un vent de xénophobie souffle sur la nation, il a décrispé et libéré un discours « anathémisant* » et raciste. Qu'il ait l'élégante apparence
15 du concept, sous la plume d'un intellectuel, ou la gangue vulgaire du facho de base, il se déploie dans toute son imbécillité et en toute impunité. Ses soubassements sont les mêmes : la hiérarchisation des races et des cultures, le mépris de l'autre, l'intime conviction de sa supériorité. […]

Felwine SARR, www.dossiersdunet.com,
11 janvier 2006.

* *Qui maudit, condamne.*

COMPRÉHENSION ÉCRITE

Entrée en matière

1 Observez l'affiche. De quel événement s'agit-il ? Où et quand a-t-il eu lieu, et pourquoi ?

2 Quelles étaient les anciennes colonies françaises ?

1re lecture

3 À quelle occasion cet article a-t-il été écrit ? Pourquoi ?

2e lecture

4 Selon l'auteur, sur quels principes psychologiques est fondée l'idée des bienfaits de la colonisation pour une majorité de Français ?

5 Comment cette idée est entrée dans l'esprit de la société française à l'époque ?

6 Pourquoi, de nos jours, cette notion de « mission civilisatrice » refait-elle surface ?

Vocabulaire

7 Cherchez dans le texte un équivalent de :
a | ancrer
b | continue
c | l'arrogance
d | détendu
e | absence de punition
f | ses bases

PRODUCTION ORALE

8 « *La grandeur d'un pays, c'est d'assumer toute son histoire. Avec ses pages glorieuses, mais aussi avec sa part d'ombre.* »

a | Commentez cette citation de Jacques Chirac. Quelles pages glorieuses et quelle(s) part(s) d'ombre semble-t-il évoquer ?

b | Qu'en est-il de votre pays ? Donnez des exemples concrets.

Un musée de l'Histoire de France, mais quelle Histoire ?

Entre deux étapes fixées par son agenda surchargé, notre Président s'est surtout inquiété de l'absence
5 d'un indispensable symbole de notre Identité nationale : un musée de l'Histoire de France. Joli coup de clairon destiné à renforcer ce sentiment patrioti-
10 que qui semblerait faire défaut à la jeunesse de ce pays.

Mais de quelle histoire s'agit-il ? Quand donc peut bien commencer cette histoire qu'il
15 conviendrait de célébrer ? Avec Vercingétorix, défait à Alésia ? Avec Attila, roi des Huns, battu en 451 aux Champs catalauniques ? Avec Clovis, converti au
20 catholicisme, vers 496 ? S'agit-il surtout de la France de Saint-Louis ou de Jeanne d'Arc ? De la France de la Noblesse et de l'Église triomphante ou de celle des Révolutions ?

25 Dans ce musée de l'Histoire de France, sera-t-il question du colonialisme et de ses méfaits ? Y aura-t-il une salle consacrée à la France de Vichy et aux exploits de sa police ? Est-ce que l'histoire des luttes sociales, qui a transformé notre pays, sera évoquée ?

30 Où donc notre Président, et ceux qui se sont immédiatement enthousiasmés pour ce projet, iront-ils chercher les documents incontestables que doit présenter un musée digne de ce nom ? Va-t-on s'activer à vider certains musées de leur contenu, après un tri sélectif, destiné à
35 présenter une histoire reliant nécessairement les glorieux Gaulois à notre société du XXIᵉ siècle – ce que ne cesse de revendiquer Jean-Marie Le Pen ?

Manuel d'histoire, 1902.

Les conservateurs de ce musée [...] auront-ils pour
40 mission d'exalter les traditions « judéo-chrétiennes » qui seraient celles de notre pays, au détriment d'un passé frondeur, lorsqu'il était pos-
45 sible de couper la tête du roi de France ?

C'était là une réaction naturelle, en souvenir des jacqueries sauvagement réprimées,
50 au cours des siècles passés. Fera-t-on connaître aux visiteurs, sans les dénigrer, les barricades de juin 1848, et celles de la Commune de
55 Paris en mai 1871 ? Y aura-t-il des salles consacrées à la Libération de Paris et à mai 1968 ?

En clair, ce musée sera-t-il
60 la représentation d'une France rétrograde, ou de celle qui n'a jamais pu se résoudre à supporter trop longtemps le joug des tyrans ?

Maurice RAJSFUS, www.rue89.com,
21 janvier 2009.

> Maurice Rajsfus est un historien et un militant français, né le 9 avril 1928 à Aubervilliers (Seine-Saint-Denis). Il est auteur d'une trentaine de livres dans lesquels il a abordé les thèmes de la Shoah en France, de la police et des atteintes aux libertés. En 1994, il a cofondé l'Observatoire des libertés publiques, qu'il préside.

Entrée en matière

1 Faites des hypothèses sur le titre. Quel est le problème soulevé ?

2 Quels sont pour vous les événements les plus importants de l'histoire de France ?

1ʳᵉ lecture

3 Voici une liste de faits historiques tirés du texte. Précisez s'ils sont plutôt glorieux ou plutôt déshonorants pour la France.

a | la défaite de Vercingétorix à Alésia
b | la guerre de Cent Ans et Jeanne d'Arc
c | la Révolution française
d | la France et son Empire colonial
e | la France de Vichy et sa collaboration avec l'occupant
f | mai 1968

4 Quelles questions soulève ce projet de musée, d'après l'auteur ? Qu'en pensez-vous ?

2e lecture

5 Quel est le ton du texte : polémique, humoristique, factuel ? Justifiez votre réponse.

6 Quel est le point de vue politique de l'historien ? Quels éléments du texte pourraient illustrer sa position ?

Vocabulaire

7 Associez ces termes à leur équivalent :

a	ne cesse de	**1**	réactionnaire
b	outrageusement	**2**	exagérément
c	exalter	**3**	n'arrête pas de
d	au détriment de	**4**	glorifier
e	dénigrer	**5**	au désavantage de
f	rétrograde	**6**	discréditer

8 Selon vous, y a-t-il une seule histoire immuable, ou varie-t-elle selon les points de vue ? Argumentez en donnant des exemples concrets que vous choisirez dans l'histoire de votre pays.

9 Le ministère de la Culture projette de créer un musée qui présente l'histoire de France de manière humoristique. À l'observation du dessin ci-dessous, pensez-vous que l'on puisse rire de tout, même d'événements historiques graves ? Envoyez votre commentaire sur le forum des museesdefrance.fr en donnant votre avis sur le sujet.

unité **6** l'histoire en marche

LE CHANGEMENT

l'adaptation (f.)
adapter
s'adapter
bouger
le bouleversement
bouleverser
changeant(e)
évoluer
l'évolution (f.)
l'instabilité (f.)
instable
la métamorphose
métamorphoser
la modification
(se) modifier
renouveler
le renouvellement
rétablir
le rétablissement
la révolution
révolutionnaire
révolutionner
la transformation
(se) transformer
la variation
varier

1 Complétez le texte à l'aide des mots suivants, en faisant les changements nécessaires : bouleverse-ment – modifier – rétablir – s'adapter – transformer.
La Révolution ..... le cours de l'histoire de France. Ce grand ..... politique ..... l'ensemble de la société française qui a dû ..... à la modernité. Cependant, quelques années plus tard, la Restauration ..... la monarchie.

L'AMÉLIORATION (f.)

aller mieux
améliorer
de mieux en mieux
la modernisation
moderniser
mûrir
le progrès
progresser
la progression
rénover
restaurer

L'AGGRAVATION (f.)

aggraver
la chute
chuter
la décadence
le déclin
décliner
la déformation
la dégradation
dégrader
de pire en pire
la détérioration
détériorer
empirer
régresser
la régression

2 Dans les deux listes qui précèdent, trouvez le contraire de :
a | aller mieux
b | le déclin
c | progresser
d | rénover
e | de mieux en mieux

L'AUGMENTATION (f.)

l'accroissement (m.)
agrandir
l'agrandissement (m.)
l'allongement (m.)
allonger
l'amplification (f.)
amplifier
la croissance
de plus en plus...
le développement
développer
le doublement
doubler
élargir
l'élargissement (m.)
l'étalement (m.)
étaler
(s')étendre
l'expansion (f.)
l'extension (f.)
grandir
grossir
le grossissement
la hausse
l'intensification (f.)
intensifier
la multiplication
multiplier
plus... plus...
progressif(ve)
progressivement
le renforcement
renforcer

LA DIMINUTION

abréger
affaiblir
l'affaiblissement (m.)
l'allégement (m.)
alléger
la baisse
baisser
diminuer
raccourcir
le raccourcissement
la réduction
réduire
rétrécir
le rétrécissement

3 Dans les deux listes qui précèdent, trouvez le contraire de :
a | la baisse
b | le rétrécissement
c | affaiblir
d | allonger

L'ACCÉLÉRATION (f.)

à toute allure
accélérer
brusque
brusquement
brusquer qqn
d'un seul coup
(se) hâter
la précipitation
précipiter
(se) presser
soudain
soudainement

LE RALENTISSEMENT

au ralenti
le frein
freiner
lent(e)
lentement
peu à peu
ralentir
le ralentissement

4 Complétez le texte à l'aide des mots suivants, en faisant les changements nécessaires : brusquement – lentement – peu à peu – précipiter – soudain.
Sur la place, ... le public arrivait. ..... le roi descendit de la charrette et monta sur l'échafaud. ..... le bourreau le ..... sous la guillotine et ..... sa tête tomba.

LA PERMANENCE

la conservation
conserver
continu(e)
la continuité
demeurer
garder
immuable
inchangé(e)
(se) maintenir
le maintien
permanent(e)
la préservation
préserver
rester
(se) stabiliser
la stabilité
stable
la stagnation
stagner
stationnaire
statique

LA COLORATION

blanchir
bleuir
colorer
éclaircir
foncer
jaunir
noircir
pigmenter
rougir
teindre
teinter
verdir

expressions :
aller de mal en pis
changer de décor
partir sur les chapeaux de roues
sauter du coq à l'âne
tomber en ruine

5 Associez ces expressions à leur définition.
a | changer brusquement de sujet
b | commencer très rapide-ment
c | se dégrader
d | s'écrouler
e | voir un autre horizon

LE CHANGEMENT

Pour exprimer le changement, vous pouvez utiliser :

• **devenir** + adjectif
Le roi devient de plus en plus autoritaire.

• **faire** + infinitif
L'université l'a fait mûrir.

• **rendre** + adjectif
Des mois passés en prison l'ont rendue prudente.

Attention, ne confondez pas :

• **changer quelque chose** et **changer de quelque chose**
Marie-Antoinette a changé la décoration du petit Trianon. (transformer)
En allant à la Conciergerie, Marie-Antoinette a changé de décor. (déménager)
• **changer, se changer** et **se changer en**
L'administration change. (évoluer)
Pour aller sur scène, Louis XIV se changeait. (mettre d'autres vêtements)
La princesse s'est changée en crapaud. (se transformer)

ACTIVITÉ

1 Complétez les phrases avec *devenir* ou *rendre* au temps qui convient, suivi d'un des adjectifs de la liste. Faites les accords nécessaires.

célèbre – compliqué – nerveux – riche – triste

a | En quelques années, ce ministre ..... .
b | La jeune actrice Chloé Maringo ..... après avoir épousé le prince de Transylvanie.
c | Selon un proche de la candidate, sa défaite aux élections l'..... .
d | Les manifestations de ce printemps ..... le chef d'État.
e | Cette situation politique ..... .

PRODUCTION ORALE

2 La mondialisation a apporté des changements radicaux depuis ces vingt dernières années.
Selon vous, lesquels sont les plus importants ?
3 Observez ces deux photos. Quels changements constatez-vous ?

unité 6 **l'histoire en marche**

La Défense, 1973.

La Défense, 2004.

■ MAYOTTE, 101ᵉ DÉPARTEMENT FRANÇAIS EN 2011

Superficie
376 km²

Population
188 452 hab.

Densité
499 hab./km²

Taux de chômage
23 %

Religion
Musulmans

Langues
français, shimaore, malgache

Le « oui » au référendum sur la départementalisation de Mayotte l'a emporté à une écrasante majorité avec 95,2 % des voix. L'île de l'océan Indien deviendra donc en 2011 le 101ᵉ département français. [...]

Cécile MIMAUT et Caroline CALDIER,
www.france-info.com, 29 mars 2009.

Des habitants de Mayotte arrivent le 29 mars 2009 à Mamoudzou, la capitale, pour voter au référendum sur la départementalisation de l'île.

COMPRÉHENSION ORALE

Entrée en matière

1 À l'aide de la carte de Mayotte et de sa légende, situez l'île géographiquement et relevez-en les particularités.

2 Lisez le texte de présentation et la légende de la photo. Que s'est-il passé le 29 mars 2009 ?

1ʳᵉ écoute

3 Quelle a été l'attente du peuple mahorais et depuis quand ?

4 Avec qui travaille le ministère d'État à l'Outre-Mer pour mettre en œuvre ce changement de statut ?

2ᵉ écoute

5 Quels changements va provoquer ce nouveau statut dans la société mahoraise ? Citez-en trois.

6 Que va apporter la France aux habitants de l'île dans les vingt prochaines années ?

7 Quel est l'objectif principal de la France et quels seront les moyens pour y parvenir ?

PRODUCTION ORALE

8 Pensez-vous que Mayotte, en devenant un nouveau département français, a fait le bon choix ? Justifiez votre réponse.

■ LA JOURNÉE DE LA JUPE

COMPRÉHENSION AUDIOVISUELLE

1ᵉʳ visionnage (sans le son)

1 Où se passe ce film ?

2 Qui sont les personnages ?

3 À votre avis, que se passe-t-il ?

2ᵉ visionnage (avec le son)

4 Comment le professeur se retrouve-t-elle avec un revolver dans la main ?

5 Que fait-elle par la suite avec cette arme ?

6 Quelle est la revendication du professeur et pourquoi ?

3ᵉ visionnage (avec le son)

7 Quelle est la position du principal du lycée ?

8 Quelle est la réaction de la collègue de Sonia Bergerac ?

9 Quelle est la réaction du policier à la fin de la bande-annonce ?

PRODUCTION ORALE

10 Pensez-vous qu'il y ait de sérieux problèmes d'apprentissage et de discipline dans les collèges d'aujourd'hui en France ? Qu'en est-il dans votre pays ?

11 Que proposeriez-vous pour améliorer les conditions d'apprentissage dans les collèges ?

CONVERSATION AVEC ISABELLE ADJANI

[...]

Journaliste — Pour vous, quel est le problème avec le système scolaire ?

I. Adjani — C'est complexe, mais l'enfer c'est de laisser entrer dans la classe l'alibi sociologique, c'est-à-dire nos problèmes sociétaux comme le chômage, les inégalités ou le racisme. Les profs deviennent alors assistantes sociales, psys, secouristes, urgentistes… Tout, sauf enseignants ! Tout ce que l'extérieur génère d'injustices et de difficultés, il va falloir le traiter ailleurs, autrement. [...]

Propos recueillis par Fabien MENGUY, *À nous Paris*, n° 431, du 22 au 29 mars 2009.

PRODUCTION ORALE

Lisez l'extrait de l'interview d'Isabelle Adjani. Pensez-vous, comme la comédienne, que de nos jours les professeurs n'ont plus le temps de se consacrer à la transmission du savoir ? Comparez avec la situation dans votre pays.

EXTRAIT D'UNE LETTRE DE JULES FERRY AUX INSTITUTEURS

« Monsieur l'Instituteur,

L'année scolaire qui vient de s'ouvrir sera la seconde année d'application de la loi du 28 mars 1882. Je ne veux pas la laisser commencer sans vous adresser personnelle-
5 ment quelques recommandations qui sans doute ne vous paraîtront pas superflues, après la première expérience que vous venez de faire du régime nouveau. [...] La loi du 28 mars se caractérise par deux dispositions qui se complètent sans se contredire : d'une part, elle met en
10 dehors du programme obligatoire l'enseignement de tout dogme particulier ; d'autre part, elle y place au premier rang l'enseignement moral et civique. L'instruction religieuse appartient aux familles et à l'Église, l'instruction morale à l'école. Le législateur n'a donc pas entendu faire
15 une œuvre purement négative. Sans doute il a eu pour premier objet de séparer l'école de l'Église, d'assurer la liberté de conscience et des maîtres et des élèves, de distinguer enfin deux domaines trop longtemps confondus : celui des croyances, qui sont personnelles, libres et variables,
20 et celui des connaissances, qui sont communes et indispensables à tous, de l'aveu de tous. Mais il y a autre chose dans la loi du 28 mars : elle affirme la volonté de fonder chez nous une éducation nationale, et de la fonder sur des notions du devoir et du droit que le législateur n'hésite
25 pas à inscrire au nombre des premières vérités que nul ne peut ignorer. Pour cette partie capitale de l'éducation, c'est sur vous, Monsieur, que les pouvoirs publics ont compté. En vous dispensant de l'enseignement religieux, on n'a pas songé à vous décharger de l'enseignement moral : c'eût
30 été vous enlever ce qui fait la dignité de votre profession. Au contraire, il a paru tout naturel que l'instituteur, en même temps qu'il apprend aux enfants à lire et à écrire, leur enseigne aussi ces règles élémentaires de la vie morale qui ne sont pas moins universellement acceptées que
35 celles du langage ou du calcul. [...] »

Source : http://fr.wikipedia.org/wiki/Jules_Ferry

COMPRÉHENSION ÉCRITE

Entrée en matière

1 Observez le document. Qui est l'expéditeur et à qui s'adresse-t-il ?

1re lecture

2 D'après le texte, quelle serait la fonction de Jules Ferry ?

2e lecture

3 Sur quels principes fondamentaux se base la loi du 28 mars 1882 ?

4 Quelle est la mission première de l'instituteur ?

Vocabulaire

5 Trouvez dans le texte un équivalent de :
a | la croyance   **c** | ôtant
b | la personne qui fait les lois   **d** | libérer

PRODUCTION ÉCRITE

6 À la vue de la bande-annonce et à la lecture du témoignage d'I. Adjani et du texte de J. Ferry, écrivez une lettre à un représentant de l'Instruction publique de votre pays afin de lui rendre compte du fonctionnement de l'école en France, de ses principes et de ses défaillances.

GRAMMAIRE > la conséquence

ÉCHAUFFEMENT

1 Relevez les mots qui expriment la conséquence.

a | Le fort taux d'abstentionnistes résulte d'une mauvaise campagne électorale.

b | Le roi est clément, d'où sa popularité.

c | Le ministre n'est pas assez compétent pour qu'on lui fasse confiance.

2 Soulignez, dans les phrases suivantes, les mots qui introduisent l'idée de conséquence et classez-les dans le tableau ci-dessous.

Exemple : *Le candidat n'a pas été élu, il n'ira <u>donc</u> pas à l'Assemblée nationale.*

a | Le principe de laïcité a eu un effet positif sur l'École française.

b | La monarchie absolue a entraîné des injustices sociales.

c | Marie-Antoinette était si frivole qu'elle eut la tête coupée.

d | La SNCF a réalisé des bénéfices records l'année dernière tant et si bien qu'elle envisage d'ouvrir de nouvelles lignes.

e | De Gaulle a eu trop d'opposants après mai 1968 pour qu'il puisse continuer à gouverner.

f | Le gouvernement a imposé une taxe sur les déjections canines de manière à financer ses dîners à l'Élysée.

g | On a obligé les citoyens à travailler le dimanche, du coup la France entière est dans la rue.

h | Henri IV se convertit au catholicisme, ainsi put-il devenir roi de France en 1589.

nom	verbe	conjonction + proposition	conjonction + proposition au subj.	conjonction + infinitif
• la conséquence	• causer	• à tel point que	• assez (de)... pour que	• assez (de)... pour
•	•	•	• suffisamment (de)... pour que	• au point de
• les répercussions *(f.)*	• occasionner	• alors	•	• suffisamment (de)... pour
• le résultat	• permettre	• au point que	• de façon que	• trop (de)... pour
• les retombées *(f.)*	• produire	• aussi (+ *inversion*)	• de façon à ce que	• de façon à
	• provoquer	• c'est pour cela que	• de manière que	• .....
	• résulter	• c'est pourquoi	• de manière à ce que	• de sorte à
	• susciter	• de cette manière	• de sorte que	• en sorte de *(litt.)*
		• de (telle) façon que		
		• de (telle) manière que		
		• de (telle) sorte que		
		• donc		
		• ..... *(fam.)*		
		• en conséquence		
		• par conséquent		
		• résultat : *(fam.)*		
		• ..... + *adjectif* + ...		
		• si bien que		
		• tant (de)... que		
		•		
		• tel + *nom*... que		
		• tellement (de) ... que		
		• voilà pourquoi		

ENTRAÎNEMENT

3 Faites correspondre le début et la fin des phrases.

a | Cet étudiant a peu de ressources...

b | À Paris, en août, une grande partie de la population est en vacances...

c | Il y a tellement de rois dans l'histoire de France...

d | Le discours de Frédéric Mitterrand, le nouveau ministre de la Culture, a remporté un tel succès...

e | Louis XIV avait le don de se mettre en scène, ...

f | La poste se privatise...

g | Nous avons gardé des traditions aristocratiques, ...

1 | que depuis, il fait la une de tous les magazines.

2 | de sorte que la plupart des administrations sont fermées.

3 | de façon à pouvoir être concurrentielle face aux banques.

4 | c'est pourquoi il reçoit une allocation logement.

5 | de là son surnom « le Roi Soleil ».

6 | c'est pour cela qu'aujourd'hui, il est mal vu de couper sa salade avec son couteau.

7 | qu'on ne s'y retrouve plus !

4 Complétez les phrases à l'aide des verbes que vous conjuguerez :

permettre – susciter – produire – provoquer – causer

Exemple : *L'incendie du ministère des Finances **a causé** de grandes joies aux débiteurs de l'État.*

a | La visite du chef de l'État ..... de signer de nouveaux contrats.

b | Le concert de ce chanteur homophobe et sexiste ..... une vive réaction dans la population et dans la classe politique.

c | Les nouvelles dispositions du travail dominical ..... des mécontentements chez les ouvriers des grandes surfaces.

d | La nouvelle loi sur le téléchargement légal ..... l'admiration du milieu de la musique.

5 Comparez les modes des verbes utilisés dans les phrases suivantes. Que remarquez-vous ?

a | Le roi Louis XVI avait le pouvoir absolu de sorte que personne ne pouvait le contredire.

b | Le parti fera tout en son pouvoir pour son candidat, de sorte qu'il soit réélu.

c | Arrangez-vous de façon qu'il perde les élections municipales.

d | Le roi François Ier s'est arrangé de telle manière que Léonard de Vinci a pu venir travailler en France.

6 Reliez les phrases par une expression de conséquence. Utilisez le maximum d'expressions.

Exemple : *Il a réussi ses examens. Il a travaillé beaucoup.* → *Il a tellement travaillé qu'il a réussi ses examens.*

a | Roselyne, qui vote à droite, se sent rejetée. Ségolène, Martine et Élisabeth votent à gauche.

b | Les universitaires et les enseignants de la Sorbonne ont fait la grève. Les examens finaux ont été annulés.

c | Aline Jupette était impopulaire. Elle a dû démissionner.

d | Il a perdu la guerre. Napoléon est arrivé en retard sur le champ de bataille.

e | Le couperet de la guillotine était mal aiguisé. La tête n'a pas pu être coupée.

ATELIERS

1 PROJET POUR UNE « ÉCOLE NOUVELLE »

Vous êtes le proviseur d'un lycée français dans votre ville. Vous avez des idées pour créer une nouvelle école. Rédigez sous forme d'article un projet pour une revue d'éducation. Parlez des principes, de la pédagogie, de l'encadrement et des moyens que vous voulez mettre en œuvre.

Démarche

Par trois :

1 Préparation
• Vous vous mettez d'accord sur le projet que vous voulez défendre.
• Vous fixez vos objectifs.
• Vous trouvez et formulez brièvement vos arguments pour chacun des domaines.

2 Rédaction.
Vous respectez les étapes suivantes :
• Vous décrivez la situation actuelle avec ses dysfonctionnements.
• Vous indiquez les changements nécessaires et exposez vos propositions.
• Vous concluez en décrivant l'impact probable de ce projet sur l'ensemble de la société.
• Vous donnez un titre à votre article.

3 Présentation
• Vous préparez votre présentation (attention à l'intonation et à la vitesse !).
• Vous présentez oralement votre projet à la classe (chaque participant peut prendre en charge une partie du texte).

4 Votez pour le meilleur projet (le plus original, le plus réaliste, le mieux présenté).

2 PORTRAIT

Vous allez présenter oralement une personnalité historique de votre pays.

Par groupes de deux ou trois étudiants :

Démarche

1 Choisissez une personnalité.
2 Recherchez des documents et des illustrations (dans les dictionnaires, sur Internet, dans les ouvrages à votre disposition).
3 Prenez des notes sur la biographie de votre personnalité en précisant ses particularités.
4 Justifiez votre choix en soulignant l'importance que cette personnalité a eue dans l'histoire de votre pays.
5 Présentez votre portrait à la classe.

JE L'AIME, un peu, beaucoup...

> « Les meilleurs moments de la vie à deux, c'est quand on est tout seul. »
>
> Pierre DAC

— Parler du sentiment amoureux et amical.
— Écrire un texte sur les sentiments à la manière de...
— Déclamer une poésie en vers.
— Inventer deux strophes d'un poème.
— Rédiger la suite d'un journal intime.
— Écrire une lettre d'amour.
— Créer un test de personnalité.

DIFFÉRENCE

Aux États-Unis, l'adultère est une faute qui se paie cher. En France, c'est un aléa constitutif du mariage, qu'il vaut mieux gérer par le secret ou le pardon.

5 À en croire les stéréotypes américains, les Français ont une passion pour l'adultère. Dans les faits, les Français ordinaires sont aussi attachés à la fidélité que les Américains. D'après les sondages, la fidélité est la première qualité que les femmes françaises recherchent chez un compagnon, 10 tandis que les hommes placent la tendresse légèrement avant. Les enquêtes nationales montrent que les Français sont plus fidèles que les Américains tant avant qu'après le mariage : en France, 3,8 % des hommes et 2 % des femmes déclarent avoir eu plus d'un partenaire au cours de 15 l'année écoulée, alors qu'ils sont respectivement 3,9 % et 3,1 % aux États-Unis. Cependant, lorsque les Français trompent leur conjoint, ils gèrent la chose différemment des Américains. Les Français ont tendance à penser que

---

COMPRÉHENSION ÉCRITE

Entrée en matière

1 Lisez le titre : quelle est la différence entre « infidélité coupable » et « adultère prévisible » ? À votre avis, laquelle des deux expressions pourrait s'appliquer à la France ?

2 Lisez le chapeau : cela confirme-t-il vos suppositions ?

1re lecture

3 Quelle est, en général, la réaction des Français, au contraire des Américains, quand ils découvrent l'infidélité de leur partenaire ?

4 Dans l'adultère, qu'est-ce qui dérange le plus les Américains ?

2e lecture

5 Quel est « l'ingrédient » psychologique qui fait la différence entre Français et Américains ? Selon vous, d'où provient-il ?

6 Comment les Français gèrent-ils cette double vie sans se tourmenter ?

7 Pourquoi les Français ne se préoccupent-ils pas des affaires de cœur de leurs dirigeants ?

■ « ASSEZ PARLÉ D'AMOUR » (cd 23)

COMPRÉHENSION ORALE

1re écoute

1 Quel est le titre du roman dont on parle ? Qui en est l'auteur ?

2e écoute

2 Quelle est la trame de l'histoire ?

3 Que se passe-t-il d'étrange ?

3e écoute

4 Qu'est ce qui va provoquer la rupture de ces femmes avec leurs vies d'avant ?

5 Comment l'auteur voit-il la relation amoureuse ?

6 Sur quelle contradiction l'amour est-il parfois fondé ?

Infidélité coupable contre adultère prévisible

l'infidélité est l'un des écueils prévisibles du mariage et ne
20 partent pas du principe que le conjoint infidèle doit être
chassé du domicile conjugal. J'ai constaté lors de plusieurs
entretiens que ce qui choque le plus les Américains en
cas d'adultère, « *ce n'est pas le sexe mais les mensonges* ».
En revanche, les Français ne voient pas grand mal à dire
25 quelques mensonges discrets pour protéger un conjoint
d'une information déplaisante. La culpabilité est une
composante importante de l'adultère américain et peut
conduire un conjoint volage à des aveux spontanés.
En France, les conjoints infidèles ont moins de mal à
30 penser qu'ils ont fait un choix malheureux mais pragma-
tique. Un Français s'est montré perplexe quand je lui ai
demandé s'il avait commencé une thérapie pour maîtriser
le stress provoqué par le fait de jongler entre sa femme
et sa maîtresse. Au bout d'un an d'une relation extracon-
35 jugale, il venait précisément de laisser tomber un théra-
peute qu'il voyait depuis six ans. « *J'ai réglé la question*,
m'expliqua-t-il. *Le problème, c'était le mariage et le sexe.* »

L'une des raisons pour lesquelles les Américains ne com-
prennent pas les règles françaises en la matière, c'est que
40 le premier des Français fonctionne selon des normes différentes. En France, la qualité de séducteur fait en effet
partie du profil présidentiel. Les électeurs français souvent
ne savent pas ce que font leurs dirigeants derrière des portes closes. Avec une législation qui protège strictement la
45 vie privée et la relation consanguine qu'entretiennent les
médias et les personnalités politiques, la presse n'ose pas
dire grand-chose de la vie privée de ces dernières. Peut-
être les Français sont-ils plus tolérants que les Américains
en matière d'infidélité présidentielle parce qu'ils ont eu
50 pendant des siècles des monarques adultères. Quoi qu'il
en soit, lorsqu'ils parlent des conquêtes de leurs personnalités politiques, ce n'est pas pour faire la morale, mais pour
montrer qu'ils sont dans la confidence.

Pamela DRUCKERMAN, *Los Angeles Times*,
dans *Courrier international*, n° 948, 1er janvier 2009.

Vocabulaire

8 Associez les termes suivants à leur équivalent.

a des écueils	**1** étroite
b volage	**2** dans la sphère privée
c jongler	**3** des obstacles
d derrière les portes closes	**4** passer habilement d'une chose à une autre
e consanguine	**5** inconstant

PRODUCTION ORALE

9 Selon le texte, les Français seraient plutôt fidèles. Comment expliquez-vous ce paradoxe ?

10 Dans votre pays, l'adultère est-il plutôt perçu comme en France, ou comme aux États-Unis ? Argumentez en donnant des exemples.

PRODUCTION ORALE

7 Pensez-vous, comme l'auteur, qu'une passion amoureuse puisse naître dans la différence absolue ou, au contraire, qu'elle doit faire apparaître des points communs de civilisation, de culture et d'intérêts ? Illustrez vos propos en donnant des exemples, réels ou inventés.

VOCABULAIRE > les sentiments et les émotions

GÉNÉRALITÉS

l'émotion (f.)
éprouver
inspirer
manifester
montrer
ressentir
le sentiment
sentir
touchant(e)

LA COLÈRE

la fureur
furieux(-euse)
l'indignation (f.)
indigner
la rage
se fâcher
vexer

expression :

mettre hors de soi

L'ÉNERVEMENT (m.)

agacer
l'agacement (m.)
contrarier
la contrariété
énerver
tendu(e)
la tension

LA GÊNE

l'embarras (m.)
embarrasser
embêter (fam.)
gêner
la honte

L'INQUIÉTUDE (f.) / LE SOULAGEMENT

inquiet(-ète)
inquiéter
la préoccupation
préoccuper
le souci
soucieux(-euse)
le tracas
apaiser
soulager

LA PEUR

affolé(e)
l'affolement (m.)
l'angoisse (f.)
angoisser
l'anxiété (f.)
anxieux(-euse)

l'appréhension (f.)
craindre
la crainte
effrayant(e)
effrayer
épouvantable
épouvanter
l'horreur (f.)
la frayeur
la frousse (fam.)
la panique
paniquer
la terreur
terroriser
le trac
la trouille (fam.)

expressions :

avoir le trouillomètre à
    zéro (fam.)
avoir les jetons (fam.)

1 Trouvez le nom qui correspond à chaque forme de peur :
l'angoisse - la frayeur - la panique - la terreur - le trac.
a | Elisa attend son fiancé depuis des heures.
b | Benoît a vu le film *Le Crime de l'Orient-Express*.
c | La lumière s'est éteinte dans le métro.
d | Adeline se promène toute seule au fond des bois, il est minuit.
e | Paul doit aller à un entretien d'embauche.

LA TRISTESSE

l'abattement (m.)
abattu(e)
accablé(e)
l'accablement (m.)
amer(-ère)
l'amertume (f.)
attrister
blesser
le chagrin
chagriner
la dépression
la déprime
déprimer
désespérer
le désespoir
la détresse
la douleur
le malheur

malheureux (-euse)
la mélancolie
mélancolique
la peine
peiner

expressions :

avoir le cafard (fam.)
avoir le spleen
broyer du noir

2 Trouvez le nom qui correspond à chaque forme de tristesse :
le cafard - le chagrin - le désespoir - la douleur - la mélancolie.
a | Gladys vient de perdre son père.
b | Georges a 80 ans, il pense à sa jeunesse radieuse.
c | Eurydice vient de se séparer de son amoureux.
d | Hélène est à nouveau sous antidépresseur.
e | Tout va mal dans le monde et en plus, il pleut sans cesse.

LA JOIE

le bonheur
content(e)
enjoué(e)
épanoui(e)
gai(e)
heureux(-euse)
joyeux(-euse)
se réjouir

expressions :

être aux anges
être sur un petit nuage
nager dans le bonheur

3 Complétez ces phrases avec les adjectifs suivants : content – gai – heureux – joyeux.
a | Peter est ....., il revient de voyage et sa copine l'attend à la gare avec un bouquet de fleurs.
b | Sonia est ....., elle va être maman, elle qui n'y croyait plus.
c | Yann est ....., il a fait la fête et il a bu beaucoup de champagne.
d | Tatiana est ....., elle a appris qu'elle avait réussi son examen de français.

LA SURPRISE

la consternation
consterner
ébahi(e)
étonnant(e)
l'étonnement (m.)
étonner
la stupéfaction
stupéfait(e)
surprenant(e)
surprendre
surpris(e)

expressions :

tomber des nues
en boucher un coin
    (à quelqu'un) (fam.)

L'ABATTEMENT (m.) / LA RÉVOLTE

décourageant(e)
le découragement
décourager
la résignation
se résigner
la révolte
se révolter

LA MÉFIANCE / LA CONFIANCE

confiant(e)
se confier
la méfiance
méfiant(e)
se méfier
le soupçon
soupçonner

LA SYMPATHIE / L'ANTIPATHIE (f.)

la compassion
hostile
l'hostilité (f.)
l'indifférence (f.)
le mépris
mépriser
la pitié
plaindre
rassurer

LE SOUVENIR

la nostalgie
nostalgique
la rancune
le regret
le remords

1 **Les substantifs qui expriment un sentiment n'ont pas toujours un verbe correspondant. Trouvez les structures verbales qui correspondent aux noms suivants.**

Exemple : *la pitié* → *avoir pitié de* ou *plaindre*

a | le bonheur   **e** | la honte

b | la peur   **f** | la curiosité

c | la confiance   **g** | le chagrin

d | le remords   **h** | l'indifférence

 2 **Écoutez ces dix phrases et dites à quel sentiment elles vous font penser. Répétez-les en mettant le ton.**

 # LA FEMME ROMPUE

Lundi 13 septembre. Les Salines.

Jamais je ne quitte Maurice d'un cœur léger. Le congrès ne dure qu'une semaine et pourtant, tandis que nous roulions de Mougins à l'aérodrome de Nice, j'avais la gorge serrée. Il était ému, lui aussi. Quand le haut-parleur a appelé les voyageurs pour Rome, il m'a embrassée très fort : « Ne te tue pas en voiture. - Ne te tue pas en avion. » Avant de disparaître, il a tourné encore une fois la tête vers moi : il y avait dans ses yeux une anxiété qui m'a gagnée. Le décollage m'a paru dramatique. Les quadrimoteurs s'envolent en douceur, c'est un long au revoir. Le jet s'est arraché du sol avec la brutalité d'un adieu.

[...]

15 janvier.

Pourquoi ? Je me cogne la tête aux murs de cette impasse. Je n'ai pas aimé pendant vingt ans un salaud ! Je ne suis pas, sans le savoir, une imbécile ou une mégère ! C'était réel cet amour entre nous, c'était solide : aussi indestructible que la vérité. Seulement il y avait ce temps qui passait et moi je ne le savais pas. Le fleuve du temps, les érosions dues aux eaux des fleuves : voilà, il y a eu érosion de son amour par les eaux du temps. Mais alors pourquoi pas du mien ?

Simone DE BEAUVOIR, *La Femme rompue*,
Gallimard, 1967.

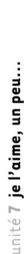

unité 7 je l'aime, un peu...

COMPRÉHENSION ÉCRITE

Entrée en matière

1 Observez la présentation des deux textes. Quel en est le genre littéraire ?

1re lecture

2 Quelle est la situation le 13 septembre ?

3 Et quelle est la situation quatre mois plus tard ?

2e lecture

4 Imaginez, à partir des éléments du texte, ce qui s'est passé entre ces deux moments.

Vocabulaire

5 Trouvez des synonymes pour :

a | le jet   **c** | la mégère

b | l'impasse   **d** | l'érosion

PRODUCTION ORALE

6 Comment réagiriez-vous si votre partenaire vous trompait ? Vous le/la quittez, vous vous résignez, vous faites de même, vous trouvez un arrangement... ? Justifiez votre réponse.

PRODUCTION ÉCRITE

7 Quatre mois ont passé : écrivez la suite du journal. *Le 17 mai...*

■ AVEC EUX

On s'est connus à l'école, en colonie ou au sport
On s'est jaugés, on s'est parlé, ces p'tits débuts qui
valent de l'or
La vie a fait qu'on s'est revus, l'envie a fait qu'on est
5   restés
Ensemble autant qu'on a pu, sentant qu' ça allait
nous booster

On a su, dès nos débuts, qu'il y avait quelque chose de
spécial
10 Mes lascars m'ont convaincu que leur présence m'était
cruciale
Alors, on se souffle dans l' dos pour se porter les uns les
autres
On s'est compris sans même s'entendre, chaque fois
15   qu'on a commis des fautes

Et puis, c'est en équipe qu'on a traversé les hivers
Et les étés ensoleillés, les barres de rire et les galères
Ils m' sont devenus indispensables, comme chaque
histoire a ses héros
20 Ils sont devenus mes frangins, mes copains,
mes frérots

On forme un bloc où l'intégrité s' pratique pas à
moitié
Et je reste entier aussi parce qu'ils m'ont jamais
25   diminué
Au cœur d' cette cité, ils m'ont bien ouvert les yeux
Pour éviter les pièges à loups des jaloux envieux
d' not' jeu

J'aurai jamais assez de salive pour raconter tous
30   nos souvenirs
Ils ont squatté dans mon passé et s'ront acteurs
de mon avenir
On a tellement d'histoires ensemble qu' j'ai
l'impression d'avoir cent ans
35 Nous on s' kiffe
et ça s'entend,
on fait du bruit,
et pour longtemps

On s' dépense beaucoup même avec walou dans
40   les poches
L'adversité on la connaît, on en a fait un parent
proche
J'ai tellement squatté leurs caisses qu'on croyait
qu' j'y habitais
45 C'était notre coffre-fort où toutes nos idées
s'abritaient

Avec eux j'ai moins de failles, avec eux je me sens
de taille
Avec eux rien que ça taille, ça tient chaud quand y
50   caille
Avec eux j'ai moins de failles, avec eux je me sens
de taille
Bien posé sur les rails, on a la dalle et on graille
[...]

Interprètes : Grand Corps Malade et John Pucc'
Paroles : Grand Corps Malade, John Pucc' /
Musique : Feed Back
La chanson est transcrite intégralement p. 205.

COMPRÉHENSION ORALE

Entrée en matière

1 Lisez cette définition.
Le slam est une forme de poésie sonore considérée comme un mouvement d'expression populaire, initialement en marge des circuits artistiques traditionnels, aujourd'hui largement reconnu et médiatisé. C'est un art du spectacle oral et scénique, focalisé sur le verbe et l'expression brute avec une grande économie de moyens, un lien entre écriture et performance.

http://fr.wikipedia.org

Connaissez-vous le slam ? Si oui, qu'en pensez-vous ?

1ʳᵉ écoute

2 De quel sentiment est-il question dans ce slam ?
3 Expliquez son titre, *Avec eux*.

2ᵉ écoute

4 Quels souvenirs (lieux, situations, activités) sont évoqués ? Que nous apprennent-ils sur l'origine sociale de ce groupe d'amis ?
5 Quelle conception de l'amitié y est véhiculée ? Justifiez votre réponse par des extraits du texte.
6 Quels passages montrent que le slam des deux amis se nourrit de leur amitié ?
7 Retrouvez le couplet donnant une définition de l'amitié. Expliquez-la.

Vocabulaire

8 Relevez les synonymes d'« ami ».

9 Cherchez dans la chanson un équivalent en argot de :

a | motiver
b | des fous-rires
c | des moments difficiles, des épreuves
d | s'aimer
e | rien
f | des voitures
g | faire froid
h | avoir faim
i | manger
j | raté
k | des vêtements
l | un clochard

10 Expliquez les passages suivants :

a | « *Ils ont squatté dans mon passé et s'ront acteurs de mon avenir* »
b | « *Pour nous, glander c'est taffer* »
c | « *Paraît que l'entourage, ça change vachement quand t'as la cote* »

PRODUCTION ORALE

11 Que pensez-vous de cette conception de l'amitié ? La partagez-vous ? Sinon, quelle est la vôtre ?

■ LETTRE À MOI-MÊME...

J'aime « la vie »... j'aime aimer, j'aime écrire, j'aime avoir des enfants et j'aime une belle manifestation de rue, un bal de 14 juillet, j'aime être en colère et transportée de joie, j'aime boire, et manger trop. J'aime na-
5 ger et marcher dans le vent, faire des scènes et pleurer au cinéma. J'aime par-dessus tout les fêtes, les longs repas prémédités, les bougies dans le chandelier en bois coloré, trop de fruits dans un énorme plat, trop de vin dans les cruches en terre, trop de gens, trop de fumée,
10 une tarte gigantesque, la surexcitation des enfants, une gifle donnée à la hâte, des crêpes fumantes, les boules brillantes de l'arbre de Noël et je voudrais me couper moi-même en tranches comme le pain de seigle sur la table de bois, et me distribuer à tous ceux qui sont là.
15 J'aime mes parents parce qu'ils sont mes parents, mes enfants parce qu'ils sont mes enfants, j'aime mon mari et moi-même, mon travail, mes amis, le monde et les hommes...
J'aime « la vie » donc. Dirais-je : je l'aimais ? Et
20 j'aimais, j'aime l'idée de mort qui met un terme convenable à cette aventure qu'il ne conviendrait pas de poursuivre indéfiniment. Ce que je n'aime pas, c'est cette tendance (la mienne autant que celle des autres) à se noyer dans cette vie, à s'y perdre, à en faire une mort
25 prématurée, même si ce n'est qu'une « petite mort ».

Françoise MALLET-JORIS, *Lettre à moi-même*,
Julliard, 1963.

Déborah CHOCK,
Vive la vie, 1958.

unité 7 je l'aime, un peu...

COMPRÉHENSION ÉCRITE

Entrée en matière

1 À la question « Qu'aimez-vous ? », quelle serait votre réponse ?

1re lecture

2 Qu'est-ce qui différencie le second paragraphe du premier ?

2e lecture

3 Dans tout ce que l'auteur aime, observez-vous des différences ? Si oui, lesquelles ?
4 Pourquoi l'auteur aime-t-elle l'idée de la mort ?

Vocabulaire

5 Cherchez dans le texte un équivalent de :

a | se mettre en colère
b | sans aucune spontanéité
c | le bougeoir
d | les pichets
e | une claque
f | l'empressement
g | la céréale noire

PRODUCTION ÉCRITE

6 Et vous, qu'aimez-vous dans la vie ? À la manière de Françoise Mallet-Joris, écrivez à votre tour un texte dans lequel vous passerez de l'humoristique au grave et du futile au profond. Faites preuve d'originalité.
Exemple : *J'aime ce qui est mélancolique, mais j'aime le rire de ma voisine, comme j'aime les pêches, les joues de ma grand-mère, parler la langue de Molière mais aussi celle de Goethe, et j'adore la fourrure de mon chat qui ronronne sur moi...*

VOCABULAIRE/GRAMMAIRE > la certitude/ le doute

LA CERTITUDE

C'est sûr/certain !
Il n'y a pas de doute.
J'en suis sûr(e)/certain(e).
J'en suis persuadé(e)/ convaincu(e).
Sans aucun doute.
C'est indubitable/ incontestable.
Je vous assure.
Ça ne fait pas l'ombre d'un doute.
Je ne doute pas de (+ *nom*)
On sait bien que…
C'est un fait que…

Contrairement aux apparences, *sans doute* et *sûrement* n'expriment pas une certitude absolue mais une forte probabilité. Pour une certitude absolue, employez *sans aucun doute*.

EXPRIMER L'ÉVIDENCE

Ça ne fait aucun doute.
Il est évident/certain que…
C'est une évidence.
Il est clair/manifeste que…
De toute évidence, …

Il va de soi que…

expressions :
J'en mettrais ma main au feu.
J'en mettrais ma main à couper.
Ça se voit comme le nez au milieu de la figure.
C'est clair comme de l'eau de roche.

RECONNAÎTRE UNE ÉVIDENCE

Il faut (bien) admettre/ reconnaître que…
Il faut bien se rendre à l'évidence.

LA PROBABILITÉ

C'est probable.
Probablement.
Sans doute.

L'IMPROBABILITÉ

C'est improbable.
C'est peu probable.
Il y a peu de chances que…

LA POSSIBILITÉ

C'est (bien) possible.

Il n'est pas impossible que…
Il se pourrait bien que…
Éventuellement.
Il y a des chances que…
Ça se pourrait.

Peut-être (tout comme *sans doute*) peut être placé derrière le verbe ou en tête de phrase, mais avec inversion du sujet.
Il connaît peut-être la réponse. ou *Peut-être connaît-il la réponse.*
En français oral plus familier, on emploie *peut-être que* en début de phrase.
Peut-être qu'il comprendra.

L'IMPOSSIBILITÉ

Ce n'est pas possible.
C'est impossible.
C'est exclu.
C'est hors de question.

LE DOUTE

Ça dépend.
Pas forcément.
J'hésite.
J'ai un doute/j'en doute.

Je ne suis pas convaincu(e).
Je n'en suis pas (si) sûr(e).
Je ne sais pas (trop) si…
Je ne sais pas (trop) quoi dire/penser.
Je me demande si…
Je suis sceptique.
Je n'y crois pas trop.
Ça me laisse perplexe.

POUR UN DOUTE PLUS FORT

Je ne peux pas croire que…
J'ai du mal à croire que…
Je n'arrive pas à croire que…
Je n'arrive pas à me faire à cette idée.
Ça me paraît invraisemblable/inimaginable.
C'est surprenant !
Ça m'étonne.
Ça m'étonnerait !

METTRE EN DOUTE

C'est vrai ?
Croyez-vous vraiment que… ?
Vous en êtes sûr(e) ?
Ce n'est pas possible !

ACTIVITÉS

1 Dans les phrases suivantes, remplacez les expressions en italique par *je crois* ou *je ne crois pas*.

a | *Je n'ai pas l'impression* que tous les hommes soient à ses genoux.

b | *Il me semble* que je l'ai vu sortir avec mon meilleur ami.

c | *Je doute* qu'il dise la vérité.

d | *Je prétends* qu'il est indispensable de faire la paix.

2 Dites si les phrases suivantes expriment la certitude ou un léger doute.

a | Il sera sans doute l'homme idéal.

b | C'est sûr, il sera l'homme idéal.

c | Sans aucun doute, il sera l'homme idéal.

d | Il sera sûrement l'homme idéal.

3 Dites si les phrases suivantes expriment la réalité, la probabilité, la possibilité ou l'impossibilité.

a | J'aurais éventuellement besoin de ton soutien.

b | Il est probable qu'elle ne se mariera jamais.

c | Il est amoureux ? Ça se peut.

d | Il est hors de question que je fasse la lessive pour toi !

e | Il n'est pas exclu que l'odorat joue un rôle important dans l'amour.

f | Il y a des chances que Gilles se pacse.

g | Il est incontestable que Christelle s'embellit depuis qu'elle est amoureuse.

h | Agnès et Patrick viennent encore de se disputer. C'est clair comme de l'eau de roche.

GRAMMAIRE > indicatif ou subjonctif?

ÉCHAUFFEMENT

1 Observez les phrases suivantes. Quel est le mode employé pour le deuxième verbe (indicatif ou subjonctif)? Justifiez son emploi en indiquant ce qu'exprime la proposition principale : certitude, doute, sentiment, probabilité, volonté, opinion, possibilité.

a | Je pense que tu as tort.
b | Je suis convaincu qu'il acceptera.
c | Nous ne croyons pas qu'il puisse venir.
d | Il se peut qu'il pleuve demain.
e | Il est probable qu'il neigera.
f | Je suis heureux qu'elle se soit fiancée.
g | J'aimerais qu'il apprenne à être heureux.

Idées suivies de *que* + indicatif		Idées suivies de *que* + subjonctif	
La certitude/la réalité être sûr(e)/certain(e) savoir il est vrai/exact être convaincu(e) **La pensée/l'opinion** penser/croire Tu penses?/ Vous croyez? ne pas douter avoir l'impression/ le sentiment	**La déclaration** dire affirmer déclarer annoncer prétendre **Les sensations** voir entendre sentir **La probabilité** il est probable **L'espoir** espérer	**Le doute/l'incertitude** douter ne pas être sûr(e)/ certain(e) ne pas croire/penser Penses-tu?/Croyez-vous? **Les sentiments** être heureux(-euse)/ triste regretter avoir peur/craindre il est dommage **La nécessité** il est nécessaire il faut il est indispensable	**La volonté/le souhait** vouloir/désirer/ souhaiter accepter/refuser j'aimerais (bien) il est préférable **La possibilité** il est (bien) possible il est peu probable il se peut/il se pourrait **La négation** nier
Les constructions impersonnelles qui expriment une certitude, une opinion, une probabilité il est évident/ il est clair...		**Les constructions impersonnelles qui n'expriment pas une certitude, une opinion, une probabilité** il est normal/ il est rare/ il est incroyable/ il arrive...	

ENTRAÎNEMENT

2 Indicatif ou subjonctif?
Placez *qu'il viendra* ou *qu'il vienne*.
Exemple : *Je crois **qu'il viendra**. / Je ne crois pas **qu'il vienne**.*

a | Je suis convaincu...   **d** | Je crains...
b | Il est peu probable...   **e** | Il est évident...
c | J'ai le sentiment...   **f** | Il se pourrait...

3 Accordez les verbes à l'indicatif ou au subjonctif.

a | On dit que les amoureux (être) seuls au monde.
b | Je souhaite qu'elle (venir) à l'anniversaire de Paola.
c | Je ne crois pas que l'amour (pouvoir) sauver le monde.

d | Il est indispensable qu'elle (ne pas croire) aux beaux discours de ce charmeur.
e | Je sens que tu (être) amoureux, cela se voit dans tes yeux.
f | Croyez-vous que les femmes françaises (faire) bonne impression à l'étranger?
g | Julio, on raconte que vous (collectionner) les maîtresses.
h | Je ne doute plus que vous (être) un parfait tombeur.
i | On prétend qu'il (ne pas savoir) de quel côté son cœur balance.
j | Il est utile qu'on (connaître) un peu son partenaire avant de s'engager dans une relation durable.

Au bord de l'eau

S'asseoir tous deux au bord d'un flot qui passe,
Le voir passer ;
Tous deux, s'il glisse un nuage en l'espace,
Le voir glisser ;
5 À l'horizon, s'il fume un toit de chaume,
Le voir fumer ;
Aux alentours, si quelque fleur embaume,
S'en embaumer ;
Si quelque fruit, où les abeilles goûtent,
10 Tente, y goûter ;
Si quelque oiseau, dans les bois qui l'écoutent,
Chante, écouter...
Entendre au pied du saule où l'eau murmure
L'eau murmurer ;
15 Ne pas sentir, tant que ce rêve dure,
Le temps durer ;
Mais n'apportant de passion profonde
Qu'à s'adorer ;
Sans nul souci des querelles du monde,
20 Les ignorer ;
Et seuls, heureux devant tout ce qui lasse,
Sans se lasser,
Sentir l'amour, devant tout ce qui passe,
Ne point passer !

René-François SULLY PRUDHOMME,
Les Vaines Tendresses, 1875.

Camille COROT,
La Cathédrale de Mantes, 1865.

COMPRÉHENSION ÉCRITE

Entrée en matière

1 Imaginons que vous soyez assis(e) en pleine nature au bord de l'eau avec votre amoureux (-euse). Quelles seraient les pensées qui vous passent par l'esprit ? Faites une liste de mots relevant de la nature et une liste de mots relevant de la pensée.

1re lecture

2 Lisez le texte et complétez les deux listes précédentes avec les mots du poème. Que constatez-vous par rapport à leur ordre d'apparition dans le texte ?

3 Comment est construit le poème ? Y a-t-il des rimes ? Quelle est la longueur des vers ? Que remarquez-vous à la fin de chaque deuxième vers ?

2e lecture

4 Dans ce poème, à quelles sensations l'amour est-il associé ?

5 Quel est le rapport des amoureux au « monde » ?

6 En comparant la première et la dernière strophe, que pouvez-vous dire sur la symbolique de l'eau et de l'amour ?

PRODUCTION ORALE

7 À deux, préparez la lecture du poème ; par exemple, l'un lit toujours le premier vers de chaque strophe et l'autre le second, puis présentez votre interprétation à la classe.

PRODUCTION ÉCRITE

8 À l'aide de votre liste de mots préparée en question 1, ajoutez au milieu du poème deux strophes en essayant de respecter le modèle.
Lisez votre production à la classe, et votez pour les strophes les plus réussies.

AMOUR UN JOUR, AMOUR TOUJOURS

COMPRÉHENSION AUDIOVISUELLE

1er visionnage (sans le son)

1 Identifiez les lieux et les personnages. Faites des hypothèses.

2e visionnage (avec le son)

2 Pourquoi la dame se trouve-t-elle dans cette salle d'attente ?

3 Comment perçoit-elle la solitude et la vie à deux ?

4 Quelles sont les réactions de l'homme face aux questions de la conseillère ? Pourquoi cherche-t-il une compagne ?

5 En quoi l'entretien avec la conseillère est-il drôle ?

6 À votre avis, quelle est probablement la profession de l'homme ? Justifiez votre réponse par des exemples.

PRODUCTION ÉCRITE

7 À la manière de cet extrait, écrivez à deux un dialogue entre un(e) conseiller(-ère) matrimonial(e) et un(e) client(e) dont vous choisirez la profession sans la révéler (par exemple : dentiste, agent de pompes funèbres, chanteuse lyrique…).

PRODUCTION ORALE

8 **En scène !** Jouez la scène écrite en activité 7 devant la classe, qui doit deviner la profession du client.

9 La composante matérielle est-elle aussi importante que le lien sentimental dans la vie à deux ? Argumentez en donnant des exemples concrets.

10 Imaginez la suite du film. L'homme va-t-il rencontrer une partenaire ? Comment se passera leur relation ?

SONDAGE : « LES FRANÇAIS ET L'AMOUR »

En ce moment, êtes-vous amoureux(-euse) ?

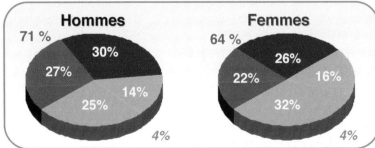

Source : TNS Sofres, « Les Français et l'amour », mai 2009.

COMPRÉHENSION ÉCRITE

1 Observez les résultats de ce sondage. Que remarquez-vous globalement ?

2 Quelles sont les différences entre hommes et femmes ? Comment les expliquez-vous ?

PRODUCTION ORALE

3 Que seriez-vous prêt(e) à faire par amour ? Classez par ordre d'importance les sacrifices que vous feriez par amour. Exemples : quitter votre pays, renoncer à votre carrière… Commentez votre classement et justifiez vos choix.

VOCABULAIRE > l'amour et l'amitié

LES SENTIMENTS

l'affection (f.)
aimer
l'amitié (f.)
l'amour (m.)
l'attachement (m.)
s'attacher à
être attaché(e) à
attirant(e)
attirer
le coup de foudre
fidèle
fou / folle d'amour
la fidélité
la haine
haïr
l'infidélité (f.)
infidèle
la jalousie
jaloux(-ouse)
passionné(e)
la passion
plaire
le plaisir
romantique
la séduction
séduire
la sensualité
la tendresse

1 Quels sont les mots se rapportant à l'amour, ceux se rapportant à l'amitié et ceux pouvant se rapporter à ces deux sentiments ?

LES PERSONNAGES

l'amant(e)
l'ami(e)
amical(e)
l'amoureux(-euse)
le/la charmeur(-euse)
le compagnon /
    la compagne
le/la conjoint(e)
le/la concubin(e)
le copain /la copine
le couple
le coureur de jupons (fam.)
le Don Juan
le/la dragueur(-euse) (fam.)
l'époux/l'épouse
la maîtresse
le/la pacsé(e)
la/le partenaire
le/la petit(e) ami(e)
le/la séducteur(-trice)
le tombeur (fam.)

2 Dans la liste ci-dessus, relevez les synonymes de séducteur/séductrice.

3 Dans la liste ci-dessus, relevez les personnes unies par les liens du mariage ou du pacs.

UN PEU D'ACTION

l'agence matrimoniale
l'adultère (m.)
l'amour (m.) fou
une aventure
le baiser
la bise
le bisou
la caresse
caresser
le charme
le concubinage
la drague
draguer
s'embrasser
s'enlacer
l'étreinte (f.)
s'étreindre
faire la cour
les fiançailles (f. pl.)
se fiancer
le flirt
flirter
fréquenter
le mariage
se marier
le PACS
se pacser
une passion
quitter
la réconciliation
se réconcilier
la relation
rompre
la rupture

la séparation
se séparer
le sexe
la sexualité
sexuel(le)
tromper
l'union libre (f.)
volage

LES PETITS MOTS D'AMOUR

mon ange (homme / femme)
ma biche (femme)
ma caille (femme)
mon chat (homme / femme)
mon chaton (enfant)
mon cœur (enfant)
mon chéri / ma chérie
mon lapin (enfant)
mon loup (homme)
ma princesse (femme)
ma puce (enfant)
mon trésor (homme / femme)

4 En français, on donne beaucoup de surnoms affectueux à son amoureux (-euse), mais aussi aux personnes que l'on aime (enfants, grands-parents, amis), voire aux animaux de compagnie (chat, chien, cochon d'Inde...).
Utilisez-vous aussi des mots comme ceux-ci dans votre langue ? À quelle occasion ? Pour qui ?

ACTIVITÉ

Complétez l'histoire avec les mots suivants : amant romantique – époux – un baiser – des caresses – coup de foudre – coureur – étreintes – se fréquentaient – fou d'amour – jalousie – maîtresse – passionnés – se réconcilièrent – s'étaient séparés.

Un beau jour de septembre, sur le quai de la gare de Lyon, à Paris, une jeune femme, nommée Chloé, fit tomber son journal. Un beau jeune homme, nommé Mathieu, se précipita pour l'aider, et ce fut alors un vrai ..... . Mathieu, ..., lui demanda si elle était libre pour aller boire une coupe de champagne au *Compartiment Bleu*. Comme elle adorait le champagne, elle accepta immédiatement.
Arrivés en haut du bel escalier, ils entrèrent dans le salon de la gare et là, stupeur et effroi : Chloé aperçut son mari François qui était avec sa ..... Daphné. Que faire ? Chloé savait que son ..... était un vrai ....., mais se rencontrer là, tous les deux,

accompagnés ! Quelle histoire ! Elle fixa François discrètement, mais Mathieu, très malin, comprit tout de suite la situation. Dans ses yeux ..... passa un éclair de ..... . Chloé était la femme de sa vie. ..... et incontrôlable comme il l'était, il donna ..... fiévreux à sa dulcinée sous les figures ébahies de François et Daphné qui ..... en cachette. Devant ce spectacle, ils en firent tout autant...
Le garçon de café Georges et la serveuse Michèle, qui passaient par là, s'arrêtèrent médusés : ils ..... la veille. Fascinés par ces chaleureuses ....., ils ....., submergés par tant d'amour.
Puis arrivèrent Suzanne et Gustave, Jean-Édouard et Andros, Christelle et Gilles, Coco et Pascalou, et même les deux inséparables chats Pollux et Philidore qui se firent ..... . Ce fut la ronde de l'amour au *Compartiment Bleu*, et c'est pourquoi, depuis ce jour, ce café se nomme le *Café de Cupidon*.

TEST : *SAVEZ-VOUS AIMER À LA FRANÇAISE ?*

Savez-vous bien exprimer vos sentiments en français ? Choisissez la formule la mieux adaptée, en fonction des circonstances.

1 Vous aimez...
▲ votre ordinateur.
● votre frère.
■ votre voisin.

2 Vous chérissez...
▲ votre commode Louis XIII.
● votre amoureux (-euse).
■ votre chaton.

3 Vous adorez...
● les fêtes.
▲ reprendre le travail après des vacances idylliques.
■ le dictionnaire.

4 Vous idolâtrez...
▲ votre chemise.
■ la quiche lorraine.
● un bel acteur.

5 Vous affectionnez...
▲ les militaires.
● les bons petits plats.
■ votre lit douillet.

6 Vous appréciez...
● la politesse des gens.
▲ l'annuaire téléphonique.
■ la moutarde.

7 Vous goûtez...
■ à 16 heures.
▲ le charme d'un roux ou d'une rousse.
● aux plaisirs de la table.

8 Vous vous intéressez...
■ au lave-vaisselle.
● aux livres.
▲ à la choucroute.

9 Vous désirez...
■ une baguette.
▲ la France.
● passer une nuit dans les bras de votre aimé(e).

10 Vous convoitez...
■ votre amoureux/votre amoureuse.
● ce bel acteur / cette belle actrice.
▲ en justes noces.

RÉSULTATS

Un maximum de ▲ : Cherchez vite un(e) petit(e) ami(e) français(e) qui vous fera découvrir les nuances des sentiments à la française.

Un maximum de ■ : Ce n'est pas mal, vous commencez à flirter avec la langue française.

Un maximum de ● : Bravo, vous savez aimer à la française.

■ LES 7 PÉCHÉS CAPITAUX

La paresse
Dans nos sociétés du « toujours plus vite », la paresse est un apprentissage
de la lenteur, du retour à soi.

La luxure
La jouissance des corps et
l'exultation de l'esprit sont liées dans
toutes les traditions, notamment
celles du taoïsme et de l'hindouisme.
Dans ces civilisations, la sexualité est
un moyen d'atteindre au sacré.

La colère
La colère, comme toute émotion, est
un garde-fou qui nous signale que
notre côte d'alerte est atteinte.

La gourmandise
Le gourmet est un bon vivant
au sens premier du terme : il sait
vivre. Mieux, il sait partager : à
celui à qui est donné le plaisir de
manger est également offert celui
de déguster avec l'autre.

L'orgueil
L'orgueil mesuré est une forme
d'estime de soi, nécessaire pour
se tenir debout. Un moyen de
se maintenir dans la justesse,
lié à l'objectivité de ce que nous
sommes et de ce que nous faisons.

Le pacificateur
9

Le meneur 8   1 Le réformiste

Le généraliste 7   2 Le sauveur

Le gardien 6   3 Le battant

Le penseur 5   4 Le créateur

L'avarice
Le prévoyant est dans la sagesse par rapport à
l'avenir, il se projette dans ses lendemains et agit en
sorte qu'ils soient sécurisants pour lui.

L'envie
La facette lumineuse de l'envie est l'admiration.
[…] C'est une force positive car elle œuvre au
dépassement de soi : l'aveu d'infériorité que l'on se
fait intérieurement n'est pas stérile mais promesse
d'avancée.

Ennéagramme du bon usage des péchés capitaux

COMPRÉHENSION ÉCRITE

Entrée en matière

1 Observez cet « ennéagramme » et relevez les
sept péchés capitaux.

2 Expliquez sans les lire ce que signifient pour
vous ces sept péchés capitaux. À quoi renvoient-
ils ? Que signifie, dans ce contexte, le terme
« capitaux » ?

1re lecture

3 Lisez les sept définitions. Que remarquez-vous ?

4 Expliquez le titre du schéma.

2e lecture

5 Voici quelques mots. Associez-les aux sept
péchés : l'anticipation, l'émerveillement, la fierté,
les plaisirs sensuels, les plaisirs de table, le temps
de vivre, la protection de soi.

PRODUCTION ORALE

6 De quel « type de personnalité » vous sentez-
vous le plus proche ? Expliquez pourquoi en
illustrant votre réponse par des exemples.

PRODUCTION ÉCRITE

7 Ajoutez un huitième péché au schéma, et
donnez-en deux courtes définitions, l'une positive
et l'autre négative.

> Un **ennéagramme** est un schéma utilisé dans les
> méthodes de développement personnel. Il détermine
> neuf types de personnalités, neuf manières de se
> définir. Il part du principe que chaque personne a
> tendance à donner, dans sa vie, la priorité à une de ces
> images de soi. Le schéma ci-dessus met en correspon-
> dance ces 9 types avec les 7 péchés capitaux.

■ AMOUR OU AMITIÉ ?

« L'amitié finit parfois en amour, mais rarement l'amour en amitié. »
Charles CALEB COLTON

« Le principal ennemi de l'amitié, ce n'est pas l'amour, c'est l'ambition. »
Philippe SOUPAULT

« L'amitié est une religion sans Dieu, ni jugement dernier. Sans diable non plus. Une religion qui n'est pas étrangère à l'amour. Mais un amour où la guerre et la haine sont proscrites, où le silence est possible. »
Tahar BEN JELLOUN

« La grande différence entre l'amour et l'amitié, c'est qu'il ne peut y avoir d'amitié sans réciprocité. »
Michel TOURNIER

« Peu d'amitiés subsisteraient si chacun savait ce que dit son ami lorsqu'il n'y est pas. »
Blaise PASCAL

« La femme n'est pas encore capable d'amitié, elle ne connaît que l'amour. »
Friedrich NIETZSCHE

« L'amitié est toujours profitable, l'amour est parfois nuisible. »
SÉNÈQUE

COMPRÉHENSION ÉCRITE

1 Voici sept citations sur l'amour et l'amitié. Lisez-les et expliquez-les en les reformulant à votre manière.

PRODUCTION ORALE

2 De quelle(s) citation(s) vous sentez-vous le(la) plus proche ?
Justifiez votre réponse.
3 Quelle(s) citation(s) vous correspond(ent) le moins ? Justifiez votre réponse.

PRODUCTION ÉCRITE

4 À votre tour, rédigez une citation personnelle sur l'amour et/ou l'amitié.

■ RECHERCHE D'INDÉPENDANCE (cd 26)

COMPRÉHENSION ORALE

Entrée en matière
1 Lisez le titre. Quel pourrait être le problème abordé dans le contexte de la famille et du couple ?

1re écoute
2 De quel genre d'émission radiophonique s'agit-il ?
3 Qui sont les intervenants ? De qui parlent-ils ?

2e écoute
4 Pourquoi Éric écrit-il au psychanalyste de l'émission ?
5 Quels sont les problèmes affectifs et relationnels avec sa femme et sa mère ?
6 Que doit-il faire, selon le psychanalyste, pour résoudre son problème ?

PRODUCTION ORALE

7 Que pensez-vous de la génération « Tanguy », c'est-à-dire des garçons et des filles qui restent chez leurs parents jusqu'à un âge avancé ?
Ce phénomène existe-t-il dans votre culture ?
8 Confort ou indépendance : que choisiriez-vous ? Justifiez votre réponse en donnant des exemples.

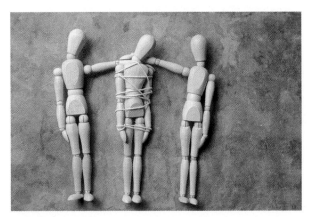

GRAMMAIRE > indicatif, subjonctif ou

1 Observez ces cinq phrases. L'une d'elles est construite différemment. Trouvez-la et dites pourquoi.

a | Elle n'est pas venue parce qu'elle avait rendez-vous avec son amoureux.

b | Elle est sortie avant qu'il ne revienne.

c | J'irai à cette soirée à condition que mes amis soient invités.

d | Lisez ce message avant de prendre une décision.

e | Elle est heureuse depuis qu'elle a rencontré son troisième mari.

2 Observez les phrases suivantes et justifiez le mode employé pour le deuxième verbe (indicatif, subjonctif ou infinitif).

a | Cette lettre est arrivée pendant que vous étiez en lune de miel.

b | Vous avez agi ainsi pour lui être agréable.

c | Portez ce message avant de lui annoncer votre pacs.

d | Elle s'est enfuie de peur que son mari ne la surprenne avec son amant.

e | Corina n'est pas venue parce qu'elle a été retenue par son chéri.

f | Elle a téléphoné à sa mère après avoir eu une dispute avec ses enfants.

g | J'irai à ce mariage à condition que mes amis soient invités.

h | Il est allé à l'anniversaire de son amie Claire, bien qu'il soit malade.

i | Mon trésor, je t'appellerai une fois que je serai arrivée à Porquerolles.

j | Gilles a acheté de beaux jouets à Christelle de façon à lui faire plaisir.

Conjonctions suivies de l'indicatif	Conjonctions suivies du subjonctif
La cause parce que puisque	**Le but** afin que de sorte que de façon que de manière que pour que
La conséquence de sorte que de façon que de manière que si… que si bien que tellement… que	**La concession** bien que malgré que quoique sans que
Le temps (simultanéité) aussitôt que dès que lorsque pendant que tant que	**La condition** à condition que à moins que en admettant que en supposant que pourvu que
Le temps (postériorité) après que depuis que une fois que	**Les sentiments** de crainte que de peur que
	Le temps (antériorité) avant que (ne) en attendant que jusqu'à ce que

infinitif ?

RAPPEL

Subjonctif/infinitif

• Lorsque le sujet de la proposition principale est le même que celui de la subordonnée, on emploie généralement l'infinitif.
Apprenez ce poème avant de le déclamer à votre amour.

• **Mais** certaines conjonctions ne sont jamais suivies d'un infinitif : *bien que, quoique, en supposant que, pourvu que...*
Bien qu'elle ne corresponde pas au canon de beauté actuel, elle a beaucoup de succès auprès des hommes.

Subjonctif dans la relative

• On trouve également le subjonctif dans certaines relatives exprimant le souhait ou le but.
Je cherche une personne qui me plaise. (je ne la connais pas encore)

Mais : *Excusez-moi, je cherche une secrétaire qui a les cheveux bruns et qui porte des lunettes.* (je sais qu'elle existe, je la connais)

• On emploie le subjonctif après un superlatif : *premier, seul, unique* et *dernier*.
C'est la plus belle fille que j'aie rencontrée.

Subjonctif passé

On utilise le subjonctif passé quand l'action exprimée par le verbe est antérieure à celle du verbe principal.
J'ai regretté (hier) que vous soyez absent (hier).
Je regrette (maintenant) que vous ayez été absent (hier).

ENTRAÎNEMENT

3 Mettez le verbe entre parenthèses à la forme correcte.

a | Je resterai ici jusqu'à ce qu'il me (recevoir).

b | Je rêve d'avoir des amis qui (être) généreux et spirituels.

c | Madié était en instance de divorce lorsqu'elle (rencontrer) Benoît.

d | Le pacs est le premier contrat d'union qui me (convenir).

e | Marie Myriam est toujours la dernière gagnante de l'Eurovision en France en attendant qu'une autre vedette lui (ravir) ce titre.

f | Puisque Cassandre le (dire), ce doit être vrai.

g | Nicoletta a réussi sa carrière bien qu'elle (avoir) une enfance difficile.

h | Danièle a tellement insisté qu'elle (finir) par se fâcher avec Henry.

i | Aloïs a charmé tout le monde de sorte que maintenant, il (inviter) dans toutes les soirées mondaines.

j | Comme elle est très désagréable, Ana est entrée dans la pièce sans que personne lui (dire) bonjour.

4 Remplacez les noms par des verbes.

Exemple : *Il faut lui téléphoner avant notre départ.*
→ *Il faut lui téléphoner avant que nous partions / avant de partir.*

a | Prenons le thé jusqu'à son arrivée.

b | Vous ferez tout pour son bonheur.

c | Ne les dérangez pas pendant leur travail !

d | Elle reste lucide malgré son succès.

e | Vous devez patienter en attendant sa réponse.

f | Il est craint à cause de son agressivité.

g | Je ne l'ai pas revu depuis son retour.

h | Delphine est tombée amoureuse lors de son séjour à Rhodes.

5 Complétez les phrases suivantes.

a | Organisez une belle fête de fiançailles afin que...

b | J'ai pris la décision de me remarier quoique...

c | Soyez plus fermes avec vos enfants de façon que...

d | Nous commencerons le dîner d'anniversaire dès que...

e | Il se dissimule de crainte de...

f | Nous nous pacserons une fois que...

g | Nous nous aimerons tant que...

h | Jean-François pourra vous accompagner à moins que...

ATELIERS

1 LETTRE D'AMOUR ARTISTIQUE

Vous venez de retrouver votre premier amour, que vous aviez perdu(e) de vue depuis cinq ans. Vous êtes à nouveau tombé(e) sous son charme et vous lui écrivez une lettre enflammée.

Démarche

Formez des groupes de quatre.

1 Occupez-vous chacun d'une partie de la lettre :
• Le premier évoque le passé et les lieux romantiques de la rencontre.
• Le deuxième forme des projets pour l'avenir.
• Le troisième compose un petit poème de trois strophes à inclure dans la lettre.
• Le quatrième crée une citation qu'il doit commenter.

2 Composez votre lettre en utilisant un beau papier, en écrivant à la plume et avec des couleurs. Vous pouvez enrichir votre déclaration par des dessins, des collages...

3 Affichez votre « œuvre d'art ». La classe décerne le prix « Cupidon » pour la lettre la plus belle et la plus poétique.

Je ne peux oublier !...

Je ne peux oublier ton charme, ton sourire.
J'éprouve un tel bonheur à subir leur empire.

5346/4

2 TEST SUR L'AMITIÉ

Vous travaillez pour un magazine et vous êtes chargé(e) de créer un test sur l'amitié.

Démarche

Par groupe de trois, vous allez élaborer un QCM (Questionnaire à choix multiple).
1 Fixez trois portraits d'amis.
Exemple : *l'ami fidèle, l'ami copain, l'ami superficiel...*

2 Élaborez un questionnaire de sept questions qui doit comporter trois réponses possibles, correspondant aux trois portraits choisis.
Exemple :
Votre nouveau conjoint déteste vos amis.
Que faites-vous ?
a Vous continuez à voir vos amis comme avant.
b Vous vous arrangez pour les voir sans votre partenaire.
c À partir d'aujourd'hui, vous n'avez plus d'amis.

3 Rédigez en groupe le résultat du test.
Exemple : *Si vous avez une majorité de..., vous êtes..., une majorité de..., vous êtes...*

4 Faites passer votre test aux autres étudiants pour établir une statistique qui démontrera la forme d'amitié prédominante dans la classe.

RESSOURCES HUMAINES

« *J'ai tellement besoin de temps pour ne rien faire, qu'il ne m'en reste plus assez pour travailler.* »

Pierre REVERDY

— Rédiger un article sur le monde du travail.
— Écrire une lettre pour refuser un emploi.
— Témoigner sur un forum au sujet du travail des femmes.
— Écrire une lettre de candidature.
— Réagir à un article polémique dans le courrier des lecteurs.
— Réaliser un commentaire de données chiffrées.
— Inventer des slogans.

RECRUTEMENT

Petit guide à l'usage des chefs d'entreprise québécois qui embauchent des ressortissants de l'Hexagone.

Les Français sont partis à la reconquête du Québec. Plus
5 de 37 000 d'entre eux ont choisi de s'y installer et d'y travailler au cours de ces dix dernières années. Dans le but
de faciliter leur intégration, le quotidien *Les Affaires* offre,
bien humblement, ces quelques conseils pratiques.
Leçon n° 1 : Le sourire
10 Thierry, dit « le cousin », ne se montre guère souriant au
bureau ? Ne le croyez pas malheureux pour autant. Dans
les vieux pays, on ne sourit que si c'est drôle. « *En France,
les personnes qui sourient tout le temps sont soit des imbéciles, soit des hypocrites, ou alors ce sont des Canadiens* »,
15 explique Jean-Benoît Nadeau, journaliste et auteur
[notamment de *Les Français aussi ont un accent* (Payot,
2002)] qui a vécu en France pendant deux ans. Français et
Québécois parlent la même langue, mais ont des bagages
culturels complètement différents. D'où un risque consi-
20 dérable de malentendus.

COMPRÉHENSION ÉCRITE

Entrée en matière

1 D'où provient cet article ? Quel en est le thème ?
Comment est-il organisé ?
2 Avant de lire, imaginez ce qui va être dit dans
chaque leçon.

1ʳᵉ lecture

3 Les leçons correspondent-elles à ce que vous
aviez imaginé ?
4 Quel est l'objectif du journaliste ?

2ᵉ lecture

5 Quels sont les points plutôt positifs et ceux
plutôt négatifs des Français au travail ? Et ceux des
Québécois ?
6 Quel est le ton de l'article ? Justifiez par des
exemples.

▪ PAUSE CAFÉ (dvd 8)

COMPRÉHENSION AUDIOVISUELLE

1ᵉʳ visionnage

1 Comment s'appelle cette mini-série ? Expliquez
son titre et décrivez l'espace filmé. À votre avis,
quel est l'intérêt de ce point de vue ?
2 Quelle est la relation entre les personnages ?
Quelle est leur fonction respective ?
3 Quel document déclenche leur conversation ?
Donnez-en une définition.

2ᵉ visionnage

4 Sont-ils d'accord sur la pertinence de ce
document ? Pourquoi ?

5 Quel est le litige entre Hervé et Jean-Claude ?
6 Que pense la femme, Carole, de l'attitude
d'Hervé ?

Vocabulaire

7 Que signifient...
a | CQFD ?
b | VRP ?
c | CA ?
8 Quelle définition Hervé donne de la fonction de
Jean-Claude ? Quelle est celle de Jean-Claude pour
la fonction d'Hervé ?

Comprendre ses salariés français en 6 leçons

Leçon n° 2 : La « pause-déjeuner »
Ne vous offusquez pas si votre employé français semble prendre son travail à la légère ou s'il étire ses lunchs d'affaires. Ça ne fait pas de lui un tire-au-flanc pour autant.
25 « *Jamais un Français ne va dire qu'il est occupé*, avertit Jean-Benoît Nadeau. *Chez nous, il faut avoir l'air occupé, même si on ne l'est pas. Chez eux, il ne faut pas avoir l'air occupé, même si on l'est. C'est pour ça qu'ils ne se cachent pas pour prendre de longs repas* ». En réalité, en France,
30 un travailleur passe en moyenne 41 heures par semaine au bureau – en dépit de la loi sur les 35 heures, tandis que le Québécois travaille, lui, 35 heures.

Leçon n° 3 : La hiérarchie
Les Français sont très respectueux de la hiérarchie en entre-
35 prise. Jamais ne leur viendrait l'idée saugrenue de contredire monsieur-le-président en réunion. « *Pour tâter le pouls d'un employé français, il faut le lui demander, car il ne donnera pas son opinion spontanément* », dit Nathalie Francisci, vice-présidente exécutive du cabinet de recrutement Mandrake.
40 **Leçon n° 4 : L'argumentation**
Ne faites pas l'erreur d'interpréter la politesse devant les supé-

rieurs comme de la gêne. Les ressortissants du pays qui nous a donné Cyrano de Bergerac manient le verbe comme une épée. Mieux vaut ne pas les provoquer en duel oratoire. Si-
45 non, l'inévitable « maudit Français » risque de vous terrasser. « *L'argumentation, en France, est un sport national* », rappelle le professeur [d'HEC Montréal] Jean-Pierre Dupuis.

Leçon n° 5 : L'arrogance
Si le Japonais ne dit jamais non, le Français, pour sa part,
50 se montre bien souvent incapable de reconnaître son ignorance. Il dira que ça n'existe pas avant de dire qu'il ne le sait pas. Forcer un Français à admettre qu'il ne sait pas, c'est lui faire perdre la face.

Leçon n° 6 : La présentation
55 Cette culture de l'éloquence colore aussi les rapports professionnels. « *Ils oublient tout le temps leurs cartes de visite. Se présenter soi-même passe après la présentation de ses idées*, dit M. Nadeau. *Un Français ne veut pas connaître le nom de quelqu'un qui n'est pas intéressant* ».
60 Vous souriez ? Ne vous en faites pas. Vous n'êtes ni imbécile ni hypocrite. Vous êtes sans doute canadien.

André Dubuc, *Les Affaires*,
dans *Courrier international*, n° 955, 19 février 2009.

Vocabulaire

7 Relevez dans ce texte toutes les expressions qui désignent la France et les Français.

8 Cherchez dans le texte un équivalent de :

a | sans prétention

b | s'indigner

c | avec désinvolture

d | un paresseux

e | bizarre

PRODUCTION ORALE

9 Avez-vous déjà travaillé avec des Français ? Si oui, ce texte confirme-t-il ce que vous aviez remarqué ?

10 Auriez-vous d'autres leçons à proposer pour comprendre un salarié français ?

PRODUCTION ÉCRITE

11 Vous êtes journaliste d'un grand journal national de votre pays. Écrivez un article dans lequel vous proposez quelques leçons pour comprendre les salariés de votre pays.

PRODUCTION ORALE

9 Quelle est l'image des relations entre collègues de travail véhiculée par cet épisode ? Pensez-vous que cette scène pourrait avoir lieu dans votre pays ? Justifiez votre réponse.

10 Quelles visions du monde du travail s'opposent ici ? Pensez-vous que la vision d'Hervé soit « dépassée » ?

11 Une série similaire existe-t-elle dans votre pays ? Existe-t-il des différences entre celle-ci et la version française ? Si oui, lesquelles ?

12 En scène ! À la manière de *Caméra café*, jouez une scène entre collègues de travail qui vous semble représentative des relations professionnelles dans votre pays.

unité 8 ressources humaines

VOCABULAIRE > le travail

LA FORMATION

l'apprenti(e)
l'apprentissage (m.)
les débouchés
    professionnels
la formation initiale
la formation continue
la formation professionnelle
(se) former
se recycler
le stage
le/la stagiaire

1 Quels termes concernent des personnes qui ont déjà une activité profession-nelle ?

LA RECHERCHE D'UN EMPLOI

l'agence d'intérim (f.)
le cabinet de recrutement
le/la candidat(e)
la candidature (spontanée)
chercher un emploi
le chômage
être au chômage
le/la chômeur(-euse)
le curriculum vitæ / le C.V.
l'embauche (f.)
embaucher
engager
l'entretien d'embauche (m.)
l'expérience professionnelle (f.)
la lettre de motivation
l'offre d'emploi (f.)
le Pôle emploi
poser sa candidature à
postuler
la recommandation
le recrutement
recruter
la sélection
sélectionner
solliciter un emploi

expression :
briguer un poste

2 Quels termes concernent :
a | l'employeur ;
b | l'employé ;
c | les deux ?

LES TRAVAILLEURS

l'actif/l'active
le boss (fam.)
le cadre (supérieur)
le chef d'entreprise
le/la chef (de service)
le/la collaborateur(-trice)

le/la collègue
le/la directeur(-trice)
le/la DRH
l'employeur (m.)
l'employé(e)
l'équipe (f.)
le fonctionnaire
le gérant
l'intérimaire (m. et f.)
l'ouvrier/l'ouvrière
le/la patron(-ne)
le PDG
le/la responsable
le/la saisonnier(-ière)
le/la salarié(e)
le/la vacataire

3 Qui...
a | occupe un poste à res-ponsabilités ?
b | exerce un travail pré-caire ?

LE TRAVAIL

l'activité (f.)
le boulot (fam.)
l'emploi (m.)
être en activité
la fonction
le job (fam.)
le métier
le petit boulot (fam.)
le poste
la profession
travailler à la chaîne

expressions :
avoir du pain sur la planche
mettre du cœur à l'ouvrage
un travail de Titan

4 Lorsqu'un étudiant est également DRH salarié, il a...
5 Quels termes désignent une position particulière dans l'entreprise ?

LES SITUATIONS PROFESSIONNELLES

l'avancement (m.)
la carrière
le congé
le congé maladie
le congé parental/
    maternité/paternité
les congés payés
le CDD (contrat à durée
    déterminée)
le CDI (contrat à durée
    indéterminée)
les heures supplémentaires
la flexibilité

la modulation
monter en grade
la pause
la promotion
le travail à plein-temps/
    à temps partiel
la RTT (réduction du
    temps de travail)

expressions :
faire le pont
le travail au noir

6 Quels termes...
a | concernent une période non travaillée ?
b | désignent une évolution professionnelle ?

LA RÉMUNÉRATION

l'augmentation (f.)
    de salaire
les charges (f.)
    (sociales/patronales)
être payé, payer
la fiche de paie
la paie/la paye
le revenu
le salaire (brut/net)
l'indemnité (f.)
le parachute doré
la prime
le SMIC (salaire minimum
    interprofessionnel de
    croissance)
toucher un salaire
le treizième mois
verser un salaire

expressions :
travailler pour le roi
    de Prusse
travailler pour des prunes
    (fam.)

7 Complétez les énoncés suivants avec des mots ou expressions de la liste.
a | Le salaire ...... est celui que le salarié ...... ; le salaire ...... est celui que l'employeur ......
b | Je n'ai malheureusement pas de ...... Mon entreprise ne donne qu'une ...... de fin d'année.
c | Je trouve inadmissible que les patrons partent avec des ...... alors qu'ils n'ont jamais ...... leurs employés plus que le ...... !

LE CONFLIT DU TRAVAIL

l'arrêt (m.) de travail
le climat social
faire la grève/
    se mettre en grève
la grève
le/la gréviste
le harcèlement
la négociation
négocier
le piquet de grève
le plan social
le préavis
reprendre le travail
la revendication
revendiquer
le syndicat
syndiqué(e)
le/la syndicaliste

8 Complétez le tract avec des mots ou expressions de la liste.

STOP
AU ..... PRÉVU PAR
LA DIRECTION !

Après l'échec des ...... avec
la direction,
la CFDT, le ...... majoritaire
de l'entreprise, a voté ......

..... OU PAS,
LUNDI PROCHAIN
TOUS ..... !
Rendez-vous
à 8 heures
devant le .....

Syndicalement.

LE DÉPART

la démission
démissionner
donner sa démission
être à la/en retraite
le licenciement
licencier
mettre à la porte (fam.)
renvoyer
la préretraite
la retraite
partir à la/en retraite
prendre sa retraite
virer (fam.)

9 Quels termes et expres-sions désignent un départ non décidé par le salarié ?

J'en avais marre de travailler
Et de perdre mon temps
À faire des boulots mal payés
Avec des gens très emmerdants,
Je cherchais la combine,
Et c'est pas facile,
De se tirer de l'usine
Pour partir dans les îles.
Je me creusais le ciboulot.
J'étais comme tous les gens,
Allergique au boulot,
Mais pas allergique à l'argent.
Je ne connais qu'une façon
De se tirer sous les tropiques
Quand on est petit, laid
Et qu'on n'a pas de fric.

ASSEDIC
Je t'écrirai de temps en temps,
Toi tu m'enverras mon virement
Directement,
Tout là-bas, dans mon île
ASSEDIC
Avec ton amie RMI
Vous serez mes deux meilleures amies
Ce sera dément.
[...]

Interprètes : Les Escrocs, 1994.
Paroles et musique : Éric TOULIS

COMPRÉHENSION ORALE

1ʳᵉ écoute

1 Cet extrait vous a plu ? Pourquoi ? Quel est son style musical ?
2 Donnez-lui un titre.

2ᵉ écoute

3 Quelle situation professionnelle est décrite ?
4 Dans le refrain, à qui parle le chanteur ?

Vocabulaire

5 Relevez tous les mots et expressions en rapport avec l'argent.
6 Cherchez dans la chanson un équivalent de :

a | ennuyeux   **c** | partir
b | une astuce   **d** | réfléchir

7 Complétez l'énoncé avec les mots ou expressions suivants : l'allocation chômage – être en fin de droits – le RMI (revenu minimum d'insertion) – le RSA (revenu de solidarité active).
Le ..... était destiné aux personnes qui étaient ..... et ne touchaient plus ..... . Le 1ᵉʳ juin 2009, il a été remplacé par le ..... .

PRODUCTION ORALE

8 Que connaissez-vous du système de chômage en France ? Qu'en pensez-vous ?
9 Que pensez-vous de la situation du personnage de la chanson ?
10 Comment cela se passe-t-il dans votre pays pour les personnes qui n'ont pas d'emploi ?

PRODUCTION ÉCRITE

11 Finies les vacances ! Le Pôle Emploi envoie une proposition de travail au personnage de la chanson : décharger des camions pour un supermarché. Écrivez la lettre que le chanteur va envoyer pour refuser cet emploi.
12 Finalement, le personnage de la chanson lit dans un journal l'annonce pour l'emploi des ses rêves. Il écrit une lettre de candidature pour postuler. (Voir les Conseils pour la production écrite, p. 195.)

unité **8** ressources humaines

■ QUALIFICATIONS

COMPRÉHENSION ÉCRITE

1re lecture

1 Quels sont les deux thèmes évoqués dans ces dessins ?

2 S'agit-il de situations positives ou négatives ?

2e lecture

3 Dans les dessins A et D, qu'apprend-on du sort des jeunes diplômés ?

4 Que laissent entendre les deux autres dessins sur la situation des seniors ?

Vocabulaire

5 Qu'est-ce que le SMIC ?

6 Que signifie « galérer » ? Quelle est son étymologie ?

PRODUCTION ORALE

7 Quelle est la situation des jeunes diplômés dans votre pays ?

8 Quel regard portez-vous sur les actifs de plus de cinquante-cinq ans dans votre pays ?

■ ENCEINTE ET CADRE, L'IMPOSSIBLE DÉFI ?

COMPRÉHENSION ORALE

1re écoute

1 Quel est le thème de ce reportage ? Comment s'appelle l'émission ? Dans quel pays est-elle diffusée ?

2 Combien de personnes parlent et qui sont-elles ?

2e écoute

3 Quelle question le journaliste a-t-il posée à ces personnes ?

4 Quel est le constat de la journaliste, Francesca Agiroffo ?

5 Quels sont les problèmes rencontrés par ces femmes-cadres ?

Vocabulaire

6 Relevez le vocabulaire lié à la situation de femme enceinte.

7 Il y a deux expressions latines dans ce reportage. Retrouvez :

a | celle qui signifie « absolument indispensable » (littéralement : *sans laquelle non*) ;

b | celle qui signifie « proclamer quelque chose partout » (littéralement : *à la ville et à l'univers*).

PRODUCTION ORALE

8 Pensez-vous qu'une grossesse et une maternité soient compatibles avec une activité professionnelle à responsabilités ?

9 Le télétravail représente-t-il une possibilité d'allier travail et famille ?

PRODUCTION ÉCRITE

10 Vous vous rendez sur le site de l'émission *Virus* et vous postez votre témoignage sur le sujet de l'émission du jour.

« *La dimension ethnique est une constante dans les conflits sociaux en Guadeloupe* »

Pour Patricia Braflan-Trebo, chargée de cours en gestion des ressources humaines à l'université des Antilles et de la Guyane, la dimension ethnique du conflit ne fait pas de doute et le phénomène de discrimination des jeunes diplômés guadeloupéens est patent.

La nature du conflit est-elle uniquement économique et sociale ?

Les conflits sociaux en Guadeloupe ont toujours une particularité liée à notre histoire : les relations sociales sont
5 des relations socio-raciales. Chaque fois que vous avez un conflit social, vous avez non seulement une opposition de classe mais aussi une opposition de « race ». La dimension ethnique et identitaire est une constante pour des raisons historiques. La société guadeloupéenne est née de l'escla-
10 vage et de la colonisation, et elle est encore très marquée par cela aujourd'hui. L'égalité des droits n'a pas effacé les inégalités économiques. Pour emprunter la formule d'un anthropologue guadeloupéen, on peut dire que, depuis la fin de l'esclavage, « *des relations nouvelles se sont formées*
15 *dans les mêmes moules, sans jamais les briser* ». L'héritage du passé n'a jamais été digéré et réglé.

Comment se manifestent les injustices raciales et les discriminations ?

Principalement au niveau de l'emploi des jeunes Gua-
20 deloupéens, dont certains sont hyper-diplômés et qui n'obtiennent que rarement des postes d'encadrement. La majorité des grands patrons étant des descendants de propriétaires d'esclaves ou venant de métropole, ils favorisent l'embauche de cadres blancs venant eux aussi
25 de métropole. C'est presque inconscient, ils reproduisent leur schéma. Ils ne se rendent même pas compte de leurs pratiques discriminatoires. En ce sens, le conflit n'aura pas été inutile en faisant prendre conscience de ce problème.

Une des revendications fortes, au-delà de la hausse des
30 bas salaires, est d'ailleurs la priorité donnée à l'embauche, à compétence égale, aux Guadeloupéens d'origines africaine et indienne.

Diriez-vous que la situation est comparable à celle des banlieues en métropole ?

35 Le sentiment d'abandon est exactement le même. La Halde est d'ailleurs saisie en Guadeloupe dans les mêmes proportions et pour les mêmes raisons qu'en métropole. Cela dit, il y a aussi des personnes blanches parmi les manifestants, car les difficultés économiques ne touchent pas
40 uniquement la population noire. Le conflit est à la fois ethnique et social. Les hommes politiques qui refusent de reconnaître la dimension identitaire de cette crise refusent tout simplement de voir que le modèle d'intégration français a échoué en banlieue comme en Guadeloupe. Nous
45 savons pertinemment que nous ne sommes pas égaux en Guadeloupe. Le pouvoir est réparti principalement entre des mains blanches. Tous les hauts fonctionnaires de l'État, à commencer par le préfet et son équipe, sont blancs, de même que les patrons des entreprises publi-
50 ques. À ce titre, l'État est loin de montrer l'exemple. […] Je reste optimiste malgré tout. Cette crise est salutaire, il fallait de toute façon crever l'abcès.

Interview de Patricia Braflan-Trebo,
propos recueillis par Marie Bellan,
Les Échos, 26 février 2009.

unité 8 ressources humaines

COMPRÉHENSION ÉCRITE

1ʳᵉ lecture

1 Dans quel département français se sont déroulées les grèves début 2009 ?

2 Quelle est la particularité de ce conflit ?

2ᵉ lecture

3 Énumérez les revendications des grévistes guadeloupéens.

4 En quoi la situation de la Guadeloupe est-elle similaire à celle des banlieues en métropole ?

Vocabulaire

5 Reformulez les expressions suivantes :
a | se sont formées dans les mêmes moules ;
b | crever l'abcès.

PRODUCTION ORALE

6 Dans votre pays, la discrimination raciale est-elle aussi une entrave à l'embauche ?

VOCABULAIRE > commenter des données chiffrées

SITUER LA SOURCE D'UN DOCUMENT CHIFFRÉ

La dernière enquête sur les valeurs des Français peut aider à comprendre…

Les derniers chiffres concernant les seniors ne sont guère réjouissants…

À la une du *JDD*, ce matin, un sondage sur les Français et le travail le dimanche…

COMMENTER UN TABLEAU

Ces données, ces statistiques font apparaître que…

Ce tableau montre / indique que…

INDIQUER UN NOMBRE

Les chiffres du chômage s'élèvent à 10 % de la population active.

Le nombre total des chômeurs est de 2 millions en novembre 2008.

Le déficit budgétaire se monte à 20 milliards d'euros.

Le total / La somme représente…

La France compte aujourd'hui 20 millions de plus de 50 ans.

C'est une situation qui touche entre 1 et 4 millions de personnes en France.

INDIQUER UNE QUANTITÉ

Le nombre de demandeurs d'emploi de moins de 25 ans a bondi de 57 % en un an.

Plus de / Moins de 7 % des plus de 60 ans …

Le double / le triple de… 30 % des maires…

Près de 60 % des enquêtés…

Si on additionne les aides versées aux demandeurs d'emploi en 2008 et en 2009, on obtient…

INDIQUER UNE FRACTION

La part du chômage technique s'est accrue.

Les proportions sont respectivement de 33 % et de 16 %.

La moitié / Le tiers / Le quart / Un cinquième des Français redoute le chômage.

Les deux tiers des personnes/ Les trois quarts …

INDIQUER UNE MINORITÉ OU UNE MAJORITÉ

Ce reflux n'affecte pas les enquêtés de façon égale.

La faible représentativité des plaignants.

C'est une infime minorité.

La plupart des dispositifs de départ anticipé ont été supprimés.

La place de l'emploi des trentenaires est majoritaire en France.

une montée en puissance de la valeur travail

La France figure ainsi dans le peloton de queue des pays européens pour le taux d'emploi des seniors.

MODULER UN CHIFFRE

environ / approximativement un quart

presque / quasiment la moitié

COMPARER

Par rapport à 2008, les chiffres de 2009…

L'écart entre le chiffre officiel et le nombre réel est important / considérable.

La différence est minime/ faible / négligeable.

Les Français sont de plus en plus nombreux à soutenir que travailler constitue une obligation sociale.

L'impact des 50 ans est de plus en plus important.

Le nombre des salariés est deux fois plus important dans cette entreprise.

ACTIVITÉ

1 Placez les mots manquants. Faites les accords si nécessaire.

un sondage - une majorité - les trois quarts - la moitié - une faible minorité - la plupart - un quart - moins de

Les Français n'ont pas d'illusion sur l'importance de la crise financière.

D'après (**a**), (**b**) (75 %) des personnes sondées prédisent une longue période de récession. Seul (**c**) (25 %) d'entre elles considèrent qu'elle durera moins d'un an.

Du point de vue de l'emploi d'abord : (**d**) (50 %) des personnes pensent que la crise va avoir un impact « très important » dans ce domaine.

(**e**) de Français (55 %) s'inquiètent des conséquences de la crise sur le déficit et la dette publique.

Leur sort personnel inquiète moins les Français que leur avenir collectif. Si 77 % des personnes interrogées se disent inquiètes, seules 19 % se sentent réellement concernées par la crise.

Concernant l'épargne, la crise n'entraîne pas de changement en profondeur : 15 % des Français déclarent qu'ils mettront (**f**) argent de côté en raison de la crise mais 6 %, (**g**), affirme qu'ils ne changeront rien en la matière.

En conclusion, (**h**) (51 %) des Français ont confiance en leurs dirigeants mais pas dans l'efficacité des mesures prises.

PRODUCTION ÉCRITE

2 Vous êtes journaliste économique. Rédigez le commentaire du document suivant, puis écrivez un article qui accompagnera le graphique.

(Voir les Conseils pour la production écrite, p. 196.)

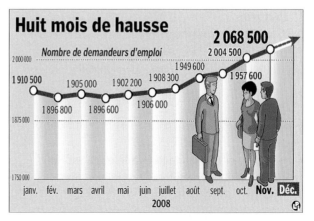

Huit mois de hausse
Nombre de demandeurs d'emploi
2 068 500
2 004 500
1 949 600
1 957 600
1 910 500
1 905 000 1 902 200 1 908 300
1 896 800 1 896 600 1 906 000

2 000 000
1 875 000
1 750 000

janv. fév. mars avril mai juin juillet août sept. oct. **Nov.** Déc.
2008

■ LA CONSULTATION PHILOSOPHIQUE

COMPRÉHENSION ORALE

Entrée en matière

1 Regardez ce tableau. Connaissez-vous son auteur et son titre ? Que représente-t-il ?

2 Lisez les bulles. Sont-elles contemporaines au tableau ? À votre avis, que signifie ce montage ?

1re écoute

3 Qui avez-vous entendu dans ce dialogue ?

4 Quel est le sujet de conversation ?

2e écoute

5 Voici les grandes étapes d'une consultation philosophique. Remettez-les dans leur ordre d'apparition.

a | La synthèse écrite de la consultante

b | Le dialogue à partir d'une question pratique

c | La synthèse écrite revue et validée par les interlocuteurs

d | Le dialogue à partir d'une définition

6 Lors de ces différentes étapes, que fait la consultante ? Que font les participants ?

7 En quoi ces consultations sont-elles philosophiques ?

8 À votre avis, que pensent ces personnes de la consultation philosophique en entreprise ? Justifiez par des exemples du dialogue.

9 Regardez à nouveau le montage. À la lumière de ce que vous venez de lire, expliquez à nouveau ce que représente cette scène.

Vocabulaire

10 Relevez dans le dialogue les expressions familières synonymes de :

a | la philosophie   **d |** très

b | donc   **e |** la vie privée

c | des sujets   **f |** se faire licencier

PRODUCTION ORALE

11 Que pensez-vous de la consultation philosophique en entreprise ? Si vous en aviez l'opportunité, y auriez-vous recours ? Pourquoi ?

PRODUCTION ÉCRITE

12 Vous êtes consultant(e) en philosophie. Créez une plaquette pour présenter votre travail et en faire la promotion auprès des DRH.

13 Vous êtes DRH et vous venez de prendre connaissance de la plaquette du/de la consultant(e). Vous n'êtes pas encore convaincu(e) de la pertinence des consultations philosophiques : vous écrivez un mail au/à la consultant(e) pour lui demander de plus amples informations sur son travail et les résultats obtenus.

L'égalité hommes-femmes
selon la Halde

Si certains en doutaient encore, voilà une initiative qui devrait prouver définitivement le discernement et l'utilité de la Haute autorité de lutte contre les
5 discriminations et pour l'égalité (Halde) [...]. Celle-ci presse en effet le gouvernement de modifier le code de la Sécurité sociale, qui accorde actuellement aux femmes travaillant dans le secteur privé
10 deux années supplémentaires d'assurance retraite par enfant.

Dès octobre 2005, la Halde a été saisie par des pères qui, élevant seuls leurs enfants, jugeaient cette disposi-
15 tion discriminatoire à leur égard. Elle leur a donné raison, en arguant du fait que cet avantage n'était pas destiné à compenser l'arrêt d'activité qui suit immédiatement une naissance, mais bien la charge que constitue l'éducation d'un enfant. Elle
20 réclame, au nom de l'égalité, que cette mesure compensatoire soit étendue à tous les pères — et pas seulement aux pères isolés, ce qui pourrait se justifier, même s'il faut rappeler la faible représentativité des plaignants : en 2005, les parents élevant seuls leurs enfants étaient à 86 % des
25 femmes. Selon toute probabilité, cette revendication ouvrirait plutôt la voie à une suppression de la mesure.

Pour que les membres de la Haute autorité puissent voir dans ces trimestres supplémentaires accordés aux mères un privilège indu, il faut que certaines données, pourtant dans
30 le domaine public, aient échappé à leur sagacité. « *Le fait d'avoir un enfant dans les sept premières années de vie active pèse essentiellement sur la situation professionnelle des jeunes femmes,* note ainsi l'Observatoire des inégalités. *Alors que les hommes en couple restent dans tous les cas pour plus*
35 *de 90 % à temps plein, les femmes ne sont plus que 68 % à travailler à temps complet avec un enfant et seulement 39 %*

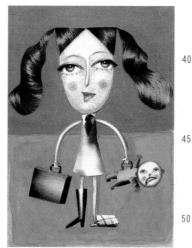

avec plusieurs enfants. Parmi les femmes qui ne travaillent pas à temps complet, une partie est au chômage et une autre
40 *occupe un temps partiel.* » [...] Rappelons que les femmes, en France, occupent 80 % des emplois à temps partiel, le plus souvent faute de mieux [...]. Et, même si elles travaillent à temps plein,
45 c'est avec un salaire moindre, qu'aucune différence de qualification ou d'ancienneté ne justifie : l'écart structurel des salaires entre les sexes oscille toujours entre 5 et 15 %.

50 La charge mentale et matérielle de la famille continue de peser essentiellement sur les mères. « *L'assignation aux femmes des charges familiales va toujours de soi, s'alourdissant d'autant plus que la psychologisation de la société*
55 *fait de l'investissement parental (c'est-à-dire en réalité maternel) la condition de la réussite des enfants* », observe Michèle Ferrand, qui parle d'une définition de la parentalité « *de plus en plus matricentrée* ». [...].

Après la séparation du couple (fréquente), ce sont le plus
60 souvent elles qui, on l'a vu, doivent faire face à l'entretien de la famille, alors que par ailleurs la maternité les a placées en position de faiblesse sur le marché du travail. [...] On ne s'étonnera pas de découvrir que la précarité et la pauvreté laborieuse ont un visage massivement féminin.

65 « *Le cumul des handicaps féminins,* fait remarquer Michèle Ferrand, *paraît frappé d'une sorte d'invisibilité sociale.* » Il est toutefois un peu gênant que cet aveuglement devant les inégalités touche aussi l'institution officiellement chargée d'y remédier.

Mona CHOLLET, *Le Monde diplomatique*
(Valise diplomatique), 24 décembre 2008.

1re lecture

1 Lisez le premier paragraphe. Qu'est-ce que la Halde ? Quelle inégalité est évoquée ?
2 Lisez le reste de l'article. Qui estime être victime de discrimination et pourquoi ?
3 Quelle est la position de la journaliste ?

2e lecture

4 Quelles sont les trois situations de discrimination à l'encontre des femmes sur lesquelles repose l'argumentation de la journaliste ?
5 Quelle est son attitude vis-à-vis de la Halde ? Justifiez par des exemples du texte.

Vocabulaire

6 Cherchez dans le texte les mots qui correspondent aux définitions suivantes :
a | capacité à juger clairement et justement
b | tirer argument ou prétexte de quelque chose
c | fait de réclamer quelque chose comme un dû
d | qui n'est pas fondé
e | clairvoyance
f | balancer
g | qui est centré sur la mère

PRODUCTION ORALE

7 Pensez-vous que la situation évoquée par l'article soit discriminatoire à l'encontre des hommes ?

8 Pour établir l'égalité professionnelle entre hommes et femmes, faut-il supprimer les droits qu'auraient les uns et que n'auraient pas les autres ?

9 Quelle est la situation dans votre pays ? L'égalité professionnelle entre hommes et femmes existe-t-elle ?

PRODUCTION ÉCRITE

10 Écrivez une lettre au courrier des lecteurs du *Monde diplomatique* pour réagir à cet article et donner votre opinion sur la situation.

■ FLAGRANT DÉLIT DE DISCRIMINATIONS

B

– LOIN DE MOI L'IDÉE DE VOUS JUGER SUR VOTRE PHYSIQUE, JEAN-PAUL, MAIS LE FAIT EST QUE VOUS N'INSPIREZ PAS CONFIANCE EN TANT QUE CHIRURGIEN.

COMPRÉHENSION ÉCRITE

1 Observez les dessins et identifiez les discriminations qu'ils présentent à l'aide du schéma ci-dessous. Justifiez votre réponse.

2 Classez-les de la situation la plus dénoncée à celle la moins dénoncée.

PRODUCTION ORALE

3 En scène ! Choisissez un dessin et imaginez le dialogue qui précède et qui suit. Jouez la scène devant la classe.

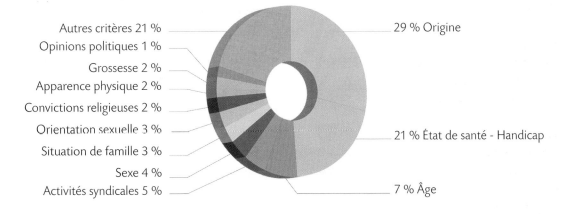

Répartition des réclamations enregistrées en 2008 par critère

Autres critères 21 %
Opinions politiques 1 %
Grossesse 2 %
Apparence physique 2 %
Convictions religieuses 2 %
Orientation sexuelle 3 %
Situation de famille 3 %
Sexe 4 %
Activités syndicales 5 %

29 % Origine
21 % État de santé - Handicap
7 % Âge

Source : rapport annuel de la Halde 2008, www.halde.fr

VOCABULAIRE > la comparaison

**POUR EXPRIMER
UNE COMPARAISON
(TERMES GÉNÉRIQUES)**

en comparaison de
comparer
comparé(e) à
par rapport à
au regard de

expressions :
faire un parallèle entre…
et…
mettre en parallèle
mettre… en comparaison
avec…

**POUR EXPRIMER
LA SIMILITUDE**

ainsi que
(tout) aussi
aussi bien que
(exactement) comme
de même que

le/la/les même(s)… que
tel (telle, tels, telles) que
une espèce de *(fam.)*
une sorte de
un type de
l'analogie *(f.)*
analogue à
comparable à
égal à
égaler
l'égalité *(f.)*
l'équivalence *(f.)*
équivalent(e)
identique à
pareil à
la ressemblance
ressemblant(e)
ressembler à
se ressembler
semblable à
similaire à
la similarité

expressions :
C'est la même chose.
C'est du pareil au même.
(fam.)
Cela me rappelle quelque
chose. *(fam.)*
Cela revient au même.
C'est tout comme. *(fam.)*

**POUR EXPRIMER
LA DIFFÉRENCE**

autant… autant…
au contraire de
davantage
plus… que jamais
de plus en plus (de)
de moins en moins (de)
(trois) fois plus/moins de
le contraste
contraster avec
la différence
différencier
se différencier de

différent(e) de
dissemblable
la diversité
une exception
incomparable
inégal(e)
l'inégalité *(f.)*
inférieur(e) à
l'infériorité *(f.)*
supérieur(e) à
la supériorité
surpasser

expressions :
Ça n'a rien à voir. *(fam.)*
Ce n'est pas la même
chose.
La ressemblance s'arrête là.
Il n'y pas de/C'est sans
comparaison possible.
Cela fait exception à la
règle.
C'est vraiment particulier !

ACTIVITÉS

**1 Ajoutez les mots manquants dans
les phrases suivantes (en faisant les
transformations nécessaires).**

équivalent – au regard de – de moins en moins de –
autant… autant – contraster avec – de plus en plus
de – identique à

a | Le salaire d'un grand patron ..... celui d'un
ouvrier.
b | Les conditions de travail en France et en
Allemagne sont à peu près ..... .
c | Avec la crise, il y a ..... travail et ..... chômage.
d | Cette nouvelle DRH est .... la précédente : elle
ne sait pas écouter les salariés.
e | ..... nombre de postes dans la restauration, il y
en a peu dans le secteur automobile.
f | ..... les dividendes des actionnaires augmentent,
..... les salaires des ouvriers diminuent.

**2 Complétez les phrases avec les noms
d'animaux suivants :**

des sardines – une fouine – une pie – un vrai requin
– une carpe – une mule – le loup blanc

a | Cette secrétaire est bavarde comme ....
b | Ce syndicaliste est connu comme ..... pour ses
prises de position.
c | Ce directeur est extrêmement ambitieux, c'est
..... .
d | Cet employé de bureau est muet comme ..... .
On ne l'entend jamais.
e | À la sortie de l'usine, les ouvriers sont serrés
comme ..... .
f | Ce gardien ne laisse rentrer personne sans son
badge, il est têtu comme ..... .
g | Cette femme de ménage est curieuse comme .....,
elle lit tous les papiers jetés dans les corbeilles.

3 1ʳᵉ écoute

a | Écoutez les phrases suivantes. À votre avis, ces
expressions expriment-elles une similitude ou une
différence ?

2ᵉ écoute
b | Trouvez l'expression, répétez-la et, à deux,
reformulez-la.

ÉVOLUTION

PRODUCTION ORALE

1 Que représente ce dessin ? Quel est son message ?

2 Si vous aviez le choix, à quel stade de l'évolution souhaiteriez-vous vous trouver ? Expliquez pourquoi en comparant celui que vous avez choisi avec les autres stades.

3 À votre avis, quelle sera la prochaine étape ?

LE TRAVAIL ET VOUS

TEST : *QUEL(LE) TRAVAILLEUR(-EUSE) ÊTES-VOUS ?*

1 À l'entretien d'embauche, vous parlez de vos prétentions salariales.

▲ « Je pensais que le salaire serait supérieur, mais ce n'est pas grave ».

■ « Oh moi, l'argent, vous savez… »

● « Ce salaire me convient tout à fait. »

2 Vous êtes convoqué(e) chez le directeur général pour un entretien.

● Vous avez passé votre week-end à préparer l'entretien.

■ Pensant qu'il s'agit d'une augmentation de salaire, vous mettez la bouteille de champagne au frais.

▲ Vous prenez cet entretien comme une formalité, un peu nerveux(-euse) tout de même…

3 Vous partagez votre bureau avec quatre collègues très bavards.

▲ Discrètement, vous mettez des bouchons auditifs dans vos oreilles.

● Vous laissez vos collègues bavasser sans broncher.

■ Vous écoutez vos chansons « disco » de Sheila pour mettre plus d'ambiance.

4 Vous devez choisir vos dates de congés avec vos collègues.

● Vous pouvez prendre vos vacances n'importe quand. De toute façon, vous adorez votre travail…

▲ Vous prenez trois semaines en été, une semaine en hiver, une au printemps.

■ Tous les mois vous conviennent pourvu que vous puissiez avoir une semaine de vacances supplémentaire.

5 C'est vendredi soir, 17 heures. Le travail n'est pas terminé. Vous devez rester plus longtemps.

● Il n'y a aucun problème. Vous êtes prêt(e) à revenir travailler samedi et même dimanche.

■ Impossible ! Votre grand-tante de 85 ans fête son anniversaire ce soir !

▲ Vous êtes d'accord, à condition de pouvoir rattraper ces heures.

6 Votre lieu de travail rêvé.

■ Au bord de la plage, au soleil.

▲ Dans un bureau, non loin de chez vous.

● N'importe où, du moment que vous puissiez travailler.

7 Vous êtes envoyé(e) en mission à l'étranger. Vous êtes invité(e) à l'ambassade de France pour une soirée très chic.

▲ Vous vous y rendez ; cela change de la routine.

● Vous vous y rendez coûte que coûte, habillé(e) en Dior.

■ Vous vous y rendez en y emmenant la femme de chambre et le réceptionniste de l'hôtel, ils sont si sympathiques.

RÉSULTATS

Un maximum de ● : Vous êtes un(e) travailleur(-euse) modèle, voire zélé(e), les patrons vous adorent. Mais attention à ne pas vous faire avaler tout(e) cru(e) par le travail…

Un maximum de ▲ : Vous êtes un(e) travailleur(-euse) « lambda », vous êtes sérieux(-euse) sans pour autant sacrifier votre vie à votre travail. Gare à l'ennui qui pourrait vous guetter.

Un maximum de ■ : Vous travaillez plutôt en dilettante. Êtes-vous vraiment à l'aise dans le monde du travail ? Au fond, peut-être est-ce vous qui avez raison…

Dimitri PLANCHON, *Blaise*, Glénat, 2009.

COMPRÉHENSION ÉCRITE

Entrée en matière

1 À votre avis, où se passe la scène ? Qui sont les personnages ?

2 Que pensez-vous du dessin de cette bande dessinée ? Quel est l'effet recherché ?

1re lecture

3 Quel est le sujet de discussion des deux personnages ?

4 À votre avis, quel est le rapport hiérarchique entre eux ? Justifiez.

2e lecture

5 Quel est le rythme de travail de cet employé ?

Vocabulaire

6 Relevez les marques caractéristiques de l'oral dans le dialogue.

■ « LES FRANÇAIS VEULENT TRAVAILLER LE DIMANCHE »

COMPRÉHENSION ORALE

1re écoute

1 Qui avez-vous entendu ? De quoi parlent-ils ?
2 Qu'apprend-on sur la situation évoquée ?

2e écoute

3 À votre avis, parmi les deux sondages ci-dessous, lequel était à la une du *Journal du Dimanche* ?
4 Selon vous, la synthèse de Patrice Trapier rend-elle compte des résultats du sondage ? Justifiez votre réponse par des exemples du reportage.

Vocabulaire

5 Que signifient les énoncés suivants ?
a | *« ça reste encore un peu divisé, surtout en campagne »*
b | *« les Français ont bien compris que cette loi de 1906, elle était très archaïque »*
c | *« il y a énormément de dérogations »*
d | *« Xavier Bertrand et Luc Chatel sont un peu en campagne pour parler de ce sujet »*
e | *« un projet de loi qui va [...] encadrer d'ailleurs la possibilité d'avoir [...] des jours de récupération. »*

A

Les Français et le travail le dimanche
IPSOS - Décembre 2008

Personnellement, seriez-vous d'accord ou pas d'accord pour travailler régulièrement le dimanche ?

Oui	22 %
Non	**64 %**
Je travaille déjà le dimanche	13 %
Ne se prononce pas	1 %

Selon vous, est-il primordial, important ou secondaire pour la vie familiale, associative, culturelle ou religieuse des gens que le dimanche reste le jour de repos commun à la plupart des salariés ?

Primordial	**51 %**
Important	33 %
Secondaire	16 %

Actuellement, une proposition de loi visant à autoriser l'ouverture des magasins le dimanche prévoit que seuls les salariés volontaires viendront travailler ce jour-là. Personnellement, pensez-vous que ces salariés auront vraiment la possibilité de refuser de travailler si l'employeur leur demande de venir ce jour-là ?

Oui, certainement	15 %
Oui, probablement	20 %
TOTAL oui	35 %
Non, probablement pas	27 %
Non, certainement pas	36 %
TOTAL non	**63 %**
Ne se prononce pas	2 %

Source : www.ipsos.fr

B

Les Français et l'ouverture des magasins le dimanche
IFOP - septembre 2008

● **Personnellement, êtes-vous favorable à l'ouverture des magasins le dimanche ?**

TOTAL favorable	52 %	TOTAL pas favorable	48 %
Tout à fait favorable	22 %	Plutôt pas favorable	12 %
Plutôt favorable	30 %	Pas favorable du tout	36 %

● **Vous savez qu'aujourd'hui la plupart des magasins n'ont pas le droit d'ouvrir le dimanche. Personnellement, êtes-vous favorable à un assouplissement de la législation sur ce sujet afin que les magasins puissent ouvrir le dimanche ?**

Oui, plutôt	57 %	Non, plutôt pas	43 %

● **Si davantage de magasins étaient ouverts le dimanche, vous-même feriez-vous des courses dans ces magasins le dimanche ?**

Jamais	32 %
Occasionnellement	44 %
Souvent	15 %
Très régulièrement	9 %

● **Travailler le dimanche est payé davantage qu'en semaine. Si votre employeur vous proposait de travailler le dimanche, accepteriez-vous ?**

	2007	2008
TOTAL oui	**59 %**	**67 %**
Oui, toujours	12 %	17 %
Oui, de temps en temps	47 %	50 %
Non, jamais	**41 %**	**33 %**

Source : www.ifop.com

unité 8 ressources humaines

PRODUCTION ORALE

6 Répondez aux questions de ces deux sondages.
7 Comparez vos réponses et faites une synthèse des résultats pour les présenter.

PRODUCTION ÉCRITE

8 Écrivez un article pour comparer les deux sondages auxquels ont répondu les Français.

GRAMMAIRE > participe présent, gérondif, adjectif verbal

ÉCHAUFFEMENT

1 Quelle est la fonction des mots soulignés dans les énoncés suivants ? Qu'expriment-ils ?

a | La majorité des grands patrons <u>étant</u> des descendants de propriétaires d'esclaves ou <u>venant</u> de métropole, ils favorisent l'embauche de cadres blancs venant eux aussi de métropole.

b | En ce sens, le conflit n'aura pas été inutile <u>en faisant</u> prendre conscience de ce problème.

c | Le code de la Sécurité sociale accorde aux femmes <u>travaillant</u> dans le secteur privé deux années supplémentaires d'assurance retraite par enfant.

d | Entre deux séances, on doit réfléchir autour d'une question qu'elle nous a posée et qui est le thème de la séance <u>suivante</u>.

e | Elle rédige ensuite une synthèse qu'elle nous envoie, <u>nous demandant</u> de relire, compléter et valider.

f | Si la Compagnie a des économies à faire, elle agit très mal <u>en les réalisant</u> uniquement sur l'ouvrier.

PARTICIPE PRÉSENT, GÉRONDIF, ADJECTIF VERBAL

Le participe présent
• est comparable à une proposition relative introduite par *qui* : (**c**) = *qui travaillent*
• exprime une cause : (**a**) = *parce qu'ils sont des descendants*
• exprime une simultanéité : (**e**) = *nous demande en même temps*

Le gérondif exprime
• la cause : (**b**) = parce qu'il fait prendre conscience
• la manière : (**f**) = Comment la compagnie agit très mal ? En réalisant des économies sur l'ouvrier.

L'adjectif verbal (**d**) qualifie le nom auquel il se rapporte et s'accorde en genre et en nombre avec celui-ci.
Voir Mémento grammatical, p. 194.

ENTRAÎNEMENT

2 Dans les phrases suivantes, dites si les mots soulignés correspondent à un participe présent, un gérondif ou un adjectif verbal et expliquez leur rôle.

a | Thierry, dit « le cousin », ne se montre guère <u>souriant</u> au bureau.

b | Ce regard <u>dévalorisant</u> que porte la société sur les seniors, impacte directement leur recrutement, l'âge <u>étant</u> le premier critère d'inégalité devant l'embauche.

c | En effet, lorsque les superdiplômés se déclassent <u>en se rabattant</u> sur des emplois sous-qualifiés, les 16-25 ans qui, jusqu'ici, survivaient <u>en collectionnant</u> les petits contrats, sont impitoyablement rejetés hors du marché du travail.

d | Les derniers chiffres <u>concernant</u> les seniors ne sont guère réjouissants.

3 Remplacez les gérondifs par une autre forme.

a | Je ne peux pas lire en écoutant de la musique.

b | En travaillant 35 heures par semaine, on a plus de temps pour les loisirs.

c | En partant plus tard hier soir, vous auriez fini votre travail.

d | Vous n'aurez pas nécessairement d'augmentation en faisant du zèle.

e | Mon patron m'a renvoyé en m'expliquant je n'étais pas assez productif.

4 Mettez les verbes entre parenthèses à la forme qui convient (participe présent, gérondif ou adjectif verbal).

a | Je travaille beaucoup, (espérer) gagner plus.

b | Ce sont deux emplois (équivaloir).

c | (Reconnaître) mon erreur, je me suis tu.

d | Les sept nains sifflent (travailler).

e | C'est un employé (avoir) toutes les qualités.

5 Formez les participes présents suivants. Accordez-les si nécessaire et dites s'il s'agit de la forme verbale ou de l'adjectif.

a | Ce job est vraiment (fatiguer) !

b | Léa, (exceller) dans son travail, a été promue.

c | Il a été très (convaincre) lors du séminaire.

d | Le DRH et moi, (diverger) de point de vue, n'avons pas trouvé d'accord.

e | (Adhérer) à leurs idées, j'ai décidé de les soutenir.

■ LA GRÈVE

Robert KOEHLER, *Der Streik (La Grève)*, 1886, Berlin.

Étienne Lantier, chômeur, part, en pleine crise industrielle, dans le Nord de la France, à la recherche d'un nouvel emploi. Il se fait embaucher aux mines de Montsou et connaît des conditions de travail effroyables. Lorsque la Compagnie des Mines (représentée par M. Hennebeau), arguant de la crise économique, décrète une baisse de salaire, il pousse les mineurs à la grève…

« — Est-ce honnête, à chaque crise, de laisser mourir de faim les travailleurs pour sauver les dividendes des actionnaires ?… Monsieur le directeur aura beau dire, le nouveau système est une baisse de salaire déguisée, et c'est ce qui nous révolte, car si la Compagnie a des économies à faire, elle agit très mal en les réalisant uniquement sur l'ouvrier.

— Ah ! nous y voilà ! cria M. Hennebeau. Je l'attendais, cette accusation d'affamer le peuple et de vivre de sa sueur !
5 Comment pouvez-vous dire des bêtises pareilles, vous qui devriez savoir les risques énormes que les capitaux courent dans l'industrie, dans les mines par exemple ? Une fosse tout équipée, aujourd'hui, coûte de quinze cent mille francs à deux millions ; et que de peine avant de retirer un intérêt médiocre d'une telle somme engloutie ! Presque la moitié des sociétés minières, en France, font faillite… Du reste, c'est stupide d'accuser de cruauté celles qui réussissent. Quand leurs ouvriers souffrent, elles souffrent elles-mêmes. Croyez-vous que la Compagnie n'a pas autant à perdre que vous, dans la
10 crise actuelle ? Elle n'est pas la maîtresse du salaire, elle obéit à la concurrence, sous peine de ruine. Prenez-vous-en aux faits, et non à elle. Mais vous ne voulez pas entendre, vous ne voulez pas comprendre !

— Si, dit le jeune homme, nous comprenons très bien qu'il n'y a pas d'amélioration possible pour nous, tant que les choses iront comme elles vont, et c'est même à cause de ça que les ouvriers finiront, un jour ou l'autre, par s'arranger de façon à ce qu'elles aillent autrement. »

Émile ZOLA, *Germinal*, 1885.

unité **8** ressources humaines

COMPRÉHENSION ÉCRITE

Entrée en matière

1 Observez le tableau, décrivez le lieu et les personnages. À votre avis, que font ces derniers ?
2 Lisez l'introduction : est-ce que cela confirme vos hypothèses ? Sur ce tableau, pourriez-vous identifier Étienne Lantier et M. Hennebeau ?

1re lecture

3 De quoi se plaignent les travailleurs ?

2e lecture

4 Comment se justifie la direction ? (Donnez des exemples concrets.)
5 Quelle est la réponse du jeune homme ?

PRODUCTION ORALE

6 Ce texte vous semble-t-il d'actualité ? Pourquoi ?
7 Dans votre pays, en cas de conflit lié à une crise économique, comment réagissent les uns (le patronat) et les autres (les salariés) ?

ATELIERS

1 RÉDACTION D'UN COMMENTAIRE DE DONNÉES CHIFFRÉES

Vous êtes économiste pour un cabinet de consulting. Votre cabinet souhaite que vous établissiez une « photographie » du travail en France.
Un commentaire de documents chiffrés vous permettra de rendre compte de la situation professionnelle en France afin de préparer des stratégies économiques qui pourront être adoptées par votre cabinet.
Vous devez donc chercher un ou plusieurs documents présentant des chiffres sur le travail en France et en rédiger un commentaire à présenter à votre supérieur hiérarchique.

Démarche

Par deux :
1 Préparation
• Vous délimitez le thème que vous allez aborder.
• Vous effectuez des recherches dans la presse ou sur Internet.
• Vous choisissez ensemble un ou plusieurs documents à traiter.
2 Réalisation
• Vous suivez les quatre étapes de rédaction de votre commentaire : lire, décrire, expliquer, rédiger.
• Vous rédigez votre commentaire de manière structurée.
3 Présentation
Vous présentez à l'oral votre travail à la classe.

Comment faire pour...

Constituer les équipes
Définir en grand groupe différents domaines à traiter et, selon les affinités de chacun, constituer les binômes : le travail des femmes, des seniors, des jeunes...

Faire des recherches
Consulter les sites Internet des différents instituts de statistiques et/ou de sondages français :
www.insee.fr/fr/default.asp
www.tns-sofres.com/
www.ipsos.fr/CanalIpsos/index.asp
www.ifop.com/europe/index.asp
ou consulter également le site *Francoscopie* de Gérard Mermet : www.francoscopie.fr/

Rédiger le commentaire
Voir les Conseils pour la production écrite, p. 196.

2 RÉDACTION D'UN SLOGAN

Formez des petits groupes (de trois ou quatre étudiants). Choisissez une des deux situations.
Écrivez vos slogans pour les présenter aux autres étudiants.
Ensuite, votez pour récompenser le meilleur slogan, et affichez-le dans la classe.

1re situation

Vous travaillez dans le secteur de la communication au ministère du Travail, qui veut augmenter la durée du temps de travail.
Écrivez un slogan pour vanter les avantages d'une carrière professionnelle allant jusqu'à 75 ans.

2e situation

Vous êtes membre de l'APACODER (Association pour l'amélioration des conditions de départ en retraite).
Écrivez un slogan pour vanter les avantages d'un départ à la retraite anticipé à 55 ans.

À la recherche du BIEN-ÊTRE

« *Le plus grand secret pour le bonheur, c'est d'être bien avec soi.* »

Bernard DE FONTENELLE

— Écrire un article qui décrit un mode de vie.
— Rédiger la quatrième de couverture d'un ouvrage sur la malbouffe.
— Écrire une lettre pour décrire une invitation surprenante.
— Écrire une fiche-cuisine.
— Rédiger un compte rendu dénonçant une discrimination physique.
— Écrire un courriel vantant les bienfaits des cures détox.
— Créer un blog de recettes de cuisine.
— Concevoir un guide des activités de détente.

Le pays

Il y a 20 000 centenaires en France : deux fois plus qu'en Grande-Bretagne. Pour expliquer une telle différence, *The Independent* fait l'éloge de notre régime alimentaire et de notre système de santé.

5 Dans quel pays européen a-t-on le plus de chances de vivre jusqu'à un âge avancé ? En France, pardi. Avec 20 000 centenaires pour 60 millions d'habitants, il y a presque deux fois plus de Français qui fêtent leurs cent printemps que de Britanniques, pour une population comparable.

10 Pourtant, l'écart d'espérance de vie n'est que de un an entre les deux pays. Un enfant qui naît aujourd'hui en France peut espérer vivre 80 ans, tandis qu'un nouveau-né britannique peut s'attendre à souffler ses 79 bougies. La raison en est que l'espérance de vie à la naissance[1] ne permet pas de

15 déduire le taux de survie des personnes âgées, étant donné la part de ceux qui mourront dans la petite enfance. L'espérance de vie à 65, 70 ou 80 ans[2] constitue un meilleur indicateur – or c'est là que la France réalise d'excellents scores. Si elle compte tant de personnes très âgées, c'est en rai-

20 son de son très faible taux de maladies cardio-vasculaires,

---

COMPRÉHENSION ÉCRITE

1re lecture

1 Lisez cet article. Qu'est-ce qui en a motivé sa rédaction ?

2 Quel paradoxe observe l'auteur ?

2e lecture

3 En quoi la France est-elle un pays où il fait bon vieillir ?

4 Quel événement négatif a eu une incidence positive sur la longévité française ?

Vocabulaire

5 Quels termes caractérisent les personnes âgées ?

6 Cherchez dans le texte un équivalent de :

a | évidemment

b | un point fort

c | fêter son centième anniversaire

■ « NE MÂCHONS PAS NOS MAUX »

COMPRÉHENSION ORALE

1re écoute

1 Quel est le thème de ce document ?

2 Pour quelle raison Isabelle Saporta est-elle interviewée ?

2e écoute

3 Que dénonce Isabelle Saporta ?

4 Que propose-t-elle pour y remédier ?

5 Quels sont les aliments cités par l'auteur dont on pourrait se passer et qui en sont les victimes ?

Vocabulaire

6 Cherchez dans le document un équivalent de :

a | un bilan

b | de l'argent

c | aliments thérapeutiques

d | en situation socialement fragile

où il fait bon vieillir

qui frappent surtout des individus entre deux âges. Ceux qui échappent aux maladies cardiaques voient leurs chances de dépasser 100 ans augmenter considérablement.

Durant les vingt dernières années, la mortalité due aux
25 maladies cardiaques a diminué de plus de la moitié au Royaume-Uni. Mais, chez nos voisins français, cette diminution est deux fois meilleure. La différence, d'après certains médecins, tient au mode de vie, même si l'on ne sait pas vraiment quels sont les aspects les plus décisifs
30 dans ce domaine. Le vin rouge joue un rôle, au même titre que l'alimentation – un régime à base de poisson, de fruits et de légumes, associé à un mode de vie méditerranéen. Mais l'important, ce n'est pas seulement ce que les Français mettent dans leur assiette, c'est aussi la manière dont
35 ils mangent – en servant plusieurs plats arrosés de vin, sans négliger la salade et les fruits, le tout dans la convivialité. Malgré leur appétit, les Français parviennent à rester plus minces que nous ; ils sont plus actifs, et visiblement la France est un pays où il fait bon vivre.
40 De plus, il semblerait que l'espérance de vie des Français se soit accrue ces cinq dernières années. Une étude attribue ce phénomène à la vague de chaleur d'août 2003, qui, si elle a tué 15 000 personnes, principalement des vieillards, a incité le pays à mieux s'occuper des vieilles personnes.
45 Si c'est le cas, cela ne peut qu'ajouter à l'attrait d'un pays où les Britanniques de la classe moyenne rêvent toujours de prendre leur retraite. Ajoutez à cela les vertus du système de santé français, avec son service réactif et son absence de listes d'attente, et vous comprendrez pourquoi la France a
50 tous les atouts pour être un pays où l'on vieillit heureux – bien souvent jusqu'à fêter son centième anniversaire.

The Independent, Éditorial,
dans *Courrier international*, 7 avril 2008.

1. Espérance de vie à la naissance : nombre moyen d'années restant à vivre aux nouveau-nés d'une année donnée (groupe de naissances), compte tenu des taux actuels de mortalité par âge. – 2. Espérance de vie à l'âge de 65 ans : nombre moyen d'années restant à vivre pour un ensemble d'individus ayant déjà atteint l'âge de 65 ans. L'espérance de vie à l'âge de 65 ans est un indicateur approximatif de la durée de la période de retraite. Il est utile pour comprendre l'extension de cette période et ses conséquences pour les assurances sociales.

PRODUCTION ORALE

7 Quel est le taux d'espérance de vie dans votre pays ? Existe-t-il des personnes centenaires ?

8 Pensez-vous que la France soit un pays où il fait bon vieillir ? Expliquez pourquoi.

PRODUCTION ÉCRITE

9 Écrivez un court article sociologique pour le *Courrier international* dans lequel vous décrivez le mode de vie de vos compatriotes en le comparant à celui des Français.

PRODUCTION ORALE

7 Consommez-vous de la *junkfood* ? Si oui, pourquoi ?

8 Cuisinez-vous ? Pourquoi ?

9 Considérez-vous que cuisiner soit synonyme de bonne santé ? Pourquoi ?

PRODUCTION ÉCRITE

10 Rédigez la quatrième de couverture de l'ouvrage *Ne mâchons pas nos maux*, d'Isabelle Saporta.

Isabelle Saporta

NE MÂCHONS PAS NOS MAUX

Consommons autrement pour vivre mieux

Robert Laffont

unité 9 bien-être

VOCABULAIRE > l'alimentation

LES LÉGUMES (m.)

l'artichaut (m.)
l'asperge (f.)
l'aubergine (f.)
l'avocat (m.)
la betterave
la carotte
le céleri
le champignon (le cèpe, la chanterelle, la morille, la pleurote)
le chou (de Bruxelles, -fleur, rouge, vert)
le concombre
le cornichon
la courgette
l'endive (f.)
les épinards (m.)
le fenouil
le haricot (blanc, coco, rouge, vert)
le navet
l'oignon (m.)
le poireau
les petits pois (m.)
le poivron
la pomme de terre
le radis
la tomate

LA SALADE

le cresson
la frisée
la laitue
la mâche
le mesclun
la scarole

LES FRUITS (m.)

l'abricot (m.)
l'amande (f.)
le brugnon
le cassis
la cerise
la châtaigne
le citron
la clémentine
la figue
la fraise
la framboise
la groseille
le kiwi
la mandarine
le marron
le melon
la mirabelle
la mûre
la myrtille
la nectarine
la noisette
la noix
l'orange (f.)
la pastèque
la pêche
la poire
la pomme (golden, gala, Granny Smith)
la prune
le raisin
la rhubarbe

LES FRUITS EXOTIQUES

l'ananas (m.)
la banane
la cacahuète

la datte
la mangue
le pamplemousse

---

1 a | Quels sont les légumes qui se consomment plutôt crus ou cuits ? (certains peuvent appartenir aux deux catégories)
Ex. : *Crus → le concombre. Cuits → la betterave.*
b | Quels sont ceux qu'on épluche ou non avant de les consommer ? (certains peuvent appartenir aux deux catégories)
Ex. : *Épluchés → la carotte. Non épluchés → le radis.*
2 a | Quels sont les fruits qui ont un noyau ?
Ex. : *L'abricot possède un noyau. Le cassis n'a pas de noyau.*
b | Quels sont les fruits qui ont des pépins ?
Ex. : *La pomme a des pépins et l'abricot n'en a pas.*

LA VIANDE

l'agneau (m.)
le bœuf
le lapin
le mouton
le porc
le veau

La volaille

la caille
le canard

le coq
la dinde
l'oie (f.)
la pintade
la poule
le poulet

Le gibier

le faisan
le lièvre
la perdrix
le sanglier

Les morceaux

l'aile (f.)
la côte
la côtelette
la cuisse
l'entrecôte (f.)
l'épaule (f.)
l'escalope (f.)
le filet
le foie (gras)
le gigot
le jambon
la poitrine fumée
le rumsteck
le steak haché

LE POISSON

le cabillaud
le colin
le congre
la dorade
le hareng
la lotte
le maquereau
le merlan
la morue
la rascasse
le saint-pierre
la sardine
le saumon
la sole
le thon
la truite
la vive

LES FRUITS DE MER (m.)

le coquillage
la coquille Saint-Jacques
le crabe
la crevette
le crustacé
le homard
l'huître (f.)
la langouste
la langoustine
la moule

LES PRODUITS VÉGÉTARIENS

l'œuf (m.)
le soja
le tofu

3 Quels sont les viandes, les poissons et les fruits de mer que vous consommez dans votre pays ?

LES CONDIMENTS (m.)

l'ail (m.)
l'aneth (m.)
le basilic
la cannelle
le curry
le gingembre
l'huile (f.) d'olive, de noix, de sésame
la mayonnaise

la moutarde
l'oignon (m.)
le paprika
le persil
le piment
le poivre
le sel (la fleur de sel)
le thym
la vanille
le vinaigre

4 Trouvez les condiments qui se consomment :
a | sous forme liquide ;
b | frais ;
c | secs (en grains, hachés ou en poudre).
(Plusieurs réponses possibles pour un condiment.)
Ex. : le vinaigre → liquide.

LES PRODUITS LAITIERS

le beurre
la crème fraîche
le fromage blanc
le lait (de brebis, de chèvre, de soja, de vache)
le petit-suisse
le yaourt

5 Mini-quiz
a | Quels produits laitiers sont utilisés pour faire des crêpes ?
b | Lesquels se mangent avec une petite cuiller ?
c | Lesquels peut-on tartiner ?
d | Quels sont ceux qui servent pour faire des gâteaux ?
e | Quels sont ceux utilisés pour faire des sauces ?

LES CÉRÉALES (f.)

l'avoine (f.)
le blé
l'épeautre (m.)
le maïs
l'orge (f. et m.)
le quinoa
le riz
le seigle
le sésame

6 Quelle céréale est surtout cultivée en Afrique ? En Amérique du Nord, du Sud ? En Asie ? En Europe ? En Océanie ?
Ex. : En Asie : le riz.

LES ALIMENTS ET VOUS

PRODUCTION ORALE

1 Quelle est la signification de ce dessin ? Quel en est l'élément comique ?
2 Selon vous, qu'est-ce qui explique la modification des habitudes alimentaires au cours des dernières années ?
3 Quelle est la base de l'alimentation dans votre pays ?
4 Y trouve-t-on les mêmes produits qu'en France métropolitaine ?
5 Avez-vous constaté une évolution des comportements alimentaires dans votre pays au cours de ces dernières années ? Donnez des exemples.
6 Quels sont les aliments que vous préférez ? ceux que vous détestez ?
7 Comment prenez-vous vos repas : en famille, seul(e), devant la télévision ?
8 À votre avis, existe-t-il un bon modèle alimentaire ? (par exemple, le régime végétarien)

LE JEU DES SPÉCIALITÉS

Voici six spécialités que l'on peut déguster dans différentes régions françaises.

Reliez chaque spécialité à sa région d'origine et aux ingrédients principaux de sa recette.

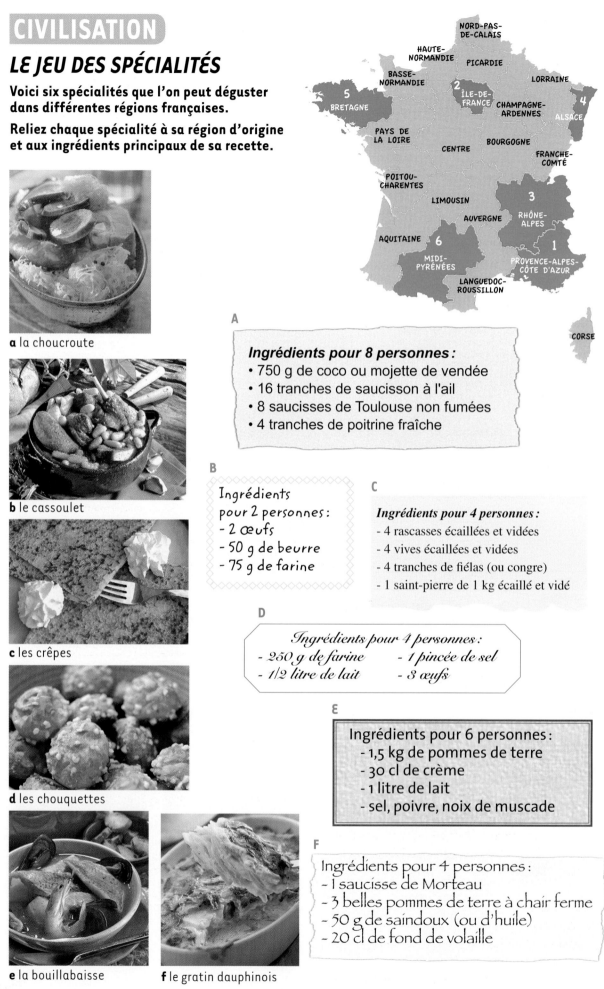

a la choucroute

b le cassoulet

c les crêpes

d les chouquettes

e la bouillabaisse

f le gratin dauphinois

A

Ingrédients pour 8 personnes :
- 750 g de coco ou mojette de vendée
- 16 tranches de saucisson à l'ail
- 8 saucisses de Toulouse non fumées
- 4 tranches de poitrine fraîche

B

Ingrédients pour 2 personnes :
- 2 œufs
- 50 g de beurre
- 75 g de farine

C

Ingrédients pour 4 personnes :
- 4 rascasses écaillées et vidées
- 4 vives écaillées et vidées
- 4 tranches de fiélas (ou congre)
- 1 saint-pierre de 1 kg écaillé et vidé

D

Ingrédients pour 4 personnes :
- 250 g de farine
- 1/2 litre de lait
- 1 pincée de sel
- 3 œufs

E

Ingrédients pour 6 personnes :
- 1,5 kg de pommes de terre
- 30 cl de crème
- 1 litre de lait
- sel, poivre, noix de muscade

F

Ingrédients pour 4 personnes :
- 1 saucisse de Morteau
- 3 belles pommes de terre à chair ferme
- 50 g de saindoux (ou d'huile)
- 20 cl de fond de volaille

Carte des régions françaises : NORD-PAS-DE-CALAIS, HAUTE-NORMANDIE, PICARDIE, BASSE-NORMANDIE, ÎLE-DE-FRANCE (2), LORRAINE, CHAMPAGNE-ARDENNES, ALSACE (4), BRETAGNE (5), PAYS DE LA LOIRE, CENTRE, BOURGOGNE, FRANCHE-COMTÉ, POITOU-CHARENTES, LIMOUSIN, AUVERGNE, RHÔNE-ALPES (3), AQUITAINE, MIDI-PYRÉNÉES (6), LANGUEDOC-ROUSSILLON, PROVENCE-ALPES-CÔTE D'AZUR (1), CORSE

■ RECETTE

Recettes

- Nouveautés
- Rechercher une recette
- Recette au hasard
- Liste de courses
- Menus de la semaine
- Menus de saison
- Sélections
- Recettes incontournables
- Index des recettes
- Proposer une recette
- Top 100 des internautes
- Top 20 des envois
- Photos des recettes

Trouver une recette

Rechercher
► Recherche avancée

>> Accueil > Recettes > **Recette**

Votre *recette*

Le Moelleux Chocolat d' Oncle Guillaume

• *Dessert* •   *Facile*

• *L'avis des internautes* Ⓜ Ⓜ Ⓜ Ⓜ Ⓜ (37 votes)

Préparation : 10 minutes
Cuisson : 15 minutes
Ingrédients (pour 4 personnes)
- 200 g de beurre
- 200 g de chocolat pâtissier
- 200 g de sucre
- 25 cl de crème liquide
- 4 œufs
- 5 cuillères à soupe de farine

Préparation
Cela est très rapide si vous avez un micro-ondes...
1 Faire fondre dans un grand saladier le beurre, le chocolat avec la crème liquide.
2 Mélanger bien après... (attention : la préparation doit rester tiède après la sortie du micro-ondes)
3 Ajouter le sucre, la farine et les œufs entiers (battus au préalable pour les incorporer plus facilement).

4 Verser la préparation dans un moule de préférence jetable en aluminium (pour une meilleure répartition de la chaleur).
Temps de cuisson : 15 minutes à 180 °C (thermostat 6).
À la sortie du four, le moelleux doit être « à peine cuit » au centre du moule.
5 Laisser refroidir puis mettre au frigo qui se chargera de durcir le centre à peine cuit.

Conseils
Pour la pointe du chef, vous pouvez rajouter quelques gouttes d'extrait de vanille ou d'oranges amères.
Pour déguster votre moelleux : le passer 15 secondes puissance maxi au micro-ondes.
Il en ressortira fondant à cœur...
C'est magique !
Bon appétit.

Les commentaires des internautes

Clochette : 5/5
(avis du 12/09/2009 sur la recette Le Moelleux Chocolat d'Oncle Guillaume)
J'adoooooooore cette recette. C'était franchement terrible. Loulou est re-tombé amoureux de moi cet après midi, après avoir goûté !!! Merci Oncle Guillaume.

Lili_1 : 1/5
(avis du 31/05/2009 sur la recette Le Moelleux Chocolat d'Oncle Guillaume)
Malheureusement pour nous, ce gâteau n'a pas fait l'unanimité. Il est trop gras, trop sucré (pourtant j'avais diminué la quantité de sucre) et n'a pas assez le goût du chocolat.

klereth : 5/5
(avis du 09/07/2008 sur la recette Le Moelleux Chocolat d'Oncle Guillaume)
Le moelleux préféré de tous les gens à qui je l'ai fait... J'y ajoute des morceaux de gingembre confits parsemés dans la pâte et c'est encore meilleur.

alexandra_1744 : 5/5
(avis du 29/06/2008 sur la recette Le Moelleux Chocolat d'Oncle Guillaume)
Super rapide ! J'ai fait ça pour mes collègues de boulot. J'ai remplacé le plat traditionnel par des petits moules, résultat plein de petits moelleux ! Miam-Miam. J'ai gardé le même temps de cuisson.

COMPRÉHENSION ÉCRITE

1ʳᵉ lecture

1 Où cette recette a-t-elle été publiée ?

2 Dites à quel type de plat correspond cette recette (entrée, plat, dessert...). Comment cette fiche-cuisine se présente-t-elle ?

2ᵉ lecture

3 Quelles informations n'apparaissent pas dans les livres de recettes traditionnels ? Quel en est l'intérêt pour le lecteur ?

Vocabulaire

4 Relevez tous les verbes dans la recette, dans les conseils et dans les commentaires qui concernent la préparation. Que signifient-ils ?
Exemple : *faire fondre = chauffer pour rendre liquide.*

5 Relevez, dans le document, tous les mots qui expriment une quantité.

6 Quel mode verbal utilise-t-on ?

7 À qui les internautes ont-ils fait goûter cette recette et quelle est l'impression majoritaire qui se dégage des commentaires ? Justifiez votre réponse.

PRODUCTION ORALE

8 À la lecture des commentaires, seriez-vous prêt(e) à réaliser cette recette ?

9 Ce type de site Internet existe-t-il dans votre pays ? Y avez-vous déjà collaboré ?

unité 9 **bien-être**

159

VOCABULAIRE > la cuisine

L'ENTRÉE *(f.)*

le boudin
la charcuterie
la crème
le foie gras
le jambon
le pâté
le potage
la saucisse
le saucisson
la soupe
la terrine
le velouté

LE PLAT

Quelques spécialités françaises
la blanquette de veau
la bouillabaisse
le bœuf bourguignon
le cassoulet
la choucroute
les crêpes *(f.)*
le gratin dauphinois
la quiche lorraine
la ratatouille
le thon basquaise
La cuisson de la viande
à point
bien cuit
bleu
saignant

LE FROMAGE

le brie
le camembert

le chèvre
le comté
l'emmental *(m.)*
le roquefort

LE DESSERT

les chouquettes *(f.)*
le gâteau
la glace
le sorbet
la tarte

MANGER ET BOIRE

la bouffe *(fam.)*
bouffer *(fam.)*
caler
s'enivrer
être à jeun
être gourmand(e)
être gourmet
être ivre
être saoul(e)
mourir de faim

expressions :
avoir un appétit féroce
avoir une faim de loup
avoir une soif de pendu
se lécher les doigts

LES GOÛTS *(m.)*

salé(e)
sucré(e)
amer(-ère)
doux / douce
sec / sèche
cuit(e)
cru(e)

ACTIVITÉS

1 Faites correspondre chaque plat et sa catégorie.
Exemple : *a2 le filet mignon en croûte = une viande*

a | le filet mignon en croûte
b | l'escalope normande
c | la crème brûlée
d | la terrine de foies de volailles
e | la poêlée de noix de Saint-Jacques
f | la tarte tatin
g | la raie au beurre noir
h | les œufs mollets sur croûtons
i | la lotte à l'armoricaine
j | l'époisses

1 | l'entrée
2 | la viande
3 | le poisson
4 | le fromage
5 | le dessert

cd 33 **2 Écoutez ces appréciations et dites si elles sont plutôt positives ou négatives.**
Répétez-les et réutilisez-les dans de courts dialogues.

VOCABULAIRE > la quantité

le centilitre
le gramme
le kilo
le litre
la livre
la boîte
le bouquet
la branche
le brin
la cuillère à café
la cuillère à dessert
la cuillère à soupe
la douzaine
la feuille
la gousse
la goutte

le grain
la louche
la miette
le morceau
la part
la pincée
la poignée
la pointe
la rondelle
le sachet
la tasse
la tête
la tige
la tranche
le verre
le zeste

ACTIVITÉS

1 Donnez un exemple pour chaque quantité.
Exemple : *un morceau de sucre.*

 cd 34 **2 Écoutez les phrases suivantes. Relevez l'expression de la quantité. Dites à quoi elle correspond :**
« un peu » ou « beaucoup ».

PRODUCTION ÉCRITE

3 À votre tour, écrivez une recette de cuisine typique de votre pays en imitant la présentation d'une fiche-cuisine traditionnelle (ingrédients, recette, conseils).

Dis-moi comment tu reçois?

[...] Apéritif, cocktail dînatoire, raclette, buffet froid, dîner gastronomique, goûter crêpes… toutes les invitations ne se ressemblent pas. Elles en disent long sur notre personnalité, l'image que nous nous faisons de nos invités
5 et nos intentions à leur égard. « *Nos invitations sont le reflet de ce que nous désirons montrer à l'autre car à chaque fois, nous nous exposons* », expliquent Jean-Pierre Corbeau et Jean-Pierre Poulain, sociologues de l'alimentation et auteurs de *Penser l'alimentation*. « *Partager un repas,*
10 *inviter quelqu'un chez soi, c'est lui donner à voir une part de son intimité* ». [...]

Déclinaison d'invitations

Les deux sociologues ont décrypté cinq catégories d'invitation. **L'apéritif** tout d'abord. De tout temps, partager un verre
15 a constitué les prémices d'une dynamique d'échange, le moyen d'observer l'autre, de s'en approcher. Inviter à un apéritif ou un « cocktail dînatoire » [...] est idéal pour une première rencontre ou un événement auquel on convie des personnes que l'on connaît peu. [...] Si la qualité des échanges autour d'un
20 verre et de douceurs salées et sucrées est jugée suffisante, on acceptera ensuite l'intimité d'un repas complet…

Les barbecues en été, les raclettes, pierrades et fondues en hiver ont un peu la même signification que les apéros improvisés entre amis. Ce n'est pas le plaisir de manger
25 que l'on recherche avant tout, mais celui d'être ensemble. En proposant un repas conçu autour d'un mode de cuisson invitant chacun à mettre la main à la pâte, on s'assure des moments de détente et de convivialité. [...]

Les repas du terroir, quant à eux, jouent un rôle iden-
30 titaire. En dégustant les plats traditionnels, on perpétue la mémoire et les habitudes familiales. [...] Les repas régionaux sont aussi l'occasion de parler de sa culture à ses amis et de mieux se faire connaître. Ils peuvent représenter une épreuve initiatique : l'acceptation dans le clan
35 passe par l'adhésion à la cuisine…

Toute autre sera la symbolique **des menus raffinés et dîners gastronomiques**. L'enjeu est de mettre en avant

son bon goût et son savoir-faire. La qualité des mets et des boissons devient le support de conversation et joue
40 le rôle de créateur de lien. Afin d'affirmer leur statut, les classes sociales aisées pratiquent souvent une cuisine gastronomique ou à la mode comme la cuisine exotique ou la *fusion food* qui mêle des cuisines venues d'ailleurs. On veut ainsi signifier son ouverture au monde et montrer
45 qu'on est « tendance ».

Enfin, il y a ceux qui invitent **au restaurant** ou reçoivent chez eux avec les services d'**un traiteur** ou d'un chef à la maison. Ces hôtes vous diront qu'ainsi ils ne doivent donc pas se soucier de la cuisine et restent pleinement disponi-
50 bles pour la conversation. Bien entendu, on ne pourra pas apprécier leur cuisine mais plutôt le choix de l'endroit où ils nous emmènent ou le professionnalisme du traiteur. Quant à l'intimité, elle est nettement moindre à la maison qu'au restaurant qui ne se prête qu'aux comportements
55 convenus… [...]

Pourquoi invite-t-on, en définitive ? Pour en mettre plein la vue aux gens ou pour passer un bon moment ensemble ? Quelle que soit la formule choisie, ne passons pas à côté de l'essentiel : être bien avec ceux qu'on invite et
60 leur offrir le meilleur de soi.

Joëlle DELVAUX,
www.enmarche.be, 18 décembre 2008.

COMPRÉHENSION ÉCRITE

1re lecture

1 Lisez cet article. Dans quelle perspective a-t-il été rédigé et comment est-il présenté ?
2 Quels sont les différents types d'invitations présentées ?

2e lecture

3 Quelles informations sur les plans psychologique et sociologique révèle la nature de l'invitation ?
4 Qu'est-ce qu'implique chaque catégorie d'invitation ?

Vocabulaire

5 Expliquez :
a | les prémices
b | une pierrade
c | improvisés
d | mettre la main à la pâte
e | initiatique
f | convenus
g | en mettre plein la vue

PRODUCTION ORALE

6 Quels types d'invitation existent dans votre pays ? Citez-les et comparez-les avec celles de l'article.
7 Que pensez-vous du fait qu'une invitation soit révélatrice de la personnalité de l'invitant ?
8 Quelles invitations lancez-vous ? Racontez.

PRODUCTION ÉCRITE

9 Vous avez été invité(e) par des Français et vous avez été surpris(e) (positivement ou négativement). Racontez dans une lettre cette expérience à votre famille.

Destination Pureté

Massages ayurvédiques, yoga intensif, régime strict… les cures d'épuration du corps dans des spas¹ écologiques luxueux ont le vent en poupe. Voyage initiatique.

Les yeux bouffis. La bouche pâteuse. Une dizaine de cadres en vacances avalent d'un trait le verre d'eau tiède au jus de citron que leur tendent des hôtesses en tong. Ils déroulent leur tapis sur la terrasse en marbre
5 et entament la salutation au soleil, face à la mer. Après cet enchaînement de douze postures de yoga, ils vont, en titubant, s'étendre à l'ombre d'un bananier pour une séance d'acupuncture. Dur le réveil ? Et dire que ce n'est que le début du séjour…

10 La semaine de thalassothérapie rythmée par des massages détente et des repas gastronomiques bien arrosés, c'était hier. Les néo-spas qui fleurissent un peu partout prêchent souvent des soins et des activités bien plus drastiques. Se reprendre en main plutôt que se laisser aller. C'est
15 que le but des vacances n'est plus seulement de déconnecter et de se ressourcer l'esprit. Mais plutôt de purifier le corps de toutes les toxines qu'il a ingurgitées pendant l'année. Ces cures « détox », comme on les appelle dans le monde entier suivant le terme anglo-saxon, sont devenues
20 les nouvelles oasis promises des adeptes de beauté et de santé éternelle. Certains sont prêts à traverser des océans pour rejoindre le lieu de retraite le plus insolite et complet dans son approche thérapeutique.

Il y a le spa qui s'est posé sur une île loin de tout et à
25 laquelle on n'accède qu'en petit bateau – en barque, c'est encore plus humble, plus beau. Il y a celui qui s'est perché tout en haut, avec vue sur un grand canyon américain. Il y a celui qui est allé se blottir dans une forêt virginale, au cœur de la France. La plupart de ces lieux ont été pensés
30 pour que leurs hôtes communient avec la nature et oublient la société consumériste qu'ils viennent tout juste de quitter. Ordinateurs, télévisions et téléphones portables, tous les gadgets qui relient la clientèle au monde moderne sont proscrits. Chaque jour, le corps passe des
35 heures plus ou moins douces entre les mains de thérapeutes : enveloppements, bains, massages ayurvédiques, réflexologie, iridologie, watsu, shiatsu ou acupuncture. […] La plupart des centres proposent des enseignements de techniques de relaxation « *pour que les clients puissent*

40 *continuer à faire des exercices une fois de retour chez eux* », explique Lisbeth Strohmenger, codirectrice de *La Clairière en France*. Côté cuisine, le buffet
45 méditerranéen, le triptyque croissant-beurre-confiture, le champagne, on oublie. Le pain et l'alcool, *niet* itou. Les curistes se contentent du trio fruits-lé-
50 gumes-poisson, de nourriture 100 % crue, ou bien même uniquement liquide pour renforcer l'effet dépuratif des soins. Chaque adresse a sa formule
55 diététique mais le léger et le bio sont de rigueur partout.

Née aux États-Unis, relayée très vite en Asie, la vague des détox a touché l'Europe plus récemment. […] « *L'idée de se purifier découle assez naturellement de la recherche*
60 *de perfection très présente depuis les années nonante². Le corps est devenu un instrument qu'il ne faut plus abîmer et dont il faut développer les facultés* », explique Siska von Saxenburg, journaliste et auteur de *L'ABC du Spa*. L'ère du culte de la performance, du terrorisme de la malbouffe et
65 de la chasse à la fumée aurait créé un terrain favorable au détox – « *Il est en effet plus facile de se dire qu'on est gros, avachi et pas en forme parce que notre organisme est empoisonné par la pollution plutôt que parce que nous nous sommes laissés aller* », analyse cette observatrice. […]

70 Passer une semaine à s'écouter respirer, sans *blackberry*, dans un décor inspirant, cela fait du bien partout, y compris à la tête. Mais est-il vraiment nécessaire de purger son organisme ? Les curistes diront que oui. Ils se sentent plus légers. Le teint frais et les traits rajeunis. En pleine
75 forme, quoi. « *Se purifier le système digestif ne veut pas dire grand-chose*, relativise Muriel Lafaille Paclet, diététicienne à l'Unité de nutrition clinique au CHUV. *La notion détox me dérange un peu parce que je ne vois pas ce qu'il y a de toxique dans le corps à éliminer. On mange trois fois par*
80 *jour et on respire depuis la naissance. Ce n'est pas en se mettant hors de notre vie courante pendant une semaine qu'on va remettre les pendules à zéro.* »

Autrement dit, en attendant les méthodes miracles, prendre soin de son corps à l'année, notamment en man-
85 geant des produits du terroir et des aliments non transformés, est encore le meilleur moyen de s'assurer une vie saine. Après la détox et sa parenthèse de pureté, bienvenue dans une vie 100 % néo-spa ?

Émilie VEILLON, *Le Temps*, 23 juin 2009.

1. *L'origine du mot* Spa *viendrait d'une abréviation latine* Sanitas Per Aquam *qui signifie « santé par les eaux ». Les Romains étaient de grands amateurs de thermes et de nombreuses cités romaines ont été créées à côté de sources thermales.* – 2. *Nonante (employé en Suisse romande et en Belgique) = quatre-vingt-dix.*

Entrée en matière

1 Lisez le titre et les deux premières lignes de l'article. Formulez des hypothèses sur son contenu.

1re lecture

2 De quel phénomène traite cet article ?

3 Où ont lieu ces cures et pourquoi ?

4 Quels sont les grands principes d'une cure détox ?

5 Quel est le ton de la journaliste ? Justifiez par des exemples du texte.

2e lecture

6 Quelle est l'origine du développement de ces cures ?

7 En quoi la journaliste doute-t-elle de ces cures ?

8 À l'inverse, à quels aspects semble-t-elle adhérer ?

Vocabulaire

9 Relevez les termes qui se rapportent aux nouveaux soins du corps.

PRODUCTION ORALE

10 Que pensez-vous de ce phénomène ? Iriez-vous passer quelque temps dans un spa détox ?

11 Dans votre pays, une telle pratique est-elle devenue un phénomène de mode ? Pourquoi ?

12 Observez la brochure. L'un de ces soins vous tente-t-il ? Justifiez votre réponse.

13 Quels moyens utilisez-vous pour vous détendre ? Qu'en pensez-vous ?

PRODUCTION ÉCRITE

14 Vous revenez d'un séjour « détox » enchanté(e) ! Écrivez un courriel à votre meilleur(e) ami(e) pour lui vanter les bienfaits de cette cure.

VOTRE CORPS ET VOUS

PRODUCTION ORALE

1 Comment vous sentez-vous dans votre corps ?

2 En prenez-vous soin (maquillage, produits de beauté, régime, sport…) ?

3 Avez-vous déjà envisagé de recourir à la chirurgie esthétique ?

4 Que pensez-vous des personnes qui mettent une perruque, se font teindre les cheveux, portent des lentilles, ont recours à la chirurgie esthétique ?

5 Les hommes achètent de plus en plus de produits de beauté. Qu'en pensez-vous ?

6 Pourriez-vous être amoureux d'une femme trop grosse ou trop maigre si elle est riche et intelligente ?

7 Pourriez-vous être amoureuse d'un homme chauve et bedonnant s'il est riche et intelligent ?

8 L'importance donnée au corps dans notre société vous paraît-elle normale ou excessive ?

9 Pensez-vous qu'une personne considérée comme « belle » ait plus de chances de réussir dans ses études, dans la vie professionnelle ?

Spa Relaxance
Évadez-vous au pays du bien-être

MASSAGES ÉVASION

✿ Massage ayurvédique 1 heure 30 – 130 euros

D'origine indienne, ce massage aux huiles médicinales est basé sur la compréhension des trois énergies fondamentales - vâta (système nerveux et hormonal), pitta (système digestif et enzymes) et kapha (les fluides). Cette profonde relaxation est enrichie par des manœuvres très enveloppantes et d'une concentration au niveau des Chakras.

ᴪ Massage shiatsu

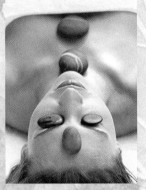

1 heure – 90 euros
Technique japonaise, le shiatsu (de *shi*, main et *atsu*, pression) consiste à appliquer des pressions des doigts et des mains sur toute la surface du corps, dans le but de défatiguer et rééquilibrer le fonctionnement des organes, ainsi que celui du système hormonal et nerveux.

✹ Massage watsu 1 heure – 110 euros

Pratiqué dans une piscine chauffée, le watsu (de *water*, eau et *shiatsu*) est un massage à base de pressions et d'étirements sur les méridiens d'énergie du corps, pour retrouver calme, énergie et vitalité.

SOINS EXPERTS

✺ Iridologie Séance diagnostic – 85 euros

Cette méthode permet de diagnostiquer les déséquilibres physiques à travers l'étude de la structure et des signes présents dans l'iris, photographié et agrandi avec des équipements appropriés.

VOCABULAIRE > le corps

LE VISAGE

la bouche
la dent
les cils (m.)
le front
la joue
les lèvres (f.)
le menton
le nez
l'œil (m.) / les yeux (m.)
l'oreille (f.)
les sourcils (m.)

LE HAUT DU CORPS

le bras
le cou
le coude
le doigt
l'épaule (f.)

la main
le poignet

LE MILIEU DU CORPS

l'abdomen (m.)
le dos
la hanche
le sein
le thorax
le ventre

LE BAS DU CORPS

la cheville
la cuisse
le doigt de pied
le genou
la jambe
le mollet
l'ongle (m.)

le pied
le tibia

L'INTÉRIEUR DU CORPS

l'artère (f.)
le cerveau
le cœur
le côlon
l'estomac (m.)
le foie
l'intestin (m.)
le muscle
le nerf
le poumon
le rein
le sang
le squelette
le vaisseau sanguin
la vessie

LE POIDS

maigrir
se mettre au régime
perdre du poids
suivre un régime

expressions :

avoir bonne mine
avoir des poignées d'amour
  (fam.)
avoir l'estomac dans
  les talons
avoir mal au cœur
être bien dans sa peau
être sur les rotules (fam.)
n'avoir que la peau sur
  les os
n'avoir pas les yeux
  en face des trous (fam.)

ACTIVITÉS

cd 35 **1 Écoutez ces expressions imagées. Dites quelle est la partie du corps concernée. Trouvez un équivalent dans la liste suivante. Répétez-les puis réutilisez-les dans un court dialogue.**

Exemple : *1h Il est sur les genoux. = Il est épuisé.*

a | J'en ai marre !

b | C'est évident.

c | On lui a fait des reproches.

d | Tu n'as pas les moyens de ton ambition.

e | Elle a beaucoup d'influence.

f | Il lui en veut.

g | Tu peux m'aider ?

h | Il est épuisé.

i | Nous avons besoin d'aide.

j | Elle est égocentrique.

2 Associez les expressions de la liste aux définitions suivantes.

a | avoir une grande faim

b | ne pas être bien réveillé(e)

c | se sentir à l'aise dans son corps

d | avoir envie de vomir

e | avoir l'air en forme

f | être très maigre

g | avoir de la graisse sur les hanches

h | être très fatigué(e)

3 Lisez ce poème et écrivez-en un à votre tour, à l'aide des expressions corporelles ci-dessus.

Des expressions tirées par les cheveux
Ne vous arrachez pas les cheveux,
Notre club, vous présente ses vœux,
Même si vous avez mal aux cheveux*,
Ça se passera, vous serez heureux…
Cheveux d'argent ou cheveux d'or,
Cette année, vous serez plus fort…
Mais n'ayez pas de « cheveux d'ange »
Surtout si ça vous démange,
Parce que, s'il y a un cheveu,
Ce n'est pas toujours un jeu…
Saisissez l'occasion aux cheveux,
Si je peux vous faire un aveu,
Ça vient comm' des cheveux sur la soupe,
Ça n'a guère le vent en poupe,
Ça fait dresser les cheveux sur la tête,
Ça serait même un tantinet bête,
Vaut mieux ne pas couper les cheveux en quatre,
Que d'être toujours en train de s'battre.

Adrien FISTER

* avez trop bu

■ LE SURPOIDS

COMPRÉHENSION ORALE

1re écoute

1 Quel est le thème de ce reportage ?
2 Qui sont les différents intervenants et quelles professions exercent-ils ?

2e écoute

3 Pour quelles raisons Laurence Alvetta a-t-elle créé sa ligne de sous-vêtements et que dénonce-t-elle ?
4 Quels sont les maux dont souffrent les personnes en surpoids et quelles en sont les causes ?

Vocabulaire

5 Associez ces courtes définitions à un problème de santé évoqué par Anne Veston.
a | Pathologie caractérisée par des diminutions ou des arrêts de la respiration pendant le sommeil.
b | Maladie caractérisée par la prolifération de cellules de manière anormale et anarchique dans un tissu normal de l'organisme.
c | Taux de graisse dans le sang. Quand ce taux est trop important, il y a des risques pour la santé.
d | Problèmes liés à l'articulation des os entre eux.
e | Maladie se caractérisant par la présence de sucre dans le sang.

PRODUCTION ORALE

6 Existe-t-il des problèmes de surpoids dans votre pays ? Si oui, des mesures ont-elles été mises en place par votre gouvernement pour lutter contre ce phénomène ? Lesquelles ?
7 Quelles autres particularités physiques peuvent provoquer des discriminations ? Dans quelles situations ?

PRODUCTION ÉCRITE

8 Choisissez une discrimination liée au physique, effectuez des recherches sur Internet et rédigez un compte rendu des problèmes afin d'aider votre gouvernement à prendre des mesures pour lutter contre ce phénomène.

■ VIVEZ NATURE

COMPRÉHENSION AUDIOVISUELLE

1er visionnage (sans le son)

1 Où se passe ce reportage ? Sur quoi porte-t-il ?
2 Combien y a-t-il d'intervenants et qui sont-ils ?

2e visionnage (avec le son)

3 Quelles sont les différentes parties de ce reportage et de quoi traitent-elles ?
4 Combien de visiteurs ont visité ce salon ? Que peuvent-ils y tester ?

3e visionnage (avec le son)

5 Quel est le titre de l'ouvrage de Pascal Fioretto ? En quoi ce titre est-il drôle ? Pourquoi Pascal Fioretto se moque-t-il des vendeurs de bien-être ?
6 Quel est le ton du journaliste ? Relevez des mots et expressions qu'il utilise pour illustrer votre réponse.

Vocabulaire

7 Listez les types de produits ou de notions présentés et leurs fonctions.

PRODUCTION ORALE

8 Que pensez-vous de ces méthodes « clé en main » qui proposent de devenir soi-même en beaucoup mieux ? Existent-elles dans votre pays ? Quelles sont leurs caractéristiques ?
9 Avez-vous déjà lu de tels ouvrages ? Si oui, les avez-vous trouvés efficaces ? Dites pourquoi ? Si non, y croyez-vous ?
10 Que pensez-vous de l'ésotérisme ? Y croyez-vous ? Pourquoi ?
11 **En scène !** Vous êtes l'auteur(e) d'un ouvrage ésotérique comme *La Joie du bonheur d'être heureux*. Vous êtes interviewé(e) par un journaliste de France 3. Par deux, réalisez l'interview.

Immunité

Claire BRETÉCHER, *Allergies*, Dargaud, 2004.

Claire Bretécher est l'une des rares dessinatrice et scénariste de la bande dessinée française.
Elle se dit féministe mais anti-militante. Agrippine, quant à elle, a vu le jour en 1988.

Entrée en matière

1 Quel est le titre de la bande dessinée dont cette planche est issue ? Quel est le titre de la planche ?

1ʳᵉ lecture

2 Résumez le contenu de la planche.

3 Comment réagit le père de famille et que fait-il ?

2ᵉ lecture

4 Pour quelles raisons Agrippine a-t-elle fait jouer les enfants avec les poubelles ?

5 En quoi cette planche crée-t-elle un effet comique ?

6 Qu'observez-vous sur l'utilisation de la langue ?

CIVILISATION

LES PRATIQUES SPORTIVES DES FRANÇAIS

Quels sont les sports que vous avez pratiqués au cours des 12 derniers mois (occasionnellement et/ou régulièrement) ?

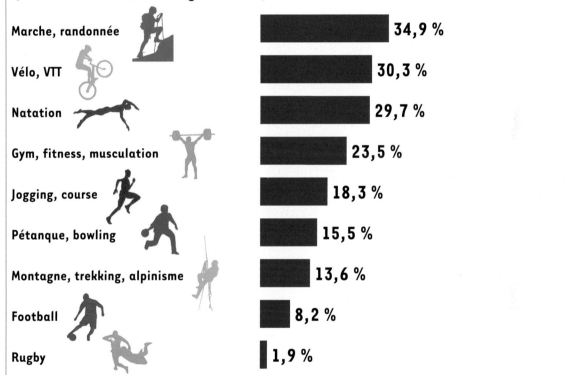

Sport	%
Marche, randonnée	34,9 %
Vélo, VTT	30,3 %
Natation	29,7 %
Gym, fitness, musculation	23,5 %
Jogging, course	18,3 %
Pétanque, bowling	15,5 %
Montagne, trekking, alpinisme	13,6 %
Football	8,2 %
Rugby	1,9 %

Étude Sportimat réalisée par Sportlabgroup en juin 2008 auprès de 1 002 Français âgés de 15 ans et plus.

PRODUCTION ORALE

1 Prenez connaissance de ce document. Que remarquez-vous ?

2 Pratiquez-vous un sport ou en avez-vous pratiqué un ? Si non, pourquoi ? Si oui, à quel âge avez-vous commencé ? Quel est votre niveau ? Quelles sensations éprouvez-vous ? Quels sont les avantages et les inconvénients de ce sport ?

3 Quel sport aimeriez-vous pratiquer et pourquoi ?

4 Y a-t-il des sports que vous détestez ? Pensez-vous qu'on devrait en interdire certains ?

5 Êtes-vous bon joueur ou mauvais joueur ? Détestez-vous perdre ?

6 Quelles sont les pratiques sportives de vos compatriotes ? Quel est le sport national de votre pays ? Y a-t-il des sports typiques, folkloriques ?

7 Quelle est la place réservée au sport dans le système éducatif de votre pays ? Vous paraît-elle satisfaisante ? suffisante ?

8 Assistez-vous souvent à des rencontres sportives ? Regardez-vous des retransmissions sportives à la télévision ?

9 Que pensez-vous des problèmes de dopage, de drogue, d'argent, de tricherie dans le sport ?

10 Estimez-vous que certains sportifs professionnels soient trop payés ?

unité 9 **bien-être**

GRAMMAIRE > le but

ÉCHAUFFEMENT

1 Quelle est la fonction des mots soulignés dans les énoncés suivants ? Qu'expriment-ils ?

a | Quant aux eaux minérales, il est préférable de les varier <u>dans le but de</u> diversifier l'apport en sels minéraux.

b | <u>Le but</u> des vacances n'est plus seulement de déconnecter mais de purifier le corps de toutes les toxines.

c | Certains sont prêts à traverser des océans <u>afin que</u> le lieu de retraite soit le plus insolite et complet dans son approche thérapeutique.

d | La plupart de ces lieux ont été pensés <u>de sorte que</u> leurs hôtes puissent communier avec la nature.

e | — Alors, quels étaient <u>vos objectifs</u> en fondant cette entreprise ?
— <u>Faire en sorte de</u> proposer des vêtements modernes et esthétiques à ces personnes.

f | Pourriez-vous m'indiquer un médicament <u>qui puisse</u> me soulager ?

g | Le week-end, je cuisine pour toute la semaine <u>histoire de</u> gagner du temps.

h | Elle fait du yoga tous les matins <u>pour que</u> l'arrêt de la cigarette ne la mette pas en colère.

L'EXPRESSION DU BUT

Le but est introduit par une conjonction suivie de l'infinitif (le sujet de la principale et de la subordonnée sont similaires). Elle se place en milieu de phrase ou en tête, pour marquer l'insistance.

Pour exprime un but de sens général. On l'emploie aussi bien à l'oral qu'à l'écrit.

Afin de a la même valeur que **pour**, mais cette conjonction est utilisée essentiellement à l'écrit.

Dans le but de (a), **dans le dessein de**, **dans l'intention de** ont aussi un sens général. **Dans le but de** est utilisée essentiellement à l'oral, les suivantes à l'écrit.

De manière à, **de façon à** insistent sur la manière d'agir pour atteindre le but.

En vue de exprime l'intention, le but est plus ou moins éloigné dans le temps.

Histoire de (g) est une forme familière, pour exprimer l'idée d'un but de moindre importance.

De crainte de, **de peur de**, **pour ne pas**, **afin de ne pas** expriment des buts à éviter.

Le but est introduit par une conjonction suivie du subjonctif (le sujet de la principale et de la subordonnée doivent être différents). Elle se place en milieu de phrase ou en tête, pour marquer l'insistance.

Pour que exprime un but de sens général. On l'emploie aussi bien à l'oral qu'à l'écrit.

Afin que (c) a la même valeur que **pour que**, mais cette conjonction est utilisée essentiellement à l'écrit.

De sorte que (d), **de manière (à ce) que**, **de façon (à ce) que** insistent sur la manière d'agir pour atteindre le but.

De crainte que... (ne), **de peur que... (ne)**, **pour que... ne pas (h)**, **afin que... ne pas** expriment des buts à éviter.

Locutions adverbiales

À cette fin et **dans ce but**. Ces locutions se situent en milieu de phrase. **À cette fin** s'emploie surtout à l'écrit, **dans ce but** surtout à l'oral.

Propositions relatives + subjonctif

Après des verbes qui expriment une recherche (*chercher, y a-t-il... ?*, etc.) **(f)**

Préposition + nom (pour, en vue de)

Noms

le but **(b)**
la destinée
la fin
l'objectif **(e)**
l'objet
le projet
le propos
les visées

Verbes

avoir pour objectif de
destiner à
faire en sorte de **(e)**
faire tout pour que
atteindre un but
poursuivre / suivre un but
remplir un but
viser à

ENTRAÎNEMENT

2 Complétez les phrases.

a | Ce médecin conçoit des régimes adaptés ..... ses patients maigrissent définitivement.

b | Pouvez-vous me recommander un traitement ..... me soigne sans me fatiguer ?

c | Elle a acheté sur le marché une livre de fraises ..... les mettre dans sa tarte.

d | Je vais faire plusieurs séances de yoga ..... me détendre avant mon opération.

e | Vous devez faire un régime ..... de perdre les kilos pris pendant les fêtes.

f | Le nutritionniste teste ces nouveaux compléments alimentaires ..... ils puissent être mis en vente.

g | Je te laisse cette liste ..... tu ailles faire les courses pour le dîner.

h | Elle a fait un stage de massages ayurvédiques ..... son travail.

i | Cet entraîneur a pour ..... de les mener au championnat.

j | Ce cuisinier a créé son blog dans ..... de faire partager sa passion avec les gens.

3 Terminez les phrases en employant le mode correct.

Exemple : *Ils font une « cure détox » pour que leur corps se débarrasse des toxines.*

a | La diététicienne va te recommander des recettes afin que...

b | Nous allons manger dehors de façon à...

c | Les enfants se sont inscrits à la natation pour...

d | Lève-toi demain de bonne heure pour que...

e | Je vais t'expliquer comment fonctionne le four de sorte que...

4 Reliez les couples de phrases par une expression de but et faites les transformations nécessaires.

Exemple : *J'ai acheté un robot mixeur. / Je voudrais préparer des soupes.* → *J'ai acheté un robot mixeur afin de préparer des soupes.*

a | Elle a mis des lunettes de soleil. / Elle ne voulait pas avoir mal aux yeux.

b | Les Durand suivent des cours de cuisine. / Leurs amis n'acceptaient plus leurs invitations à dîner.

c | Au lieu de boire du champagne, il a pris un jus de tomate. / Il veut continuer à perdre du poids.

d | Il a souligné en rouge l'heure de son rendez-vous chez le docteur. / Il avait peur de l'oublier.

e | Marchez au moins trente minutes par jour. / Vos nerfs vont se relâcher.

▊POINT DE VUE

« *Le corps nouveau, celui de chacun de nos contemporains, est avant tout le corps devenu ego. Notre époque se signale par cette singularité : elle a inventé l'identification du moi et du corps. Chacun se pense ainsi : "je suis mon corps". [...] Les acharnés des sites de rencontres sur Internet, les stars du football aussi bien que les exhibitionnistes de* Secret Story *identifient leur moi avec leur corps.* »

Robert REDEKER, *Le Monde*, 18 août 2009.

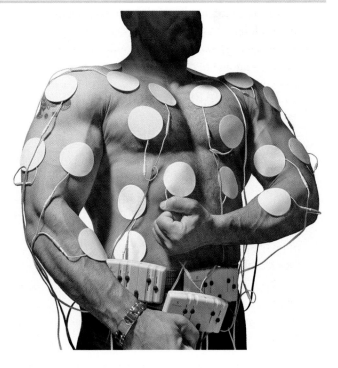

PRODUCTION ORALE

1 Reformulez cet extrait d'article avec vos propres mots.

2 Adhérez-vous à cette vision du corps ? Expliquez pourquoi.

3 Débat : d'un côté, les défenseurs de « Mon corps, mon moi ; mon moi, mon corps », de l'autre, ceux de « Mon corps n'est que l'enveloppe périssable de mon moi ».

ATELIERS

1 MON PETIT BLOG DE CUISINE

Vous allez créer un blog de recettes de cuisine.

Démarche

En groupes de trois ou quatre :

1 Préparation
• Vous choisissez une région française.
• Vous sélectionnez une recette.
• Vous rédigez la recette et vous l'illustrez de photos.
• Vous l'accompagnez de quelques commentaires de personnes qui l'ont réalisée.

2 Présentation
• Vous exposez votre projet à la classe sur Power Point ou sur papier.
• La classe vote pour la recette la plus réussie et la plus appétissante.
• Vous pourriez organiser un dîner où chaque groupe réalisera « sa recette ». Bon appétit !

En groupe classe :

3 Réalisation du blog
• Vous créez un blog grâce au site :
http://www.over-blog.com/
• Vous collectez les photos, les recettes, les commentaires et la petite histoire de la recette de chaque groupe et vous les intégrez au blog. Vous pouvez aussi réaliser votre projet sur un cahier ou un carnet et créer le livre de recettes de la classe.

Comment faire pour...

Réaliser vos recettes
• Sélectionner différentes catégories de plats : entrées, plats principaux, desserts.
• Lister les ingrédients et le matériel dont vous avez besoin.
• Détailler les différentes étapes de la préparation culinaire.

Créer le blog
Il existe de nombreux blogs de cuisine :
http://pausegourmande.canalblog.com/
http://audreycuisine.canalblog.com/

2 CONCEVOIR UN GUIDE DES ACTIVITÉS DE DÉTENTE

Vous allez réaliser le guide des activités sportives ou celui des centres de détente de votre ville (spas, hammams...).

Démarche

En groupes de deux ou trois :

1 Préparation
• Vous choisissez les sports ou les centres de détente qui vous paraissent les plus relaxants.
• Vous effectuez des recherches sur Internet, grâce à des guides spécialisés ou à l'aide de brochures...
• Vous choisissez des photos qui illustrent ces activités.
• Vous précisez en quoi ces sports ou ces activités sont relaxants.

2 Réalisation
Vous rédigez votre guide sportif ou détente.

3 Présentation
Vous présentez votre guide à la classe.

Comment faire pour...

Choisir les sports ou activités
• Choisir des sports ou des activités que vous pratiquez déjà ou que vous connaissez.
• Prendre des renseignements auprès d'autres personnes.

Préciser en quoi ces sports ou loisirs sont relaxants
Être attentif aux magazines, aux sites, aux émissions spécialisées ou aux forums qui parlent de ces loisirs ou qui les organisent.

Rédiger le guide
• Noter certaines informations essentielles : le nom des centres sportifs ou esthétiques, leurs coordonnées, leurs spécialités.
• Décrire le lieu.
• Préciser ce qu'on peut y faire et les horaires.

SALON DE LA FRANCOPHONIE

Il m'eut été fort agréable que vous fussiez en mesure de m'esquisser un semblant de tracé topographique dont je pourrais fort à propos user afin d'élaborer mon cheminement dans ce dédale byzantin.

TRADUCTEUR!

DELIGNE

LE FRANÇAIS
dans tous ses états

« *La Francophonie sera subversive et imaginative ou ne sera pas !* »
Boutros Boutros-Ghali

— Rédiger un manifeste d'auteurs écrivant en français.
— Répondre à un quiz sur les expressions imagées.
— Inventer un texte ludique à partir de mots choisis.
— Créer un fourchelangue.
— Se tester en orthographe et en grammaire.
— Écrire un message dans les trois niveaux de langue.
— Débattre sur la langue unique et la diversité des langues.
— Inventer un poème sur la langue en utilisant des hypothèses.
— Créer et jouer un dialogue théâtral à base de jeux de mots.

La langue

Il faut que le français s'affranchisse de son pacte exclusif avec l'Hexagone. Ce débat, lancé dans les pages du *Monde*, étonne des Anglo-Saxons habitués à la diversité des origines de la langue anglaise.

5 Dans la sempiternelle guerre mondiale du français contre l'anglais, un groupe d'auteurs de différentes nationalités écrivant en français a lancé une nouvelle contre-attaque : détacher la langue française de la nation française et transformer la littérature française en « *littérature monde* » de
10 langue française. Pour les gardiens jaloux de la langue de Molière, de Voltaire et de Victor Hugo, cette proposition frise la subversion. Mais les 44 signataires du manifeste publié le 15 mars dans *Le Monde* sont d'humeur rebelle. Ils affirment qu'il est grand temps pour les Français
15 de cesser de regarder de haut les écrivains francophones – nombreux dans cette situation – car ce sont ces auteurs, dont beaucoup viennent d'anciennes colonies françaises, qui peuvent relancer la littérature française.
Pour ce faire, ils soutiennent que la langue française doit
20 s'affranchir de « *son pacte exclusif* » avec la nation française. Ils citent l'exemple de la littérature britannique, enrichie par les auteurs originaires des pays du Commonwealth ou d'ailleurs […]. Reste que le moment choisi pour lancer cette nouvelle offensive n'est pas anodin. En effet, l'automne
25 dernier, au grand étonnement de l'*establishment* littéraire français, cinq des sept principaux prix littéraires nationaux ont été attribués à des auteurs étrangers. Le prestigieux Goncourt est revenu aux *Bienveillantes* du New-Yorkais

---

COMPRÉHENSION ÉCRITE

Entrée en matière

1 Lisez le titre. Quel est le sujet du texte et quelle problématique soulève-t-il ?
2 Si on vous dit « francophonie », à quoi pensez-vous ?

1ʳᵉ lecture

3 Quelle action a été menée par un groupe d'auteurs francophones ?
4 Que revendique ce groupe d'écrivains ?

2ᵉ lecture

5 Qu'est-il reproché à la littérature française et, plus généralement, aux Français ?
6 Comment comprenez-vous l'expression « littérature monde » de langue française ?

Vocabulaire

7 Cherchez dans le texte un équivalent de :
a | la révolution
b | se libérer
c | sans importance
d | la dominance
e | l'arrogance
8 Reformulez les expressions suivantes en vous aidant du texte et réutilisez-les dans une phrase de votre choix :
a | les grandes plumes
b | son obsession nombriliste
c | perd du terrain

française n'appartient pas à la France !

Jonathan Littell, qui a également reçu le prix de l'Académie
30 française. Parmi les autres lauréats se trouvaient le Congo-
lais Alain Mabanckou, la Canadienne Nancy Houston et
la Camerounaise Léonora Miano. Cette cuvée francophone 2006 a été le catalyseur du manifeste en faveur d'une
« littérature monde ». Certaines grandes plumes comme
35 Jean Rouaud, Érik Orsenna et Le Clézio ont également
signé le manifeste. En soutenant la fiction francophone,
ils reconnaissent implicitement que la littérature française,
depuis le nouveau roman d'après guerre, s'est coupée du
reste du monde avec son obsession nombriliste privilé-
40 giant le texte sur le récit.

« Quand elle sort de ses frontières, la littérature française
s'effondre parce qu'elle n'est lue qu'en bord de Seine »,
explique Alain Mabanckou, lauréat du prix Renaudot pour
Mémoires de porc-épic et professeur de littérature fran-
45 çaise à l'université de Californie à Los Angeles. Cet isolement littéraire a alimenté le sentiment général que l'écriture francophone, plus colorée, des régions exotiques était
en quelque sorte inférieure à la fiction, plus intellectuelle,
produite en métropole. « Mes romans, écrits en français et
50 publiés chez Gallimard, sont souvent placés dans les rayons
littérature vietnamienne des librairies », se plaint Anna
Moï, auteure d'origine vietnamienne et signataire du
manifeste des 44 avec Alain Mabanckou et le Djiboutien
Abdourahman Waberi.
55 Pour ces auteurs militants, la prochaine étape serait de
supprimer purement et simplement la catégorie « auteurs
francophones ». Hors des frontières de la francophonie,
ce débat pourrait paraître étrange, mais, ici, c'est une affaire sérieuse car peu de peuples s'identifient autant à leur
60 langue que les Français. Ils observent comment on l'écrit,
comment on la parle ; ils la considèrent comme l'expression de l'influence française et sont évidemment peinés de
voir l'anglais devenir la nouvelle lingua franca*. L'Organisation internationale de la francophonie (OIF), une sorte
65 de club postcolonial, a été fondée comme un instrument
de résistance à l'hégémonie anglaise. Et, tout en servant
ponctuellement les intérêts économiques et politiques de
la France, cette organisation défend également l'usage du
français aux Nations unies, où, là aussi, l'anglais prédomi-
70 ne. Le problème est que, même dans certaines anciennes
colonies comme le Vietnam, le Cambodge, le Congo ou le
Tchad, le français perd du terrain face aux langues loca-
les et à l'anglais. Abdou Diouf, secrétaire général de l'OIF,
met cela sur le compte du manque d'intérêt des Français,
75 comme en atteste la condescendance avec laquelle ils trai-
tent la littérature francophone. […]
C'est pourtant, à bien des égards, une drôle de guerre car
la « littérature monde » ne diffuse pas moins la langue
française dans le monde que les œuvres de Balzac, de Zola
80 ou de Duras. […]

Alan RIDING, *International Herald Tribune*,
dans *Courrier international*, n° 857, 5 avril 2007.

* *Langue de communication utilisée par des populations différentes.*

unité **10** le français

PRODUCTION ORALE

9 Pensez-vous que la francophonie ait un avenir
dans un monde de plus en plus globalisé ?

10 Dans le texte, trois prix littéraires sont
nommés. Lesquels ? En connaissez-vous d'autres ?
Faites des recherches pour savoir quel prix
correspond à quel genre de littérature. Trouvez des
auteurs non-français parmi les lauréats.

PRODUCTION ÉCRITE

11 Vous créez un groupe d'auteurs de différentes
nationalités écrivant en français.
Rédigez un manifeste dans lequel vous exposez
vos revendications pour faire mieux connaître vos
œuvres en France.

VOCABULAIRE > les expressions imagées

ANIMAUX

courir deux/plusieurs lièvres à la fois
être comme un coq en pâte
être serré(e)s comme des sardines
ménager la chèvre et le chou
quand les poules auront des dents
Revenons à nos moutons !
un panier de crabes

1 Trouvez dans la liste ci-dessus les expressions qui correspondent à ces définitions :
a | Mener une existence agréable, de bon vivant
b | Une équipe de travail qui cherche à se nuire mutuellement
c | Jamais
d | Ne pas prendre parti
e | Reprendre le sujet principal
f | Avoir beaucoup d'activités en même temps
g | Être trop nombreux dans un espace clos

FRUITS ET LÉGUMES

avoir un cœur d'artichaut
C'est la cerise sur le gâteau.
C'est la fin des haricots. *(fam.)*
ramener sa fraise
être une bonne poire *(fam.)*
raconter des salades

ALIMENTS DE BASE

avoir du pain sur la planche
C'est fort de café. *(fam.)*
cracher dans la soupe *(fam.)*
La moutarde lui monte au nez. *(fam.)*
mettre de l'eau dans son vin
mettre du beurre dans les épinards
mettre son grain de sel
prendre de la bouteille *(fam.)*
se noyer dans un verre d'eau
tourner au vinaigre
vouloir le beurre et l'argent du beurre

2 Par deux, choisissez une expression « fruits et légumes » et une expression « aliments de base ». Dessinez-les, puis à tour de rôle, montrez-les à la classe. Le groupe identifie l'expression et en explique le sens.

SPIRITUALITÉ

être aux anges
ne connaître ni d'ève ni d'adam
On lui donnerait le bon Dieu sans confession.
tirer le diable par la queue

VIE DOMESTIQUE

donner du fil à retordre
mener une vie de bâton de chaise *(fam.)*
ne pas quitter quelqu'un d'une semelle
passer un savon *(fam.)*
porter la culotte *(fam.)*
remettre les pendules à l'heure

3 Associez ces expressions à leur équivalent :
a | Donner du fil à retordre
b | Porter la culotte
c | Remettre les pendules à l'heure
d | Ne pas quitter quelqu'un d'une semelle

1 | Prendre les décisions
2 | Rétablir la vérité
3 | Causer du souci à quelqu'un
4 | Suivre quelqu'un de près

ÉLÉMENTS NATURELS

battre le fer quand il est chaud
Ce n'est pas une lumière. *(fam.)*
faire la pluie et le beau temps
C'est la goutte d'eau qui fait
    déborder le vase.
jeter un pavé dans la mare
ne pas être né(e) de la dernière pluie
ne pas avoir inventé l'eau chaude
scier la branche sur laquelle on est
    assis
se reposer sur ses lauriers

COMMUNICATION

être au bout du rouleau
boire les paroles de quelqu'un
faire couler beaucoup d'encre
passer comme une lettre à la poste
    (fam.)
perdre son latin
prendre quelque chose au pied
    de la lettre

TEMPS

chercher midi à quatorze heures
s'en moquer comme de l'an quarante

5 Dans les listes « Communication » et « Temps », trouvez les expressions que l'on pourrait utiliser dans les situations suivantes en faisant les changements nécessaires :
a | Tes petits problèmes ne m'intéressent pas, je ..... .
b | Il ne comprend jamais rien à mes plaisanteries, il ..... tout ..... .
c | J'ai trop travaillé, je ..... . Je vais prendre des vacances.
d | L'article sur la mort de la culture française dans un quotidien américain ..... dans les milieux culturels français.
e | Ne ..... pas ..... ! Cet exercice est extrêmement simple.

LITTÉRATURE

être dans les bras de morphée
être d'un calme olympien
se comporter comme des moutons
    de panurge
se croire sorti de la cuisse de Jupiter
    (fam.)

4 Associez les illustrations aux expressions correspondantes (liste « Éléments naturels »). Puis expliquez-en le sens figuré.

a

c

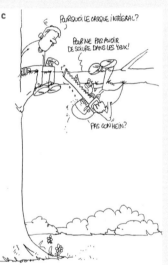

b

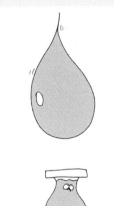

d

6 Mini-quiz : Êtes-vous le champion des expressions imagées ?
a | « Être dans les bras de Morphée » signifie :
• Être dans les bras de son amoureux (-euse)
• Dormir
• Subir une anesthésie
b | « Se croire sorti de la cuisse de Jupiter » signifie :
• Se croire un bon athlète
• Se prendre pour quelqu'un de très important
• Se croire indispensable
c | « Tirer le diable par la queue » signifie :
• Avoir des difficultés à subvenir à ses besoins
• S'attirer des ennuis
• Éprouver du désir
d | « Se reposer sur ses lauriers » signifie :
• Être un poète reconnu
• Se contenter d'un premier succès
• Se reposer sur une plage grecque

18 MARS 2009 FÊTEZ LA LANGUE FRANÇAISE

© Aude PERRIER

Avec plus de 803 millions de personnes ayant le français en partage et 200 millions de locuteurs, la langue française contribue au rayonnement de notre pays à l'international. La Délégation générale à la lan-
5 gue française et aux langues de France (ministère de la Culture et de la Communication) invite tout un chacun à célébrer notre langue en participant à la *Semaine de la langue française*.

Du 16 au 23 mars 2009, la *Semaine de la langue fran-
10 çaise* a eu pour thème « Des mots pour demain ». À cette occasion, des projets et manifestations se sont organisés en France et dans différents pays francophones.

« Dix mots » ont été mis à l'honneur qui reflètent la capacité de la langue française à s'adapter aux réalités
15 du monde de demain :

Ailleurs – Capteur – Clair de terre – Clic – Compatible –
Désirer – Génome – Pérenne – Transformer – Vision
Véritables indicateurs de modernité, ils invitaient à dire ou à imaginer l'avenir en français, à exprimer les enjeux
20 et les préoccupations d'avenir de nos contemporains.

www.dglf.culture.gouv.fr

En quoi le français est-il aujourd'hui, pour vous, plus qu'un moyen de communication ?

Pensez-vous que la pratique étendue du français à travers le monde participe d'autant plus au rayonnement de notre pays ? Quel regard portez-vous sur son évolution ? Quels sont les signes qui témoignent de son évolution ?

Quelle reconnaissance a-t-on de notre langue sur la scène internationale ? Comment en valoriser l'usage ?

Donnez votre avis.

COMPRÉHENSION ÉCRITE

Entrée en matière

1 Observez l'affiche. À quelle occasion a-t-on pu la voir ?

2 Qui sont les instigateurs de cette manifestation et quel en est le but ?

Lecture

3 Répondez oralement aux questions posées sous le document.

Vocabulaire

4 Associez ces définitions aux dix mots mis à l'honneur en 2009.

a | (interj., 1473) Mot qui imite un claquement sec ; pression du doigt sur la souris d'un ordinateur.

b | (adj., 1588, du latin) Qui dure longtemps.

c | (n.m., 1960) Dispositif pour convertir une grandeur physique en une autre grandeur physique.

d | (n.m., 1930, de l'allemand) Ensemble des gènes d'un organisme, présent dans chacune de ses cellules.

e | (adv., XIIIe s., du latin) Dans un autre lieu, autre part.

f | (v., 1295, du latin) Faire passer d'un aspect à l'autre.

g | (adj., n.m., adv., fin XIe s., du latin) Clarté que la Terre envoie dans l'espace (visible, p. ex., de la Lune).

h | (v., fin XIe s., du latin) Tendre consciemment vers quelque chose.

i | (n.f., XIIIe s., du latin) Perception du monde extérieur par les organes de la vue ; façon de concevoir un ensemble complexe.

j | (adj., n.m., 1396, du latin) Qui peut s'accorder avec autre chose.

PRODUCTION ÉCRITE

5 À la manière du concours, par trois, écrivez un petit texte en utilisant un maximum de ces dix mots. Votez pour le texte le plus créatif.

Exemple :

Elle était belle, elle s'appelait Pérenne.

Elle était tailleur rue du Clic, rêvait d'ailleurs, de manteaux de vision, d'un clair de Terre tout simple.

Sa rencontre avec Désiré l'avait complètement transformée :
— « Votre génome, je présume ? »

Le capteur clignota immédiatement. Couleur verte.
Ils étaient compatibles.

Pierre TAILLEFER, le 29-04-2009
Source : www.semainelf.culture.fr

■ MONSIEUR DICTIONNAIRE

COMPRÉHENSION AUDIOVISUELLE

CHATTER

1ᵉʳ visionnage sans le son (jusqu'à l'apparition de l'écriteau)

1 Identifiez le lieu et le costume de monsieur Dictionnaire.

2 Pourquoi, à votre avis, monsieur Dictionnaire dort-il ?

2ᵉ visionnage avec le son

3 Quelle est l'origine du mot « chatter » ?

4 Par qui ce mot a-t-il été rebaptisé ? Quel est-il ? Pourquoi ?

5 Citez les deux autres mots que l'on pourrait utiliser à la place des termes anglais.

GRAISSER LA PATTE

1ᵉʳ visionnage sans le son (jusqu'à l'apparition de l'écriteau)

1 Que signifie selon vous l'expression du jour ?

2ᵉ visionnage avec le son

2 De quand date cette expression et qui en est à l'origine ?

3 Que faisait-on concrètement et pourquoi ?

3ᵉ visionnage avec le son (jusqu'à « s'il vous plaît bien »)

4 Relevez les trois expressions synonymes de « graisser la patte ».

3ᵉ visionnage avec le son (jusqu'à la fin)

5 Trouvez les trois mots correspondants à ces définitions :

a | place devant une église

b | langue familière

c | abondamment, largement

■ FOURCHELANGUE : JEU DE DICTION

Voici dix fourchelangues (ou casse-langue ou virelangues), c'est-à-dire des phrases difficiles à prononcer.

Mettez-vous en rond dans la classe et à tour de rôle, lisez chacune de ces phrases. Celui qui arrive à les prononcer correctement et le plus vite possible aura gagné ! Amusez-vous bien !

1 Sachez soigner ces six chatons si soyeux.

2 Je veux et j'exige d'exquises excuses.

3 Agathe attaque Tac, Tac attaque Agathe.

4 La reine Didon dîna, dit-on, d'un dodu dindon.

5 Fruit frais, fruit frit, fruit cuit, fruit cru.

6 Zazi zézaie, Zizi zozote.

7 Je dis que tu l'as dit à Didi ce que j'ai dit jeudi à Gigi.

8 « Ton thé t'a-t-il ôté ta toux ? », dit la tortue au tatou.

9 Suis-je chez ce cher Serge chauve et son chat Sacha ?

10 — Combien sont ces six saucissons-ci ?
— Ces six saucissons-ci sont six sous.
— Si ces six saucissons-ci sont six sous, c'est cher.

PRODUCTION ÉCRITE

À votre tour, écrivez un fourchelangue. Par deux, réfléchissez aux difficultés phonétiques que vous rencontrez et créez votre fourchelangue en conséquence. Écrivez-le au tableau et faites-le lire aux autres étudiants de la classe.

unité 10 **le français**

VOCABULAIRE/GRAMMAIRE >
les mots de liaison

INTRODUCTION

avant tout
d'abord
en premier lieu
premièrement
tout d'abord

CADRER

à ce propos
à ce sujet
dans ce cas
dans le cadre de
du point de vue de
en ce domaine
quant à

GÉNÉRALISER

d'une façon générale
en général
en règle générale
globalement

AJOUTER

après
autre aspect de
d'une part… d'autre part
de plus
en outre
en plus
enfin
ensuite
par ailleurs
puis

**EXPRIMER
UNE ALTERNATIVE**

d'un côté… de l'autre…
ou… ou…
ou bien… ou bien…
soit… soit…

JUSTIFIER

ainsi
ça confirme que

ça montre que
ça prouve que
d'ailleurs
justement
la preuve (c'est que)
par exemple

OPPOSITION

cependant
d'un autre côté
en revanche
mais
néanmoins
or
par contre
pourtant
quand même
tout de même
toutefois

PRÉCISER

à vrai dire

autrement dit
en d'autres termes
en fait
en réalité
en un mot

CONCLUSION

après réflexion
après tout
cela dit
cela étant
de toute façon
(en) bref
en conclusion
en définitive
en fin de compte
en résumé
en somme
en tout cas
finalement
quoi qu'il en soit
somme toute

ACTIVITÉS

1 Complétez les phrases avec le mot de liaison correct. Puis faites une phrase avec les mots non utilisés.

a | Je ne voulais pas aller au Québec mais ..... j'y suis allé parce qu'on y parle français. (finalement/enfin/en somme)

b | Pascal déteste Anna, ... il ne lui dit jamais bonjour. (justement/d'ailleurs/par ailleurs)

c | Elle croyait qu'il ne parlait pas français. ..., il était seulement timide. (en fait/en effet/en outre)

d | Ah, vous voilà ! ... je pensais à vous. (en tout cas/justement/tout de même)

e | Tu parles encore anglais ? ... tu m'avais dit que tu ne parlerais plus qu'en français ou en allemand. (or/par contre/pourtant)

2 Complétez le texte à l'aide des mots suivants :

ainsi – cela étant – cela prouve que – cependant – d'une part…d'autre part – en ce domaine – en effet – en règle générale – en un mot – par ailleurs

On assiste actuellement à un regain spectaculaire des études supérieures de français dans de prestigieuses universités américaines. ..... plusieurs centaines d'étudiants s'inscrivent dans des cursus littéraires centrés sur les grands classiques français. ....., on relit Montaigne, Racine, Molière, Voltaire, Diderot et Rousseau. ....., il est de très

bon ton de montrer un savoir-vivre à la française dans certains milieux. Les raisons de ce succès : ....., une envie de se démarquer face à l'uniformisation et la robotisation, ..., échapper au nivellement des connaissances par le bas.

Car, ..., la langue française véhicule des valeurs qui ont à nouveau une importance capitale : l'humain et l'individu.

....., le français est à nouveau dans la lumière.

....., il n'a pas encore la place qu'il mérite puisqu'..... la pression de l'économie reste importante.

....., nous nous réjouissons de cette nouvelle tendance. ..... il ne faut jamais baisser les bras.

3 Complétez les phrases suivantes.

a | Tu n'aimes pas beaucoup la grammaire, en revanche…

b | Guillemette a l'air désappointée face à la prédominance de l'anglais. Toutefois…

c | On pensait les grands classiques oubliés, en fin de compte…

d | L'œuvre de Jean-Jacques Rousseau n'est plus très lue actuellement. Néanmoins…

e | Le gouvernement contourne les lois Toubon relatives à la protection de la langue française. Autrement dit…

f | En 2004, il y avait 420 000 étudiants dans les alliances françaises. Ça confirme que…

Francisation : tu ne diras point « hacker » mais « fouineur »

Tu ne diras point « spamming » mais « arrosage », « hacker » mais « fouineur », « hotline » mais « numéro d'urgence », « cracker » mais « pirate », « bombing » mais « bombardement », « worm » mais « ver », « flame »
5 mais « message incendiaire »…

Inquiet pour l'avenir de la langue française, le ministère de la Culture mène inlassablement le combat. Le français sera moderne et indépendant !

C'est pourquoi, deux fois par an, la Délégation générale
10 à la langue française et aux langues de France (DGLF) édite son guide « Vous pouvez le dire en français ».

À l'intérieur, une liste de termes, publiés au Journal officiel, qui « *doivent être obligatoirement employés par les services de l'État* », peut-on lire en introduction.

15 Cette année, la DGLF s'intéresse au jargon informatique car « *l'informatique est sans doute la source la plus importante de l'emploi d'anglicismes en français* » et il ne faut pas « *laisser s'installer une situation de fracture numérique* » car « *n'oublions pas : l'égalité des droits et des chances passe*
20 *aussi par la langue* ».

"LE LEARNING D'AUJOURD'HUI PORTERA SUR UN STUDY-POINT À PRIORISER DANS VOTRE PROFESSIONAL-BUSINESS : LE HASH-AND-MIX ! EN FRANÇAIS : LE PÂTÉ."

Mais à l'Université d'été des jeunes UMP à Seignosse (Landes), Frédéric Mitterrand, ministre de la Culture et de la Communication, a mis en porte-à-faux ses propres services.

Dans une sorte de *one-man show*, ou plutôt de « spec-
25 tacle solo », il a demandé d'« *arrêter avec cet anti-américanisme ridicule* » et a ajouté « *ce n'est pas parce qu'on mange des Big Mac ou que l'on porte des jeans qu'on ne peut pas lire Paul Valéry* ».

Marie d'Ornellas, http://eco.rue89.com,
10 septembre 2009.

COMPRÉHENSION ÉCRITE

Entrée en matière
1 Connaissez-vous des mots français qui remplacent des mots anglais dans l'usage courant ?
1re lecture
2 Pourquoi la DGLF a-t-elle été créée et dans quel but ?
2e lecture
3 D'après le texte, quel secteur est particulièrement touché par les anglicismes ?

4 En quoi le discours du ministre de la Culture est-il paradoxal ?

Vocabulaire
5 Cherchez dans le texte un équivalent de :
a | le langage professionnel
b | une cassure
c | dans une situation ambiguë

■ JEU : POUVEZ-VOUS LE DIRE EN FRANÇAIS ?

Mettez-vous par trois et remplacez les mots en gras du texte par les mots français de la liste. Le groupe qui gagne est celui qui a trouvé le plus de termes le plus rapidement possible.

l'équipage - la navette - le vol sans escale - la boutique hors taxes - la compagnie à bas prix - le complexe touristique – l'avant-première - à une heure de grande écoute - la distribution - les vedettes invitées - le lecteur de CD portable - le cédérom - les tubes – génial – l'équipe - le voyagiste

Françoise et Mathieu sont luxembourgeois mais vivent à New York. Cette année, ils sont allés au Festival de Cannes. Françoise raconte leur fabuleux voyage et leur arrivée à la Croisette.

« Au mois de mai, nous avons pris l'avion pour la France, où nous avons passé un merveilleux séjour. À l'aéroport, nous nous sommes rendus au **duty free shop**. Puis nous sommes rentrés dans la cabine de l'avion où nous avons salué la **crew** car nous voyageons toujours en vol de lignes et jamais avec des **low-cost**. Nous avons fait un **non-stop-flight** jusqu'à Nice. Mathieu a regardé ses **CD-Rom** et j'ai écouté les **hits** de Corinne Hermès sur mon **discman**. Nous avons organisé notre voyage sans **tour-operator**, c'est pourquoi, quand nous sommes arrivés à Nice, nous avons dû prendre le **shuttle** pour aller à Cannes. Une fois dans la ville, nous avons rejoint notre **resort**. Le premier soir, nous avons vu le dernier film d'Ozon. Quel **casting** ! Nous étions invités à la **preview**. Les **guests-stars** étaient Isabelle Huppert et Fanny Ardant. Une **team** de télévision était présente car le film passera sur le petit écran en **prime time** l'année prochaine. Et nous, nous avons été choisis pour le prochain film de John Waters *The French Kiss*. C'était vraiment super **hype** ! »

Vous reprendrez bien une tranche de grammaire?

ALORS QUE NICOLAS SARKOZY MASSACRE LA LANGUE FRANÇAISE, UN CORRECTEUR ET UNE JOURNALISTE CONSACRENT UN SUCCULENT OUVRAGE AUX QUERELLES ET MYSTÈRES GRAMMATICAUX.

Il était une fois la langue française, respectable et respectée au sommet de l'État. C'était avant Nicolas Sarkozy qui, lui, la massacre avec une présidentielle insouciance. Un récent article du *Parisien* s'en inquiétait, tout en res-
5 tituant quelques perles du verbe sarkozien. À propos des études accomplies par les élites: « *On se demande c'est à quoi ça leur a servi…* » Ou à propos du bouclier fiscal: « *Si y en a que ça les démange d'augmenter les impôts…* » Comme Bélise dans *Les Femmes savantes*, on a envie de lui
10 demander: « *Veux-tu toute ta vie offenser la grammaire?* »

L'amour de la grammaire, Nicolas Sarkozy pourrait l'apprendre grâce au succulent livre que lui consacrent Olivier Houdart et Sylvie Prioul. L'un est correcteur au Monde.fr, l'autre est journaliste au *Nouvel Observateur*.
15 Ensemble, ils ont écrit *La grammaire, c'est pas de la tarte!* qui fait beaucoup pour la réhabilitation de cette maîtresse réputée autoritaire et aussi agréable que l'huile de ricin.

Guerre pour un accord. Cette mauvaise réputation masque une réalité: pour un participe, on se dispute; pour
20 un accord, on serait prêt à partir en guerre. La grammaire ne cesse de susciter des débats passionnés comme en témoigne le blog dont Olivier Houdart est l'un des excellents rédacteurs, Langue sauce piquante.

Pour qui aurait raté le début du grand feuilleton de la
25 langue française, le livre d'Olivier Houdart et de Sylvie Prioul en rappelle les lignes essentielles. On assiste à la naissance des pronoms de conjugaison qui se généralisent à partir du XIVe siècle. On voit s'imposer peu à peu l'ordre sujet-verbe-complément. On suit les tentatives de sou-
30 mettre la langue à l'autorité de l'État (fondation de l'Académie française par Richelieu en 1637) ou du bon goût (*Remarques sur la langue française* de Vaugelas en 1647).

Au passage, on aura aussi appris que la prédominance du masculin sur le féminin dans l'accord des adjectifs qualifiant
35 plusieurs noms – phénomène dans lequel on distingue volontiers l'expression d'une domination patriarcale – n'était pas de mise jusqu'au XVIe siècle. L'accord se faisait avec le genre du dernier substantif. Et l'on pouvait alors écrire:

« *Portant à leurs bras et à leurs mains innocentes…* »
40 (Théodore Agrippa d'Aubigné).

Questions épineuses. Si la grammaire est aujourd'hui un foyer de passions vives, c'est évidemment parce qu'on y projette des incertitudes et des inquiétudes sociétales. Tout en démêlant les accords du participe passé (« *une des*
45 *croix de notre orthographe* », disait le grammairien belge Maurice Grevisse), la question épineuse des genres comme celle de l'écart entre les langues écrite et parlée, Olivier Houdart et Sylvie Prioul ont aussi le mérite de poser d'excellentes questions.

50 D'où vient la propension actuelle à multiplier l'usage des majuscules? Pourquoi le futur est-il de plus en plus boudé dans l'expression orale (au profit de périphrases avec le verbe « aller »)? Comment expliquer que la féminisation des noms de profession soit plus facile au bas de l'échelle
55 sociale qu'à son sommet? « *Dès qu'il s'est agi de monter en grade*, notent Olivier Houdart et Sylvie Prioul, *on a senti des tiraillements, avec des résistances, des avancées, des retours en arrière.* » Il en va d'ailleurs de même pour les horribles formes « bigenre »: les salarié-es sont innombrables, mais
60 personne ne songe à imposer les patron-nes.

Ainsi se révèle la grammaire dans ce livre, curieuse, mouvante, vivante, disputée et, de toutes les manières, infiniment plus aimable qu'on ne l'imagine en écoutant Nicolas Sarkozy.

Michel AUDETAT, www.hebdo.ch, 2 avril 2009.

COMPRÉHENSION ÉCRITE

Entrée en matière

1 Observez le dessin, lisez le titre: de quoi va-t-on parler?

2 Quel est le rapprochement que l'on pourrait faire entre grammaire et gastronomie?

1re lecture

3 Quel est le sujet principal du texte?

4 Quelle est la réputation de la grammaire française?

5 De qui se moque-t-on dans le texte et pourquoi?

2e lecture

6 Relevez quelques étapes qui ont marqué l'évolution de la langue française.

7 Quels sont les points de grammaire qui suscitent éternellement des difficultés?

8 En quoi la grammaire reflète-t-elle les évolutions de la société? Justifiez votre réponse par un exemple du texte.

Vocabulaire

9 Relevez les termes se référant à la gastronomie.

10 Associez les mots à leur définition.

a | des perles

b | le substantif

c | l'orthographe

d | le genre

e | un écart

f | des périphrases

1 | fait de discours qui s'éloigne de la norme

2 | catégorie qui indique le sexe des mots

3 | graphie d'un mot considérée comme la seule correcte

4 | erreurs langagières grossières et ridicules

5 | groupes de mots utilisés à la place d'un seul mot

6 | unité du lexique qui correspond à un nom

PRODUCTION ORALE

11 Quel est votre rapport à la grammaire ? Aimez-vous réfléchir aux difficultés grammaticales et orthographiques ? Ou pensez-vous, au contraire, que cela soit sans grande importance ?

12 Dans votre pays, l'écart entre l'écrit et l'oral est-il aussi important qu'en français ? Donnez des exemples pour étayer votre propos.

■ QUIZ : *ÊTES-VOUS CHAMPION(NE) D'ORTHOGRAPHE ET DE GRAMMAIRE FRANÇAISES ?*

Trouvez la bonne réponse parmi les trois proposées. Sans dictionnaire, bien entendu !

1 Comment s'écrit le mot suivant ?

a | rationalité   **b** | racionalité   **c** | rationnalité

2 Quelle est la forme correcte du verbe suivant ?

a | tu apelleras

b | tu appeleras

c | tu appelleras

3 Choisissez le bon accord pour la phrase suivante :

a | Ces histoires, je les ai entendu raconter mille fois déjà.

b | Ces histoires, je les ai entendus raconter mille fois déjà.

c | Ces histoires, je les ai entendues raconter mille fois déjà.

4 Quel est le pluriel du mot « après-midi » ?

a | des après-midis

b | des après midis

c | des après-midi

5 Quelle est la forme correcte de l'imparfait ?

a | nous étudiions

b | nous étudions

c | nous étudiyons

6 « J'ai le sentiment que... » Quelle est la suite de cette phrase ?

a | « ...ce test est difficile. »

b | « ...ce test soit difficile. »

c | « ...ce test serait difficile. »

7 Quel est le féminin de l'adjectif « enchanteur » ?

a | enchanteuse

b | enchantrice

c | enchanteresse

8 « La plupart des fautes d'orthographe ..... les accords. » Quelle est la forme correcte du verbe ?

a | concerne

b | concernant

c | concernent

9 Comment se nomme ce signe en forme d'étoile : * ?

a | un astérisque

b | un astérixe

c | un astériscque

10 Ces oiseaux font de drôles de bruits. Quelle est la seule bonne proposition ?

a | L'alouette zinzinule.

b | La mésange grisolle.

c | Le corbeau croasse.

11 Quel est l'ordre correct de la question suivante ?

a | Les cheveux, ne les t'es-tu pas arrachés pour cet exercice ?

b | Les cheveux, ne te les es-tu pas arrachés pour cet exercice ?

c | Les cheveux, te ne les es-tu pas arrachés pour cet exercice ?

VOCABULAIRE/GRAMMAIRE >
les niveaux de langue

	Niveau familier	Niveau courant / standard	Niveau soutenu
Lexique	vocabulaire de la vie quotidienne ; termes familiers, parfois argotiques, voire vulgaires Ex. : *une baraque*	vocabulaire usuel ; absence de termes recherchés ou spécialisés Ex. : *une maison*	vocabulaire riche, recherché, voire rare Ex. : *une demeure*
Syntaxe	ruptures de construction, répétitions, ellipses, suppression du « ne » dans la négation, abréviations Ex. : *Tu t'en vas ?*	les règles de grammaire sont respectées ; utilisation des temps courants de l'indicatif, du conditionnel et du subjonctif Ex. : *Est-ce que tu t'en vas ?*	les phrases sont complexes, métaphoriques ; la concordance des temps est respectée ; emploi de temps rares (passé simple, passé antérieur…) Ex. : *T'en vas-tu ?*
Situation	milieu populaire, entre amis ou en famille, jeu sur le langage (utilisation de proverbes) Ex. : *Tchin-tchin !*	échange neutre dans les situations quotidiennes ou dans les relations professionnelles Ex. : *Santé !*	milieu socioculturel élevé, marque de déférence (âge, qualité) Ex. : *Portons un toast !*
Type d'expression	oral	oral et écrit	écrit (et oral)
Type de support	Ex. : *texto*	Ex. : *lettre*	Ex. : *discours*

ACTIVITÉS

1 Dans ces listes de mots, trouvez l'intrus et justifiez.

a | enfant, mioche, gosse, môme

b | bavasser, converser, jacasser, jacter

c | être pété, être bourré, être gris, être paf

d | se dépêcher, se presser, se hâter, se grouiller

2 Dans ces listes de phrases, trouvez l'intrus et justifiez.

a | Puisse-t-il m'entendre ! / Pourvu qu'il m'entende ! / Il m'entend, ou quoi !

b | Ces peintures sont très belles ! / Ce sont de très belles peintures ! / Ces peintures sont-elles sublimes !

c | Il a piqué le dico à son copain. / Il a chouravé le bouquin à son pote. / Il a dérobé l'ouvrage de son camarade.

d | On a pas été se promener. / On n'est pas allés se promener. / Nous ne sommes pas allés nous promener.

🔘 cd 37 **3 Vous allez entendre six séries de trois phrases. Indiquez, pour chacune d'elles, son niveau de langue.**

Exemple : *Il pleut beaucoup.* (standard) / *Ça flotte un max.* (familier) / *Il pleut à verse.* (soutenu)

4 Lisez et observez ces phrases. Identifiez le niveau de langue et justifiez votre réponse en vous aidant du tableau (partie syntaxe).

Exemple : *Chacun son tour.* Niveau familier. C'est une ellipse car on devrait dire « Chacun doit agir à son tour ».

a | J'aurais souhaité qu'elle n'en sût rien.

b | J'ai lu des belles histoires.

c | Est-ce que tu penses qu'il viendra ?

d | Penses-tu qu'il vienne ?

e | Bernard-Henri et Arielle ne sont plus SDF.

f | Aussitôt qu'elle eut aperçu le loup, elle lui ouvrit la porte.

PRODUCTION ÉCRITE

5 Vous avez réussi votre examen supérieur de français. Vous écrivez trois messages de quelques lignes pour annoncer la bonne nouvelle. Le premier message est adressé à votre famille, le deuxième à vos collègues et le troisième à votre ancien professeur d'université. Attention : choisissez votre niveau de langue en fonction de votre destinataire.

Texte 1 : *Salut à tous,* …

Texte 2 : *Bonjour,* …

Texte 3 : *Cher Monsieur,* …

COMBAT POUR LE FRANÇAIS

À quoi servent les langues ?

Les sociétés humaines les utilisent, notamment, pour communiquer. Les uns jugeront que cette finalité des langues épuise leur définition. Elles ne seraient donc que
5 des instruments. Dans cette perspective, si une langue, à un certain moment de son histoire, n'est plus adaptée au service qu'on en attend, on peut, sans état d'âme, lui en substituer une différente qui paraît plus adéquate en tant qu'outil. Les autres, au contraire, considèrent que chaque
10 langue est le reflet de l'identité profonde d'une communauté. Il s'y investirait donc des valeurs symboliques essentielles : mode d'expression d'une certaine culture, elle est nourrie par tout ce que le passé y a construit de traces, et ainsi équipée pour affronter les incertitudes de l'avenir.
15 Ces deux conceptions des langues humaines induisent deux attitudes distinctes face à la situation contemporaine. […]

Ceux pour qui les langues ressemblent, en quelque mesure, aux espèces vivantes de la nature sont en droit
20 de penser que l'état linguistique du monde d'aujourd'hui, où l'anglais occupe une position dominante et peut-être en voie de le devenir davantage encore, offre au regard un stade ultime de l'Histoire […], illustrant, par là, une loi de l'évolution naturelle. […] Mais pour d'autres, la diver-
25 sité des langues […] apparaîtrait plutôt comme première : chaque langue est par nature le miroir d'un peuple et de ses représentations.

Dès lors, la domination d'une seule langue, loin d'être une promesse, est une menace. Une prise de conscience
30 de cette situation peut aider à ouvrir des pistes d'action et à maîtriser le mécanisme qui s'est résolument mis en marche. En Europe et dans le reste du monde, le cheminement vers une extension régulière du domaine de l'anglais au détriment des autres langues semble être un processus
35 difficile à inverser. Pourtant, l'initiative humaine devrait être capable de contenir cette progression, à condition de lui opposer une énergie et une force suffisante.

Claude HAGÈGE, *Combat pour le français.*
Au nom de la diversité des langues et des cultures, 2006.

COMPRÉHENSION ÉCRITE

Entrée en matière

1 Le texte s'ouvre sur la question : « *À quoi servent les langues ?* » Qu'y répondriez-vous ?

1ʳᵉ lecture

2 Dans le premier paragraphe, quelles sont les deux conceptions antagonistes de la langue ?

3 Quel est, selon l'auteur, le danger pour la diversité des langues ?

2ᵉ lecture

4 Quelles sont les deux attitudes possibles face à la prédominance de l'anglais aujourd'hui ?

Vocabulaire

5 Cherchez, dans le texte, les phrases qui expriment ces idées :

a | Selon certains, la langue c'est la communication et rien d'autre.

b | La langue se chargerait d'exprimer le fondamental culturel d'une société.

c | De nos jours, on assiste à l'aboutissement d'une évolution historique.

d | La propagation de l'anglais met en danger l'existence des autres idiomes.

e | L'intervention de l'homme pourrait limiter l'avancée de l'anglais.

PRODUCTION ORALE

6 Débat : Langue unique ou diversité des langues ? Formez deux groupes distincts : l'un pour la langue unique, l'autre pour la diversité des langues. En sous-groupes, listez les arguments qui soutiennent votre position. Échangez-les dans le cadre d'un débat.

■ « *LA LANGUE FRANÇAISE ME RAPPELLE MON ENFANCE* »

Isa Piaggio, née au début du siècle, habite le Val d'Aoste, petite enclave francophone située au nord-ouest de l'Italie. Dans cette région, le français se parlait encore jusqu'à la Deuxième Guerre Mondiale, puis l'italien s'est imposé.

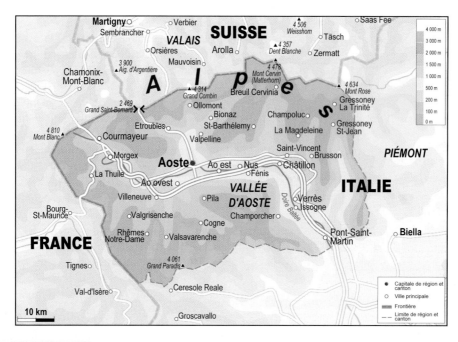

COMPRÉHENSION ORALE

Entrée en matière
1 Observez la carte de cette région d'Italie et relevez les noms des villages. Qu'en déduisez-vous ?

1ʳᵉ écoute
2 Quelle est la personne interviewée et quelle époque évoque-t-elle ?

2ᵉ écoute
3 Qui parlait le français à cette époque ?
4 Quelles sont les raisons, selon Isa Piaggio, de la disparition du français dans sa vallée ?

PRODUCTION ORALE

5 Dans votre pays, existe-t-il des minorités linguistiques ? Lesquelles ? Que fait-on pour les protéger ?

■ GILLES, LE GUILLAUME TELL DE LA PHOTO

Après avoir terminé le *gymnase* (le lycée), dans les années *huitantes* (quatre-vingts), Gilles est parti à la découverte du monde pour apprendre des langues étrangères, entre autres à Londres, Madrid et Göttingen. Mais surtout, il a toujours trouvé très *bonnard* (agréable) de rencontrer d'autres personnes. De fil en aiguille, l'envie d'immortaliser ses impressions par la photographie s'est imposée tout naturellement.

En Suisse et en Belgique, comme en province, il existe des mots, des expressions, et des formulations qui ne sont plus usuels en français standard.
Notre ami Gilles, photographe suisse et grand voyageur, nous a adressé une lettre dans laquelle il nous expose ses « exploits » d'hier.

Cher Jean-Charles,

Hier, je suis rentré d'Andalousie, où il a fait une de ces **tiaffes**. Alors, évidemment, j'ai eu beaucoup de **chenis à réduire**. Afin de ranger **tout ce commerce**, j'ai commencé par mettre mes vêtements sur **les tablars** de l'armoire. Comme ma maison était assez sale, j'ai dû **panosser** le sol de la cuisine et laver **les catelles** de la salle de bains.

Un peu plus tard, j'avais envie d'appeler un ami. J'ai pris mon **natel** mais malheureusement, il **péclottait**, de sorte que je n'ai pas pu le joindre.

Il me restait à vider plusieurs **cornets** dans lesquels j'avais emballé des souvenirs de vacances. En allant les chercher, je **me suis encoublé** et j'ai bien failli **cupesser**. Ensuite, j'ai voulu aller **faire les commissions**, mais soudain il s'est mis à **roiller**, ce qui fait que je suis resté à la maison.

Par chance, mon ami avait décidé de venir me dire **adieu** : il est arrivé avec **une topette** de Lavaux* sous le bras. Quelle bonne idée ! Nous allions boire **des godets** avec grand plaisir. Des godets d'une boisson bien **rapicolante**. Nous avions **une pétée de** choses à nous raconter. Et comme nous sommes tous deux de sacrées **batoilles**, il était évident que nous allions **pedzer** autour de la table toute la soirée. C'est toujours très agréable de discuter et de rire un peu **des bobets** et **des bedoumes** du coin, sans méchanceté bien sûr ! Juste pour s'amuser un peu.

Voilà comment j'ai passé ma journée.

J'espère te revoir bientôt dans mon beau pays pour déguster du chocolat et une fondue.

Tout de bon pour toi, cher Jean-Charles, et pour tous les amis d'Édito.

Gilles

*Région viticole au bord du lac Léman.

COMPRÉHENSION ÉCRITE

Entrée en matière
1 Observez le titre et la photo ci-dessus. De quel pays allons-nous parler ?
2 Dans quelles villes de ce pays parle-t-on le français ?

1re lecture
3 Résumez le contenu de cette lettre avec vos propres mots.

2e lecture
4 Pour restituer le texte dans le français « de Paris », remplacez les mots et expressions en gras du texte par les mots suivants :

ai trébuché – bonjour – chaleurs – des idiotes – personnes bavardes – des sots – des verres – désordre – énergisante – faire les courses – fonctionnait mal - les carreaux de céramique – les étagères – ranger – sacs en papier – meilleures pensées – nettoyer avec une serpillière – toutes ces choses – pleuvoir beaucoup – rester assis – téléphone portable – tomber – une petite bouteille – une foule de.

PRODUCTION ORALE

5 À votre avis, ce vocabulaire régional rend-il la communication plus difficile ou alors enrichit-il la langue française ?

GRAMMAIRE > la condition et l'hypothèse

ÉCHAUFFEMENT

1 Soulignez les termes qui marquent la condition et l'hypothèse.

a | Nous partirons au sport d'hiver en Suisse à condition qu'il y ait de la neige.

b | Tu m'aurais appelé avant, je serais venu te chercher à la gare de Bruges !

c | En lisant davantage, tu comprendras et aimeras le français encore plus.

d | Si tu avais moins mangé dans les restaurants de restauration rapide, tu aurais maigri.

e | Vous obtiendrez ce visa de travail au Québec moyennant une signature de votre employeur.

f | Si tu pars à Wallis-et-Futuna, apprends le français !

2 Quels sont les temps utilisés dans ces phrases avec « *si* +... +... » ? Sont-elles des hypothèses réalisables ou irréalisables ?

a | Si l'on ne m'avait pas agressé dans la rue, je ne serais pas arrivé en retard à mon rendez-vous.

b | Si vous avez acheté *Le Nouvel Édito*, vous avez fait une bonne affaire et vous en serez satisfait pendant longtemps.

c | Si nous étions en vacances en ce moment, nous serions en train de bronzer au bord de la piscine.

d | Si nous avions étudié la civilisation française, nous travaillerions maintenant au musée de Sarlat.

e | Si les ouvriers ont fini les travaux avant la fin du mois, ils auront fait vite.

f | Si tu as le temps, nous pourrions visiter Besançon mardi prochain.

g | Si tu ne maîtrisais pas aussi bien l'allemand, je ne t'aurais pas sollicité pour cette traduction.

LA CONDITION ET L'HYPOTHÈSE

Si...

• *Si* + présent/passé composé → présent/futur/passé composé/impératif/conditionnel présent (probabilité)
Si je vais à Lisbonne, j'apprends/j'apprendrai le portugais.
Si j'ai fini avant 20 heures, je vous rejoindrai.
Si tu trouves le livre de Sagan, achète-le-moi !
• *Si* + imparfait (irréel du présent) → conditionnel présent/conditionnel passé
Si le Secrétaire général de la Francophonie était plus efficace, on parlerait le français dans plus de pays.
• *Si* + plus-que-parfait (irréel du passé) → conditionnel présent/passé
Si tu m'avais écouté, tu ne serais pas en train de te lamenter sur ton sort.
Si tu avais pris le train, tu n'aurais pas eu cet accident de voiture.
• *Si* + indicatif + *et que* + indicatif/subjonctif
Si tu es libre et qu'il fait beau, tu viendras ?
Si tu venais et que Gilles soit là, ce serait formidable.

Conjonction + infinitif (même sujet dans les deux propositions)
Nous irons au Japon à condition d'avoir six semaines de vacances.

Conjonction + subjonctif
Pour peu que nous soyons nombreux, la fête sera réussie.

Conjonction + conditionnel
Au cas où je ne serais plus là, tu prendras la clef sous le paillasson.

Autres structures
• Gérondif en tête de phrase (même sujet dans les deux propositions)
En allant étudier en France, tu ferais des progrès en français.
• Conditionnel + conditionnel (dans la conversation)
Tu serais à ma place, que ferais-tu ?
• Nom précédé de : *avec, en cas de, sauf, moyennant*
Avec un peu d'enthousiasme, on arrive à se réaliser.
Je vous ai tout envoyé sauf omission de ma part.
• Adverbe : *autrement, sinon*
Pressez-vous, autrement vous manquerez votre train.
• Locution prépositionnelle : *dans ce cas* (à l'oral)
Virginie et Corina viendront peut-être déjeuner dimanche ; dans ce cas, je vous inviterai avec elles.

Conjonction + infinitif	Conjonction + subjonctif	Conjonction + conditionnel
À condition de	À condition que	Au cas où
À défaut de	Pourvu que	Dans le cas où
À moins de	Pour peu que (= Il suffit que)	Pour le cas où
Faute de	À moins que (+ ne)	Dans l'hypothèse où
Quitte à	À supposer que	
Au risque de	En admettant que	
	En supposant que	

ENTRAÎNEMENT

3 Mettez les verbes entre parenthèses à la forme qui convient.

a | Pour peu que tu (ne pas encore finir) de faire ton exercice dans une heure, je t'aiderai.
b | Dans l'hypothèse où tu (trouver) un bon hôtel, réserve-moi une chambre.
c | Si je (être) à ta place, je (acheter) ce logiciel, il est très ludique.
d | Quitte à (s'en aller de Paris), allons au fin fond de l'Auvergne.
e | Si Romain Duris (venir) et que Mélanie Doutey (être) à cette soirée, viendrais-tu ?
f | (skier) comme un dieu, tu aurais des admirateurs dans toute la région.
g | Si je (observer) ma grand-mère faire la cuisine, je (pouvoir) devenir un grand chef.
h | Nous pourrions faire une croisière sur le lac d'Annecy à supposer qu'il (faire) beau et que Sylvie (venir) avec nous.

4 Remplacez *si* par une des formes suivantes :
à condition de − à moins que − au cas où − dans l'hypothèse où − à condition que
Exemple : *Si tu arrivais en retard, il faudrait lui téléphoner.* → *Au cas où tu arriverais en retard, il faudrait lui téléphoner.*

a | S'il neige, nous irons faire de la luge dans le Jura.
b | Si vous avez du temps, prévenez-moi pour que nous allions visiter le musée Carnavalet.
c | Nous arriverons à l'heure sauf s'il y a des bouchons à la sortie de la ville.
d | Si nous prenons l'Orient Express, nous arriverons à l'aube à Venise.
e | Si Petit Gibus venait, il faudrait tout lui expliquer.

5 Continuez les phrases suivantes en formulant une condition/hypothèse.

a | En mentant beaucoup...
b | Si vous aviez été plus habile...
c | Si tu vas au cinéma ce soir...
d | Avec un peu de chance...
e | Dans le cas où tu croiserais Dominique...
f | On aurait pris le bus...
g | En admettant que ce soit vrai...
h | Si en France il n'y avait plus de vin...
i | Faute de preuves...
j | Il y a des chances que le concert de Martina ait lieu à la salle Pleyel ; dans ce cas...

L'INVENTEUR DE LA BOMBE À EAU, QUELQUES SECONDES AVANT SA MORT.

SI MES CALCULS SONT BONS, ON DEVRAIT BIEN SE MARRER.

ATELIERS

1 ÉCRITURE D'UN POÈME

À la manière de...

Par groupes de trois, écrivez un poème sur les langues en vous inspirant des modèles ci-dessous.
Vous êtes libres dans votre production mais il faut que l'hypothèse transparaisse.
Affichez vos productions dans la classe.

Si je parlais l'allemand, je lirais Goethe pour mieux comprendre Werther, j'habiterais à Berlin pour faire des fêtes, j'irais à la fête de la bière à Munich pour manger des saucisses et danser des polkas.
Si je chantais l'italien, je serais gondolier et chanterais des chansons d'amour à tous les amoureux de la terre,....
Si je parlais le cambodgien...
Si je parlais le quechua...
Si je parlais 15 langues...
Si j'écrivais le latin...
Si je lisais le grec ancien...

2 IMPROVISATION THÉÂTRALE

Du sens propre à l'expression familière.

Voici une liste de mots qui, utilisés dans des expressions familières, n'ont plus leur sens propre.
une salade – un ticket – un pot – un canon – un bouquet – un bol – un pipeau – une fleur – un os – un lézard – un radis.
Exemple : *un plat = une pièce de vaisselle*
*Faire tout **un plat** de quelque chose = Accorder trop d'importance à un événement insignifiant*

Démarche

Par deux :

1 Munissez-vous d'un bon dictionnaire français monolingue (*Le Petit Robert*...).
2 Cherchez le sens propre/littéral de tous les mots, si nécessaire.
3 Trouvez le sens figuré de chaque mot dans le dictionnaire et relevez l'expression qui illustre cet emploi.
4 Dressez une liste avec ces expressions relevées.
5 À l'aide de cette liste, rédigez un dialogue de la vie quotidienne où vous faites apparaître un maximum de ces expressions figurées.
6 Entraînez-vous à jouer ce dialogue.
7 Jouez la scène devant la classe.
8 Votez pour la prestation la plus amusante et la plus cohérente.

Annexes

MÉMENTO GRAMMATICAL >

1. LES PRONOMS RELATIFS

QUI	sujet du verbe *Couleurs chaudes et cadre feutré vous attendent dans ce lieu qui invite au voyage.*
	remplace une personne (jamais un objet) après une préposition *Ce sont des gens à qui je voudrais ressembler.*
QUE	complément d'objet direct *L'établissement est situé au carrefour des activités nocturnes et diurnes qu'offre la ville.*
	attribut *La fashion victim que je suis ne peut porter ce vêtement.*
DONT	complément du verbe + *de* *Le talon est métallique et effilé chez Ferragamo dont on parlait tout à l'heure.*
	complément du nom + *de* *Cette robe dont la coupe est droite est de Versace.*
	complément de l'adjectif + *de* *Elle a organisé un défilé dont elle est très fière.*
	au sens de *parmi lesquel(le)s* *Dans la collection printemps-été, il y a 10 robes dont 5 robes noires.*
OÙ	complément de lieu *Versailles, où se tient actuellement une formidable exposition sur le costume de cour, était peuplé de « perruqués » vacillants.*
	complément de temps *Le jour où a eu lieu le défilé, je n'étais pas disponible.*
LEQUEL **LAQUELLE** **LESQUELS** **LESQUELLES**	remplacent un objet ou une personne après une préposition *Il existe bel et bien des cycles durant lesquels apparaissent l'engouement puis le désamour vis-à-vis d'un prénom.*
	dans certains cas, en style soutenu, peuvent remplacer *qui* et être sujet du verbe *La société se décomposerait en différentes tribus, lesquelles se distingueraient par leur mode de consommation.*
AUQUEL **À LAQUELLE** **AUXQUELS** **AUXQUELLES**	remplacent un objet ou une personne si la préposition est *à* *Patou est le grand couturier grâce auquel Christian Lacroix a commencé à travailler dans la mode.*
DUQUEL **DE LAQUELLE** **DESQUELS** **DESQUELLES**	remplacent un objet ou une personne après une préposition composée + *de* *C'est le top model à côté duquel j'étais assis.*

- Noter que, à l'oral, pour remplacer une personne, on utilise plus fréquemment *qui* qu'une préposition composée.
- Avec le démonstratif *ce*, on peut utiliser seulement *qui, que, dont*.
ce qui me plaît – ce que je crois – ce dont je parle

2. LES PRONOMS PERSONNELS OBJETS

A. Emploi des pronoms

• *le, la, l'* remplacent un complément d'objet direct défini ou déterminé : un nom propre, un substantif précédé d'un déterminant (article défini, adjectif possessif ou démonstratif).
— *Tu as vu Pascal aujourd'hui ?*
— *Oui, je l'ai vu ce matin.*

— *Tu connais ces livres ?*
— *Oui, je les ai tous lus, je les adore.*

• *en* remplace un complément d'objet direct indéfini (introduit par *un, une, des* ou un numéral), un partitif (*du, de la, de l'*) ou un mot introduit par *de*.
— *Tu as déjà bu du thé rouge ?*
— *Oui, j'en ai goûté en Chine.*

— *Tu es allé en Chine ?*
— *J'en reviens justement. (je reviens de Chine)*

• *lui* et *leur* remplacent un complément d'objet indirect introduit par *à* (seulement avec les personnes).
— *Tu as des nouvelles de ta mère ?*
— *Oui, je lui ai téléphoné cet après-midi.*

• *y* remplace un complément de lieu ou un complément introduit par *à* (seulement avec les choses, jamais avec les personnes).
— *Tu connais le Pérou ?*
— *Oui, j'y suis allé deux fois.*

— *Tu as pensé à acheter du pain ?*
— *Oui, j'y ai pensé.*

B. La place des doubles pronoms

Lorsqu'il y a deux pronoms pour un même verbe, ils sont placés dans l'ordre suivant (excepté à l'impératif affirmatif) :

sujet	(ne/n')	me te se nous vous	le la l' les	lui leur	y	en	verbe	(pas)

Il me les a donnés.   *Il n'y en a pas.*
Elle va la lui rendre.   *Ne la lui donne pas.*
Tu ne leur en as pas donné ?

À l'impératif affirmatif, les doubles pronoms se placent comme suit :

verbe	le la les	moi/m' toi/t' lui nous vous leur	en

Dites-le-nous.   *Donne-m'en.*

3. L'EXPRESSION DU LIEU

A. Noms de pays

Lieu où on est ou lieu où on va

en +	pays féminin (nom finissant par un *e*) *en France / en Égypte*
	pays masculin commençant par une voyelle *en Iran / en Angola*
au +	pays masculin commençant par une consonne *au Portugal / au Canada*
	trois pays faisant exception à la règle du féminin (nom finissant par un *e*) *au Mexique / au Mozambique / au Cambodge*
aux +	pays pluriel *aux États-Unis / aux Pays-Bas*
à +	certains pays commençant par une consonne et qui ne sont pas précédés par un article (notamment des îles) *à Madagascar / à Cuba*

Lieu d'où on vient

du +	pays masculin *du Japon / du Pérou*
de +	pays féminin commençant par une consonne *de France / de Suisse*
	certains pays commençant par une consonne et qui ne sont pas précédés par un article (notamment des îles) *de Chypre / de Madagascar*
d' +	pays masculin ou féminin commençant par une voyelle *d'Allemagne / d'Irak*
des +	pays pluriel *des Fidji / des Philippines*

B. Noms de villes

Lieu où on est ou lieu où on va

à +	ville *à Paris / à New York*
au +	ville précédée de *Le* *au Caire / au Havre*

Lieu d'où on vient

de ou d' +	ville *de Madrid / d'Istanbul*
du +	ville précédée de *Le* *du Touquet / du Mans*

4. LA COMPARAISON

Comparatifs	Superlatifs
+ adjectif plus / aussi / moins… que *Il est aussi compétent que vous.*	**+ adjectif** le (la, les) plus / le (la, les) moins… *Il est le plus compétent.* Quand l'adjectif est normalement placé avant le nom, deux constructions sont possibles : *la journée la plus longue / la plus longue journée*
+ adverbe plus / aussi / moins… que *Il travaille moins vite que vous.*	**+ adverbe** le plus / le moins… *C'est lui qui travaille le plus vite.*
+ nom plus de / autant de / moins de… que *Il gagne autant d'argent que vous.*	**+ nom** le plus de / le moins de… *C'est lui qui gagne le moins d'argent.*
+ verbe plus / autant / moins… que *Il travaille autant que vous.*	**+ verbe** le plus / le moins *C'est lui qui travaille le moins.*
Exceptions *mieux* (adverbe) / *meilleur* (adjectif) *Il travaille mieux que vous.* *Il est meilleur que vous.* Notez qu'on peut dire *plus mauvais* ou *pire*. *Il est pire / plus mauvais que vous.*	**Exceptions** *le mieux* (adverbe) / *le meilleur* (adjectif) *C'est lui qui travaille le mieux.* *C'est lui le meilleur.* Notez qu'on peut dire *le plus mauvais* ou *le pire*. *C'est lui le pire / le plus mauvais.*

5. PARTICIPE PRÉSENT, GÉRONDIF, ADJECTIF VERBAL

A. Le participe présent

• Il est formé sur le radical de l'imparfait + -ant : *étant, venant*.
Exceptions : *avoir* → *ayant* et *savoir* → *sachant*.

• Le participe présent a toutes les caractéristiques d'un verbe : il peut être accompagné d'un sujet, d'un complément et d'une forme négative.

• Lorsqu'il est rattaché directement à un nom, il est comparable à une proposition relative.
Le code de la Sécurité sociale accorde aux femmes travaillant (= aux femmes qui travaillent) *dans le secteur privé deux années supplémentaires d'assurance retraite par enfant.*
En français oral, la proposition relative est bien plus utilisée que le participe présent.

• Lorsqu'il est séparé du nom par une virgule, le participe présent peut exprimer :
- la cause
La majorité des grands patrons étant des descendants de propriétaires d'esclaves ou venant de métropole, ils favorisent l'embauche de cadres blancs venant eux aussi de métropole. → *Les grands patrons favorisent l'embauche de cadres blancs parce qu'ils sont des descendants de propriétaires d'esclaves ou viennent de métropole.*
- la simultanéité
Elle rédige une synthèse qu'elle nous envoie, nous demandant de la relire. → *elle envoie et demande en même temps.*

• Le participe présent composé (*être* ou *avoir* au participe présent + participe passé) exprime une action antérieure à celle du verbe principal.
N'ayant pas justifié ses notes de frais, il n'a pas été remboursé.

B. Le gérondif

• Il est formé de en + participe présent : *en faisant, en demandant.*

• Il est invariable et se rapporte toujours au sujet de la phrase.
En travaillant, l'homme actualise ses potentialités et affirme son identité d'être socialisé → *l'homme actualise, affirme et travaille.*

• Il peut exprimer :
- la simultanéité
Elle adresse ce document à tous les interlocuteurs en leur demandant d'apporter corrections et complé-ments → *la personne adresse et demande en même temps.*
- la cause
En ce sens, le conflit n'aura pas été inutile en faisant prendre conscience de ce problème. → *Parce qu'il fait prendre conscience de ce problème, le conflit n'aura pas été inutile.*
- le moyen, la manière
Si la compagnie a des économies à faire, elle agit très mal en les réalisant uniquement sur l'ouvrier → *Comment la compagnie agit très mal ? En réalisant des économies sur l'ouvrier.*
- la condition
En travaillant plus, vous gagneriez plus. → *Si vous travailliez plus, vous pourriez gagner plus.*
- l'opposition/la concession
Tout + gérondif exprime souvent une opposition ou une concession.
Tout en travaillant plus, je ne gagne pas plus. → *Même si je travaille plus, je ne gagne pas plus.*

C. L'adjectif verbal

• Il se forme, en général, comme le participe présent (exceptions : ci-dessous). Attention : tous les verbes n'ont pas systématiquement un adjectif verbal.

• Comme tous les adjectifs, il s'accorde en genre et en nombre au nom auquel il se rapporte.
la séance suivante

• Certains adjectifs verbaux ont une forme différente de celle du participe présent.

Participe présent	Adjectif verbal
-guant	**-gant**
fatiguant intriguant naviguant	fatigant intrigant navigant
-quant	**-cant**
communiquant convainquant provoquant suffoquant	communicant convaincant provocant suffocant
-ant	**-ent**
adhérant différant divergeant émergeant équivalant excellant influant négligeant précédant somnolant	adhérent différent divergent émergent équivalent excellent influent négligent précédent somnolent

CONSEILS POUR LA PRODUCTION ÉCRITE >

1. LA LETTRE FORMELLE

A. Éléments de la lettre formelle

1 Coordonnées de l'expéditeur
Prénom nom
Adresse
Numéro de téléphone
Adresse électronique

2 Coordonnées du destinataire
M. / Mme / Mlle + prénom + nom
Fonction
Nom de la société
Adresse

3 Objet de la lettre
Il précise le contenu de la lettre. Exemple : *Demande de remboursement, Réservation de chambre.*

4 Lieu, date
Exemple :
Paris, le 16 novembre 2009,

5 Formule d'appel
Madame / Monsieur / Mademoiselle, parfois suivi de la fonction avec une majuscule (exemple : *Monsieur le Directeur,*). Quand le destinataire est inconnu : *Madame, Monsieur,*

6 Corps de la lettre
Il est variable selon la nature de la lettre.

7 Formules de remerciements et de congés

8 Signature
Nom et éventuellement fonction. Exemple :
Paul Dupont
Responsable des achats

B. Exemple : la lettre de motivation

1re partie : objet de la lettre
Réponse à une annonce ou candidature spontanée.

2e partie : raison de votre candidature
Exposé de votre formation et/ou expérience, de son adéquation avec le poste pour lequel vous êtes candidat et de vos motivations.

3e partie : vos atouts
Mise en évidence des compétences acquises lors de votre parcours et de leur intérêt pour l'entreprise.

4e partie : formule de congé
Proposition d'un entretien et salutations (dans lesquelles vous rappelez la civilité de la personne utilisée dans la formule d'appel).

5e partie : signature
Manuscrite.

2. LE SYNOPSIS

Le synopsis est un court texte présentant les grandes lignes du scénario d'un film. Il ne doit comporter ni explications ni dialogues et être rédigé dans un style simple au présent de l'indicatif.

1. Présentation succincte des personnages principaux, de leur relation et du lieu où se déroule l'histoire.
2. Esquisse de l'histoire (intrigue policière, déroulement dramatique ou comique…).
3. Conclusion dans laquelle il ne faut surtout pas aborder le dénouement mais plutôt poser une question ou émettre une hypothèse qui donne envie au lecteur d'aller voir le film.

Conseils pour la production

Exemple de synopsis du film *Le Fabuleux Destin d'Amélie Poulain* :

Amélie, une jeune serveuse dans un bar de Montmartre, à Paris, passe son temps à observer les gens et à laisser son imagination divaguer. Elle s'est fixé un but : faire le bien de ceux qui l'entourent et, pour cela, intervient incognito dans leur existence. Elle aide Georgette, la buraliste hypocondriaque, Lucien, le commis d'épicerie malmené par son patron, Madeleine Wallace, la concierge qui vit dans le regret de son mari défunt...

Cette quête du bonheur amène Amélie à faire la connaissance de Nino Quincampoix, un étrange « prince charmant », dont elle va chercher à retrouver la trace et à percer le mystère...

3. LA DESCRIPTION D'UNE ŒUVRE D'ART

A. Identification de l'œuvre

Préciser l'auteur, le titre, la date de création et le lieu de conservation.

B. Le sujet et le genre

Indiquer le sujet de l'œuvre et son genre (religieux, historique, mythologique...).

C. La description

• Définir les supports, la ou les matière(s) utilisée(s) et les dimensions.
• Pour une œuvre en trois dimensions (sculpture, objet d'art), décrire la forme de l'ensemble, les volumes.
• Pour une œuvre en deux dimensions (peinture, bas-relief), diviser la surface en plans (premier plan, second plan, arrière-plan...) et faire la description de chacun.
• Évoquer l'usage de la couleur : les teintes (chaudes, froides...), la dispersion (en aplats, par touches fines...), le traitement de la lumière.

4. LE COMMENTAIRE DE DONNÉES CHIFFRÉES

Faire un plan en paragraphes en sélectionnant et en hiérarchisant les informations à transmettre.
Étapes du plan :

A. Introduction

Présenter le sujet traité.
Situer le graphique, grâce à la source du document.

B. Développement

Présenter l'évolution ou la répartition des données.
Souligner les points saillants et/ou les valeurs extrêmes.
Expliquer l'évolution ou la répartition des données.

Deux méthodes pour organiser le développement :
1re méthode : développement en deux parties.
• Observation des données (du général vers le particulier)
• Commentaire des données (commenter et expliquer)
2e méthode : développement en une seule partie (du général vers le particulier).
Cette méthode permet de ne pas séparer les données des explications fournies.

C. Conclusion

Rappeler l'idée, le phénomène essentiel observé.
Évoquer éventuellement les limites d'un tableau statistique pour l'analyse d'un phénomène plus général.
Ouvrir le commentaire sur un autre thème, une autre période...

TRANSCRIPTIONS > documents du CD

unité 1 Médias à la une

2 Page 17, La presse va mal

Bernard Thomasson : 17 h 19. On dit que la presse écrite va mal. Bonsoir Dominique Wolton.

Dominique Wolton : Bonsoir.

B. T. : Directeur de recherches au CNRS, spécialiste de la communication. La presse écrite est-elle morte face aux nouveaux médias informatiques ou télévisuels ?

D. W. : Oh non ! Vous savez, on dit ça régulièrement à l'arrivée de chaque nouvelle technologie et on suppose que la radio devait tuer la presse écrite, la télévision devait tuer la presse écrite. Aujourd'hui, c'est Internet qui doit tuer la presse écrite. La radio, la télévision, non, simplement il y aura un rééquilibrage, c'est évident. Mais surtout, si vous voulez, ce que représente Internet pour la presse écrite, c'est un défi de concurrence, c'est-à-dire que plus il y a d'instantanéité avec l'Internet, plus il y a d'images avec la télévision, plus naturellement la presse écrite aura un rôle important parce que c'est elle qui fait la durée, l'analyse. Le problème, c'est que ça oblige la presse écrite à faire un agendamento.

B. T. : Vous dites sur votre site Internet : « *L'information va de plus en plus vite, la communication toujours aussi lentement.* » C'est un peu ça que vous voulez nous dire ?

D. W. : Oui, absolument. C'est-à-dire que, si vous voulez, vous et moi on peut accéder à un nombre incalculable de messages, en produire, en distribuer, mais ça, c'est que l'information. Le problème principal, c'est la communication, c'est-à-dire non pas le message, mais la réception du message, la manière dont les individus, les sociétés, les cultures s'approprient ou refusent ou négocient les messages. Donc plus on a des techniques performantes, plus on peut produire vite un grand nombre d'informations, plus la question principale qui se pose, c'est à quelle condition les informations sont-elles acceptées ou pas ? Et ce qui est intéressant pour la presse, c'est que de toute façon elle a des informations à dire, mais elle ne peut pas nier le fait que l'abondance d'informations pose un problème gigantesque de condition de la réception et donc de négociation.

B. T. : C'est donc l'une des pistes que vous proposeriez pour les états généraux de la presse qui ont été lancés ce matin : apporter de la réflexion. « *La gratuité, c'est la mort de la presse écrite* » a dit Nicolas Sarkozy, c'est votre avis aussi ?

D. W. : Ben si vous voulez oui, pour une part. Il y a deux choses à dire. C'est la mort de la presse écrite parce qu'il n'y a jamais d'information gratuite, donc quelqu'un la paye et si personne la paye, c'est la publicité donc c'est une forme de subordination, ça c'est clair. Ça veut dire que c'est une pierre dans le jardin de la presse parce que si les gens lisent aussi autant la presse gratuite, c'est pas seulement parce qu'elle est gratuite, c'est parce qu'elle est bien faite, courte. Donc ça oblige la presse à réexaminer complètement le contenu, les conditions de production, de vision du monde. Mais la troisième chose qu'il faut dire sur la presse écrite, c'est que c'est vrai que c'est une perversion mais en même temps si ça permet à des milliers de jeunes d'accéder à l'écriture et à la lecture en lisant les gratuits si je puis dire, c'est déjà un pied à l'étrier. Donc j'ai envie de dire oui c'est une perversion économique, oui ça n'a pas de sens, en même temps c'est un effet de critique à entendre et du coup il faut en profiter pour essayer d'attirer ensuite les jeunes vers ce qui est payant en leur disant qu'ils sont prêts à dépenser des milliers d'euros pour tout ce qui est DVD, Internet et compagnie et donc par conséquent, il faut leur faire prendre conscience que le prix de la liberté de la presse, ben c'est le fait qu'on puisse l'acheter soi-même.

B. T. : Est-ce qu'on peut conclure en disant qu'un journal n'est pas un produit comme un autre, comme l'a dit ce matin le chef de l'État ?

D. W. : Ah mais un journal vous savez, il n'y a pas que le chef de l'État qui dit ça quand même, tout le monde dit la même chose depuis deux siècles et demi, c'est-à-dire que l'information, la culture et la communication, c'est leur paradoxe, ce sont à la fois des industries, c'est à la fois de la marchandise et c'est aussi des valeurs. Et des valeurs indispensables à la démocratie et à l'émancipation individuelle, donc il faut trouver un équilibre qu'on peut tout à fait trouver entre technique, économie et politique et donc c'est la dimension politique qui est de loin la plus importante. Il n'y a pas de démocratie sans information libre et contradictoire.

B. T. : Dominique Wolton, directeur de recherches au CNRS et directeur de la revue *Hermès* consacrée aux mutations de la communication. *Hermès* qui célèbre cette année ses 20 ans et sort un nouveau format, *Les essentiels*, une revue évidemment publiée par les éditions CNRS.

3 Page 20, Exercice 1

1 Je t'aime.
2 Mais bien sûr, je t'aime !
3 Pour la énième fois, je t'aime.
4 Est-ce que tu m'aimes ?
5 Aime-moi !
6 Je je t't't'aime.
7 Je t'aime !
8 C'est vrai, je t'aime.

4 Page 22, Les femmes dans les médias

Eh non ! Un homme sur deux n'est pas une femme car en France, 51 % de la population est féminine. Il y a donc une majorité de femmes et pourtant, si l'on en croit le rapport présenté jeudi sur l'image des femmes dans les médias au Secrétariat d'État à la solidarité, le deuxième sexe n'a pas sa place ou n'est pas à sa juste place dans les médias. Sous la présidence de Michèle Reiser, l'une des conseillères du CSA et veuve du dessinateur Reiser, cette commission a fait le décompte et les chiffres sont accablants. Non seulement dans les émissions de libre antenne des radios jeunes où les paroles féminines sont ultra-minoritaires — et on comprend pourquoi à entendre les propos parfois dégradants qui s'y expriment — mais aussi dans les grandes radios nationales comme France Inter où le temps de parole des femmes n'excède pas 27 %. On retrouve un tel déséquilibre dans la presse, où les hommes sont trois fois plus photographiés que les femmes et occupent 82 % des articles publiés dans sept quotidiens. De même à la télévision, ces messieurs interviennent plus souvent, plus longtemps et dans des situations plus valorisantes que les femmes. Ils parlent plus volontiers en tant qu'experts, ils sont plutôt acteurs là où les femmes apparaissent davantage témoins ou victimes. Mais n'est-ce pas là le reflet d'une société inégalitaire où la femme est encore loin d'être l'égale de l'homme dans la prise de responsabilité et la gestion du foyer ? Curieusement, le rapport oublie un peu la dimension sociologique ou sociale pour ne s'attacher qu'à la représentation médiatique. Certes, les stéréotypes sont véhiculés par les médias, mais ils sont aussi parfois présents dans les cerveaux, y compris féminins, parce qu'ils sont criants dans la vie quotidienne. Le pari de la Commission est donc de changer ce regard un peu à la façon du travail sur les minorités visibles en considérant que c'est en changeant l'image des femmes par l'autorégulation des médias qu'on changera la considération de la société sur une moitié de l'humanité. L'espoir tient sans doute à l'arrivée massive des femmes dans les écoles de journalisme. Elles sont aujourd'hui 60 % dans ces écoles, alors que 57 % des journalistes sont des hommes.

⑤ Page 22, À la une de la presse

Journaliste : On ouvre les journaux, Jean-Christophe Martin. Des femmes ce matin à la une, que ce soit à la télé, en politique, des stars, des championnes... Elles font l'actualité de ce vendredi.

Jean-Christophe Martin : Il y en a une qui dit stop, les autres c'est plutôt encore... « J'arrête », c'est Laure Manaudou dans *Le Parisien-Aujourd'hui en France*... Ça n'est pas vraiment une surprise, mais cette fois elle confirme qu'elle a décidé de mettre un point final à sa carrière sportive. La fin de deux longues années d'errance et aussi d'une époque en or pour la championne et pour la natation française.

Journaliste : Après la bombe Manaudou, une autre femme à la une : Laurence Ferrari.

J.-C. M. : Elle n'arrête pas, Laurence Ferrari, à la une de *Libération*, qui s'intéresse ce matin à TF1, la grande chaîne qui baisse... audiences en berne, recettes publicitaires dans le rouge, bénéfices en chute libre, la première chaîne d'Europe traverse une passe plus que délicate. L'événement, c'est l'arrivée à TF1 d'Axel Duroux, une arrivée célébrée en grande pompe hier soir au siège de TF1 et racontée dans le détail dans *Libération*. La question qui fâche : combien de temps le numéro 1, Nonce Paolini, va-t-il survivre à l'arrivée du nouveau numéro 1 bis, Axel Duroux ? C'est Dallas et son univers impitoyable à TF1 raconté dans *Libé* qui propose de mettre une caméra dans les bureaux des patrons et de faire voter les téléspectateurs pour savoir lequel sera le survivant dans un an.

Journaliste : D'autres femmes et un autre univers impitoyable...

J.-C. M. : Au Parti socialiste, Aubry n'arrête pas non plus et elle fait le ménage. C'est encore *Libération* qui annonce les mesures-chocs décidées par Martine Aubry : elle va faire rayer des listes 48 000 adhérents socialistes. C'est la mesure la plus spectaculaire du plan anti-fraude mis au point par la direction du Parti alors que la polémique se poursuit sur les tricheries présumées pour l'élection de la première secrétaire du PS. À la une aussi, Ségolène Royal, non, elle non plus, elle n'arrête pas. À la veille de sa fête de la solidarité, elle s'explique dans *Le Figaro*, et elle le redit clairement, l'alliance avec le MoDem n'est plus un tabou : pour Ségolène Royal, l'alternance en 2012 ne pourra se faire qu'avec le centre.

Journaliste : À la une également ce matin, une autre femme, Carla Bruni...

J.-C. M. : Et évidemment, pas question d'arrêter, « *Qui est vraiment Carla ?* », c'est vrai, tiens, ça faisait longtemps... Carla Bruni à la une de *Elle*, qui enquête sur les contradictions de la première dame. Une anecdote parmi beaucoup d'autres racontée dans *Elle* : quand Michelle Obama lui a offert une Gibson, une guitare de légende, c'était à l'occasion de la visite en France du couple Obama en avril dernier, Carla en a joué toute la nuit ou presque... malgré l'agacement du président qui voulait se reposer après une journée particulièrement chargée. Pour *Elle*, la preuve que Carla reste Carla et garde toute sa fantaisie, même si elle est obligée de donner en public l'image très lisse qu'on attend de la première dame... Et puis, cette petite remarque d'un psychologue : est-ce que vous avez remarqué, Marc, que Carla Bruni se place toujours à gauche du président ?

Journaliste : Non !

J.-C. M. : Alors c'est sa place, hein, à gauche du président. En langage corporel, selon ce psychologue, ça signifie qu'elle domine dans le couple, c'est elle qui a le pouvoir...

unité 2 C'est dans l'air !

⑥ Page 28, Le moelleux

Guillaume Erner : La recette du succès, un gâteau est sûr de l'avoir : le moelleux au chocolat ! Une vague de fond, peu commune, a conduit ce dessert sur toutes les cartes, et toutes les tables, de France et de Navarre. Ce gâteau a une naissance aristocratique puisqu'il est apparu en 1981 sur la carte de Michel Bras, le célèbre restaurateur de Laguiole dans l'Aveyron. Il a fallu deux ans de recherches au chef pour élaborer cette recette, juxtaposition d'un cœur moelleux et d'un extérieur cuit à point. Bras n'a pas pu protéger cette recette, il a en revanche déposé son nom : chez lui, le moelleux s'appelle un coulant.

Depuis 1981, le coulant de Bras a été mille fois copié. L'un de ses secrets a été rapidement percé. Si le coulant coule, c'est que la pâte est glissée dans le four encore congelée. Les moelleux se sont multipliés comme des petits pains, quittant la haute cuisine pour arriver jusque dans les hypermarchés, dans les bacs des congélateurs. La recette originelle est encore proposée à 30 euros sur la carte de Michel Bras, mais les copies se trouvent pour quelques euros au coin de la rue.

Mais le moelleux n'incarne pas seulement un savoureux dessert : il est devenu également une parfaite illustration de la démocratisation des tendances. Des vêtements aux desserts, en passant par les meubles ou les accessoires, des pans entiers de l'économie sont désormais à l'affût des nouvelles tendances, et cherchent à les offrir au plus grand nombre. Né dans l'aristocratique haute gastronomie, le moelleux est désormais très présent dans la roturière cuisine de tous les jours.

Mais en mode, le succès finit toujours par être fatal. Trop répandu, le moelleux ne distingue plus les cartes qui le proposent. À l'origine inédit et rare, son parfum de chocolat s'accompagne désormais d'une odeur de déjà-vu. C'est pourquoi ce gâteau est en train de quitter le terrain de la mode pour devenir un classique aux côtés du crumble et autre crème brûlée. Naguère le coulant était follement à la mode ; aujourd'hui, en matière de dessert, il passe un peu trop pour une tarte à la crème.

7 Page 33, L'histoire du talon

Edwige Coupez : Et nous parlons de mode le vendredi dans cette chronique. Je reçois, pour l'occasion, Guillaume Crouzet. Bonjour.

Guillaume Crouzet : Bonjour.

E. C. : Vous êtes le rédacteur en chef délégué de *L'Express Styles*. Alors, sujet du jour, qui va intéresser pour différentes raisons, on va le voir, les hommes et les femmes : les talons et surtout, les talons hauts. Ils sont à la mode depuis plusieurs saisons, ils reviennent en force ce printemps. On voit surtout apparaître des talons bijoux, sculptés, de véritables œuvres d'art, beaucoup plus sophistiqués que les premiers talons fabriqués par... par... les Égyptiens !

G. C. : Pour des bouchers égyptiens, en l'occurrence, dans l'ancienne Égypte, désireux de s'élever au-dessus du bain de sang que provoquaient leurs travaux. Donc avant d'être un objet de mode, le talon haut fut d'abord un objet pratique. Quelques siècles plus tard, Catherine de Médicis, en s'inspirant des chopines vénitiennes, les fameuses... euh... les souliers à talons hauts qui eux-mêmes s'inspiraient de l'Empire ottoman, se fait fabriquer des talons pour être à la hauteur du duc d'Orléans, le futur Henri II, qu'elle s'apprête à épouser et la cour de France a commencé à adopter cette trouvaille. Alors...

E. C. : Donc, là ça devient un objet de pouvoir, alors...

G. C. : C'est devenu la norme surtout et puis, le siècle d'après, le grand roi soleil était en réalité tout petit. Il portait ses fameux talons rouges et au XVIIe siècle, vous avez raison, la première raison d'être du talon, c'était idéologique, ça matérialisait l'élévation sociale de son propriétaire. Alors, les nobles des deux sexes, hommes et femmes, allaient ainsi surélevés de 12 cm. Et vous imaginez Versailles, où se tient actuellement et jusqu'au 28 juin, d'ailleurs, une formidable expo sur le costume de cour, était donc peuplé de « perruqués » vacillants, cherchant à avancer la tête haute malgré le handicap de ces improbables chaussures. Alors, évidemment, la Révolution coupa non seulement les têtes, mais aussi les talons. Liberté, égalité de semelle, et fraternité ! Tout le monde s'est mis à plat. Alors, la renaissance du talon, elle est érotique hein, elle a eu lieu au XIXe siècle, aux pieds des filles de joie. Et les honnêtes femmes l'ont tout de suite adopté, parce qu'elles ont refusé de laisser un tel avantage à leurs rivales.

E. C. : Ça devenait là un objet érotique, hein...

G. C. : Un objet très érotique...

E. C. : Le talon aiguille, les années cinquante, tout ça...

G. C. : Alors, ça c'est la deuxième grande date du talon, c'est l'invention du talon aiguille, le *stiletto*, le mot italien signifie « dague ». On le rebaptisera en France « talon aiguille ». C'est le talon qui troue et ce talon, il est créé en 52. D'ailleurs, deux chausseurs s'en disputent la paternité : l'Italien Salvatore Ferragamo et le Français Roger Vivier. Ce qui est sûr, c'est que ça s'inspire de la forme des gratte-ciels, c'est une pointe de métal enveloppée soit de plastique, soit de cuir et suffisante pour supporter, malgré sa finesse, tout le poids du corps. Et à l'époque, vous le dites oui, les talons aiguilles sont interdits dans les avions parce qu'ils trouent les planchers, à l'entrée de certains bâtiments publics, on offre aux femmes un sac pour ranger ces chaussures moralement incorrectes et en 62, il y a même un décret qui passe pour en

interdire le port dans les ministères et dans les musées. Il est considéré comme un symbole d'agression, de provocation et de sensualité, l'emblème du mauvais genre.

E. C. : Et les féministes, d'ailleurs, le rejettent totalement...

G. C. : Ah ! Mais c'était à un tel point que Simone de Beauvoir, dans *Le Deuxième Sexe*, le juge aussi anti-féministe que la jupe qu'elle conseille de jeter aux orties au profit du pantalon. Et elle déclare que les souliers à talons hauts gênent la démarche. Il n'empêche, ça reste un objet de mode.

E. C. : Et Rachida Dati en porte aujourd'hui...

G. C. : Rachida Dati en porte aujourd'hui et elle est fan de mode comme chacun le sait. Dans ce spécial accessoires que nous avons cette semaine dans *L'Express Styles*, ben c'est peut-être peu pratique les talons mais peu importe. Le talon, cette saison encore, est très haut, très travaillé comme le raconte Charlotte Brunel, notre journaliste dans son enquête...

E. C. : Haut comment, jusqu'à 15 cm ?

G. C. : Ah ! ça peut aller jusqu'à 15 cm avec parfois des... des formes de bijoux, je dirais. Il y a le talon-cage chez Saint-Laurent, sculpté en forme de déesse africaine chez Dior, métallique et effilé chez Ferragamo dont on parlait tout à l'heure, brodé de strass chez Versace. Et chez Prada, il était tellement haut cette saison, en septembre dernier, que les modèles en python imprimé ont fait que certains mannequins ont chuté sur les podiums.

[...]

E. C. : Merci beaucoup Guillaume Crouzet, rédacteur en chef délégué de *L'Express Styles*.

8 Page 39, exercice 4

1 Il m'a de nouveau dit qu'il ne viendrait pas.

2 Je parviendrai à le convaincre peu à peu.

3 À mesure que nous vieillissons, ce sont nos mots qui rajeunissent.

4 Petit à petit, l'oiseau fait son nid.

9 Page 43, Le succès de *La Consolante*

Présentateur : Elle se mêle de tout, Marion Ruggieri, bonjour Marion.

Marion Ruggieri : Bonjour, Marc.

P. : Vous revenez ce matin sur l'événement littéraire de la semaine, et même peut-être du mois, même peut-être du printemps, qui sait !

M. R. : Eh oui, hier est sorti ce qui s'annonce comme le *Bienvenue chez les Ch'tis* de la littérature, j'ai nommé *La Consolante*, le nouveau livre d'Anna Gavalda. Un roman de 637 pages édité à 300 000 exemplaires, de quoi rendre jaloux tous ses petits confrères. Après *Je voudrais que quelqu'un m'attende quelque part*, *Je l'aimais*, *Ensemble, c'est tout*, l'écrivaine française la plus lue en France et dans le monde revient donc avec un nouveau très beau titre, *La Consolante*, terme qui désigne une dernière partie de pétanque et fleure bon l'authenticité. Et comme dans le film de Dany Boon, tous les ingrédients du succès sont présents : de jolis sentiments, des gens comme vous et nous, une dernière gorgée de bière et quelque chose de réconfortant sur la nature humaine bien malmenée ces derniers temps. Bref, « on s'attache et on s'abandonne » comme dirait le poète Christophe Maé, le Ch'ti de la chanson française récompensé aux dernières Victoires de la musique. Quant à la Gavalda, qui a coutume de dire « J'ai le Goncourt chaque fois que je *vois des gens lire mes histoires dans les transports en commun »*, elle n'a rien à envier à Dany Boon côté humilité. À la question *« Comment elle vit Anna ? »* posée par le journal *Elle* de cette semaine, l'auteur répond : *« Elle vit comme tout le monde, elle fait même son marché avec un chariot à roulettes écossais ! »*

P. : Non !

M. R. : Si ! Nous voilà bien avancés ! Serait-ce le syndrome Cécilia Sarkozy qui voulait retourner pousser son Caddie au supermarché. Tout ça pour finir mariée à New York en Versace... même pas ! Anna ne quitte pas son vieux jean élimé, trop classe, son premier éditeur, Le Dilettante, son pavillon de Melun avec chien, enfants et jardin et refuse de donner des interviews à quelques rares exceptions près. *« Envoyez un mail, s'il est bien tourné, pertinent, elle répondra à vos questions »* martèle son attachée de presse aux nombreux journalistes qui tentent de percer le mystère Gavalda. Lequel pourrait bien être qu'elle n'en a pas ! Bon bien moi je vais voir si quelqu'un m'attend quelque part, à Melun ou dans le Pas-de-Calais. Comme disait Stig Dagerman : *« Notre besoin de consolation est impossible à rassasier. »*

unité 3 Les arts en perspective

🔟 Page 50, La peinture au cinéma

Jean Leymarie : Littérature au cinéma mais également peinture, cette semaine Florence.

Florence Leroy : Oui, avec *Séraphine*. Il s'agit du portrait de Séraphine Louis, un film signé Martin Provost. Séraphine Louis, c'est une peintre au parcours hors-norme, puisqu'elle était femme de ménage dans la campagne autour de Senlis au début du XXe siècle. Une artiste née, portée par sa foi et son amour de la nature. Une peintre peu connue du grand public, classée parmi les naïfs, auteure de grandes toiles un peu déroutantes : des bouquets colorés de fleurs, de fruits. Et c'est là que le cinéma peut offrir une passerelle parce que, dans le film, la comédienne, Yolande Moreau, incarne cette femme avec tellement d'intensité qu'elle nous donne envie de mieux découvrir son œuvre. C'est chose possible puisqu'une exposition de ses œuvres est, justement, organisée au musée Maillol à Paris. Et même Yolande Moreau avoue que c'est à partir du film qu'elle a regardé autrement les tableaux de Séraphine Louis.

Yolande Moreau : Au tout début, avec Martin, la première fois que j'ai vu les tableaux à Senlis, j'ai trouvé ça admirable comme travail, mais, en même temps, j'étais pas vraiment émue. Et maintenant, c'est... c'est bizarre la transformation qui s'opère aussi, mais je suis bouleversée en voyant les tableaux où il y a une espèce de lumière, la composition. C'est comme la broderie, ces fleurs qui n'en sont pas d'ailleurs. En tout cas, en ce qui me concerne, c'est de l'avoir approchée... je ne sais pas, j'ai dû m'entraîner à peindre des pommes et tout ça... de rentrer presque dans ces pommes, j'allais dire euh... qui me l'a rendue très proche quelque part, oui.

Jean Leymarie : *Séraphine* avec Yolande Moreau, en ce moment au cinéma.

🔟🔟 Page 51, Picasso et les maîtres

Muriel Maalouf : Vélasquez, Goya, Titien, Rembrandt, Poussin, Ingres, Delacroix, Manet, Cézanne, Van Gogh, confrontés à Picasso. Jamais une exposition n'a concentré autant de chefs-d'œuvre. Marie-Laure Bernadac, co-commissaire.

Marie-Laure Bernadac : Cette vision qu'a Picasso de la peinture du passé nous permet à la fois de comprendre mieux Picasso, qu'on a souvent traité de révolutionnaire, iconoclaste, destructeur de formes... et on voit comment il y a aussi un Picasso classique, ancré dans la tradition et que, c'est cette ambivalence entre tradition, modernité et avant-garde qui est le moteur de sa création.

M. M. : Picasso admirait ces maîtres, les collectionnait, les copiait à sa façon bien sûr, en recréant complètement parfois certains tableaux. Au Grand Palais, une salle entière est consacrée à ses variations des *Ménines* de Vélasquez.

M.-L. B. : Il y a 54 tableaux, donc là évidemment il y a un travail énorme. Il n'y a pas de dessin, ce qui est assez curieux aussi. Toutes les variations d'après les *Ménines* sont en peinture. Mais elles vont de la petite infante à la grande composition, en différents styles picturaux. On sait que dans son panthéon artistique, Vélasquez est peut-être le plus grand. Ses différents maîtres, ils ne sont finalement pas si nombreux que ça. Il a une famille picturale. Chez les Espagnols, c'est Greco, Goya, Vélasquez. Dans la peinture française, Poussin, Courbet, Manet et Delacroix, bien sûr, sont pour lui les maîtres les plus importants.

M. M. : Au fil de l'exposition, Picasso s'affirme ainsi un descendant de ces grands maîtres tout en étant un génie de l'art moderne. Il déconstruit la peinture classique, introduit le cubisme, comme une évidence. Marie-Laure Bernadac.

M.-L. B. : Il essaie de faire ce qui manque dans le tableau. Il dit : *« Finalement, je fais ce qui manque dans le tableau »*. C'est comme s'il partait de cette étape du tableau donné et il rentre dedans, il s'installe comme s'il était chez lui, il le démolit, il le recompose, souvent il le transforme dans un thème qui lui est propre, par exemple dans *Les Femmes d'Alger*, très vite il va le transformer en un thème qui le hante depuis longtemps, c'est la *Dormeuse allongée* avec la *Veilleuse*, parce que dans le tableau de Delacroix, les trois femmes sont assises. Là, très vite, il en met une allongée, jambes en l'air. De cette scène très langoureuse, il la transforme en une scène extrêmement érotique, très joyeuse, très éloignée de l'atmosphère feutrée du harem. Donc c'est Picasso. C'est évidemment quand on les voit des tableaux de Picasso. Mais c'est aussi la thématique de Delacroix donc c'est pour ça que c'est une re-création.

M. M. : *« Picasso et les maîtres »*, une exposition qui retrace toute l'histoire de la peinture, du classicisme au modernisme, grâce à un géant de l'art, Picasso.

🔟🔟 Page 53, Et les riverains ?

Cyril Graziani : Nom de code : projet Triangle. Un projet pharaonique : 50 étages, près de 180 mètres. Ce sera, selon un connaisseur du dossier, une sorte de pyramide de Chéops écrasée et déformée, avec une base étroite sur la largeur et très étendue sur la longueur. Son inauguration est prévue pour 2012 mais déjà, dans le quartier, ses futurs voisins ont bien du mal à le croire.

Riverain 1 : Oh ! C'est une blague ça ! C'est pas possible. Delanoë, il aurait fait ça ? Ça m'étonnerait ! Pas possible ! Et puis, c'est moche en plus ! Franchement ! Ça confirme, il a pas de goût !

Riverain 2 : Je dirai que ça va cacher quand même une partie de la visibilité et, donc, on aura plus toute la clarté qu'on a dans l'appartement. On habite au sixième étage.

Cyril Graziani : D'accord, donc vous aurez vue sur la tour ?

Riverain 2 : Ah oui, bien sûr complètement ! Tandis que là on a la vue dégagée et on voit bien Clamart, le bois de Meudon…

Riverain 3 : Oui, effectivement, ça me paraît assez élevé, au niveau de la hauteur. Ben je suis assez surprise de voir ça en face de chez moi ! Au niveau du vis-à-vis, ça va pas arranger les choses, je pense. 2012 ? Ben j'espère que je serai peut-être plus là d'ici-là !

Cyril Graziani : Les avis sont unanimes. Il n'y a guère que les commerçants et restaurateurs du coin qui s'en réjouissent car le projet Triangle sera principalement destiné à des bureaux et près de 5 000 personnes viendront y travailler. Cyril Graziani, France Bleue Île-de-France pour France Info.

13 Page 57, activité 4

1 C'est terrible.
2 C'est mortel !
3 C'est impressionnant !
4 C'est pittoresque.
5 C'est kitsch.
6 C'est pas mal, bof.
7 C'est typique.
8 C'est original !

14 Page 58, Marcel Duchamp

Patrice Gélinet : Persuadé que n'importe quel objet pouvait être une œuvre d'art, il avait fait scandale en présentant une pissotière dans une exposition d'art moderne et en ajoutant une moustache et une barbiche sur le visage de *La Joconde*. Mais en dehors de ses provocations, que sait-on au juste de cet homme qui a marqué plus que d'autres l'art du xxᵉ siècle depuis le 17 février 1913 ? Ce jour-là, à l'exposition internationale d'art moderne, ce peintre de vingt-six ans était devenu du jour au lendemain le Français le plus connu des États-Unis avec Sarah Bernhardt et Napoléon. Il s'appelait Marcel Duchamp et sa peinture exposée à New York, le *Nu descendant un escalier*, avait divisé l'Amérique en deux. Les uns la considéraient comme un chef-d'œuvre, et pour d'autres, c'était un tableau diabolique qui défiait l'idée que l'on se faisait du goût et de l'esthétique. Mais Marcel Duchamp s'en moquait, il avait une autre idée de l'art et du goût.

unité 4 Les nouveaux voyageurs

15 Page 64, Connaissez-vous l'écotourisme ?

Fabienne Chauvière : Se meubler, se vêtir, se nourrir éthique… tels sont les nouveaux préceptes de la consommation dite responsable. On peut aussi ajouter, pratiquer le tourisme durable. Pour ces vacances qui font du bien à l'environnement et à l'âme, pas besoin d'aller loin. Pascal Languillon connaît très bien le sujet. Il a créé « Voyages pour la planète.com » et il signe *le Guide du Routard du tourisme durable* qui vient de paraître.

Pascal Languillon : Il est possible de pratiquer l'écotourisme en France en choisissant un tour-opérateur ou un hébergement écologique. Il en existe beaucoup maintenant. Pratiquer l'écotourisme, c'est quelque chose de simple. Il y a des campings, il y a des hôtels, il y a des gîtes qui sont sensibles à la protection de l'environnement, par exemple avec des panneaux solaires, des énergies renouvelables et ils font aussi attention au tri des déchets ou des choses comme ça.

F. C. : La chaîne de campings Huttopia, par exemple, propose aux vacanciers de retrouver un rapport direct et simple avec la nature, sans téléphone ni télévision, sous la tente ou dans des cabanes. On peut aussi choisir de partir au fil de l'eau.

P. L. : Par exemple, en France, il est possible de prendre une péniche solaire sur le canal du Midi qui vous permet de naviguer pendant six jours en présence d'un guide naturaliste qui est là pour vous sensibiliser sur l'écosystème et l'histoire du canal.

F. C. : Il n'existe pas encore de véritable label pour vous aider. Alors, pour trouver les bonnes idées, il y a les guides et les sites Internet. Quant aux prix, voici ce qu'en pense Pascal Languillon.

P. L. : L'écotourisme n'est pas forcément un tourisme plus cher, il faut juste comparer ce qui est comparable et à qualité de prestation égale, on se retrouve dans les mêmes gammes de prix.

F. C. : Durable, équitable ou solidaire, les initiatives vont sans doute se multiplier dans les mois et les années qui viennent en France car notre pays n'est pas très en avance.

P. L. : Alors, certains pays d'Europe sont plus sensibles à l'écotourisme que d'autres. On peut notamment citer la Suède. En Suède, on peut par exemple construire son propre radeau et descendre une rivière pendant quelques jours avant de le défaire à nouveau et de le rendre à la nature.

F. C. : Et quelque soit votre style de vacances, essayez au moins de privilégier les achats de produits locaux, histoire de faire vivre l'économie de la région que vous avez choisie.

16 Page 71, Réclamation

Catherine Girault : « Droit de choisir » ce matin, Anne nous pose une question.

Son voyage organisé ne s'est pas bien passé et a viré au cauchemar. À son arrivée, elle a constaté que rien n'était conforme à ce qui était annoncé lors de la réservation sur Internet : l'hôtel était sale, les repas infects et le circuit totalement différent de celui de la réservation. Elle s'est plainte instantanément aux organisateurs mais personne n'a pris en compte le mécontentement des vacanciers. L'agence refuse catégoriquement de faire quoi que ce soit. Anne voudrait savoir si elle a un recours.

Gisèle Coquelin, juriste chez *UFC-Que Choisir*. Bonjour !

Gisèle Coquelin : Bonjour !

C. G. : Alors, que faut-il faire avant de partir en voyage organisé comme Anne ?

G. C. : Eh bien, d'abord vérifier que l'agence de voyages dispose bien d'une licence et d'un agrément puisque la loi oblige les prestataires à en être titulaires. Pour cela, rendez-vous à l'agence directement ou bien sur son site Internet.

Ensuite, vérifiez dans le contrat souscrit, la présence effective des points imposés par la loi, notamment relatifs au détail du transport, à l'hébergement, aux repas, à l'itinéraire, etc.

Ces éléments sont fondamentaux puisque c'est sur leurs bases que vous pourrez ensuite avoir un recours si, une fois sur place, par exemple, vous constatez des différences avec ce que prévoyait le contrat.

C. G. : Que faut-il faire quand on est dans cette situation ? Des photos ?

G. C. : Oui, en effet, pour engager la responsabilité de l'agence, il faut disposer de preuves. Le mieux, ce sont des photos qui témoignent que les conditions du séjour, notamment d'hébergement, ne sont pas du tout celles que prévoyait le contrat. Vous pouvez apporter également des témoignages des autres membres du groupe avec des attestations de l'identité de ces personnes, de leur profession et de leur adresse pour les citer lors d'une action en justice. Ensuite, vous devez conserver tous les documents officiels remis à la souscription du contrat, de même que toutes les factures supplémentaires que vous avez payées sur place.

C. G. : Tout le groupe peut-il porter plainte et demander une réclamation ?

G. C. : Oui, il est possible d'engager une démarche collective au retour. L'agence de voyages est seule responsable de tous les prestataires intervenus lors du voyage, par exemple les hôteliers. Je vous conseille d'effectuer un courrier recommandé signé par tout le groupe et ce sera d'autant plus efficace que le nombre de clients mécontents sera important.

Faites d'abord une démarche amiable : ceci passe par l'envoi d'un courrier recommandé avec accusé de réception listant toutes les anomalies constatées et indiquant précisément ce que vous demandez à l'agence (remboursement, réparation du préjudice subi...). Il faudra chiffrer ce préjudice, qui inclut le préjudice moral provoqué par la différence entre ce qui était prévu dans le contrat et ce que vous avez réellement constaté sur place.

C. G. : Alors, comme il vaut mieux prévenir que guérir, quelles précautions faut-il prendre avant de faire une réservation ?

G. C. : En vous connectant sur les forums de consommateurs, examinez et vérifiez les critiques formulées par d'autres voyageurs au sujet des lieux où vous souhaitez vous rendre. Tous ces éléments permettent de recouper les informations données par l'agence. Ensuite, n'hésitez pas à vous rendre sur le site du ministère du Tourisme afin de vérifier qu'il n'y a pas de risques de sécurité dans le pays où vous souhaitez aller.

C. G. : Eh bien, merci pour tous ces conseils. Vous pouvez retrouver des informations sur le site Internet de l'*UFC-Que Choisir* et bien évidemment, si vous avez des questions à nous poser, n'hésitez pas à consulter le site : www.franceactu.fr à la rubrique : « Droit de choisir ».

🔟 Page 79, Première mondiale au pôle Nord

Christian Bex : Le tour du monde à la voile par les pôles Nord et Sud, ça ne s'est jamais fait et c'est le projet de Charles Hedrich. Au-delà de la performance et de l'aventure, le fait que cette idée devienne possible n'est pas forcément une bonne nouvelle pour la planète.

Charles Hedrich, qui s'apprête à repartir en août de Resolutbay, un village inuit du Grand Nord canadien, vient de terminer le 6 juin dernier le trajet pôle Nord - Groenland à pied. Une première. Charles Hedrich.

Charles Hedrich : Avec le *Glory of the Sea*, qui est un bateau d'expédition polaire, donc on va s'engager sur le passage du Nord Ouest, rejoindre le détroit de Béring, en laissant donc le pôle Nord à tribord, Pacifique, tourner l'Antarctique en laissant le pôle Sud à tribord, revenir par le cap Horn, remonter l'Atlantique et revenir au point de départ en grosso modo, dix mois.

Quelque chose qui est absolument passionnant, qui n'a jamais été fait, ça nous permet de voir précisément comment les choses évoluent pour ce qui est du réchauffement de la

Terre, de la banquise et puis également sur l'Antarctique, essayer de se rapprocher à la voile le plus près possible du pôle Sud, plus près que ce qu'a pu faire Amundsen quand il est allé au pôle Sud.

Et on pense pouvoir le faire simplement, parce qu'il y a des bouts entiers de banquise qui disparaissent en mer à cause des températures qui montent.

C. B. : Naviguer au pôle Nord, c'est rendu possible peut-être maintenant à cause du réchauffement de la planète ?

C. H. : Il y a encore quelques années, ce n'était pas tellement envisageable. Aujourd'hui, la difficulté qui se présente, c'est qu'il y a de plus en plus d'icebergs qui se détachent et qui viennent bloquer le passage.

C. B. : Qu'est-ce qui vous attire ? Pourquoi faire ce tour du monde par les pôles ?

C. H. : C'est quelque chose qui ne s'est jamais fait. Il y a une notion de première, il y a une notion de performance. En restant à ma place, je peux apporter une petite pierre à l'édifice en tant que témoin. Quand on regarde l'historique des glaces il y a encore quatre ou cinq ans, ce qu'on a vu, c'était inconcevable. Notre terrain de jeux, presque, c'est la Terre, on constate des choses qui sont particulièrement inquiétantes et inexpliquées en plus.

C. B. : Son voilier d'expédition polaire de 15 mètres de long est doté d'une double coque en aluminium et, réchauffement de la planète ou pas, d'un bon chauffage.

📦 unité 5 Grandeur nature

🔞 Page 82, Croissance verte

Journaliste : Madame Heinonen, bonjour. Vous êtes première secrétaire à la Délégation permanente de Finlande auprès de l'OCDE (Organisation de coopération et de développement économiques) à Paris. Alors, en quoi consiste votre travail ?

Nora Heinonen : Bonjour. La Délégation permanente de Finlande est, en d'autres termes, la représentation de la Finlande auprès de l'OCDE. Je m'occupe plus particulièrement des questions d'environnement, de développement durable et de coopération au développement. Mon travail consiste à représenter la Finlande dans certains comités et groupes de travail de l'OCDE liés à ces thèmes et à servir de lien entre le gouvernement finlandais et le secrétariat de l'OCDE.

Journaliste : Vous avez participé les 24 et 25 juin 2009 à la réunion ministérielle annuelle de l'OCDE qui s'est déroulée au siège de l'OCDE, à Paris. Si mes informations sont correctes, la croissance verte était au centre de vos débats. Mais qu'est-ce c'est, au juste, la croissance verte ?

N. H. : En effet, vos informations sont exactes. L'OCDE étant une organisation avant tout économique, le sujet central de la réunion était évidemment la sortie de la présente crise économique et financière. Pourtant, dans le contexte actuel de changement climatique, il faut également tenir compte des aspects environnementaux de la croissance. Ainsi, la réunion était intitulée : « La crise et au-delà : bâtir une économie mondiale plus forte, plus propre et plus juste ».

Quand nous utilisons le terme de « croissance verte », nous parlons d'une part de promouvoir une croissance économique respectueuse de l'environnement et d'autre part, du fait d'encourager des mesures qui visent à lutter contre le réchauffement climatique pour renforcer cette croissance. Il s'agit donc de comprendre que nous ne sommes pas devant un dilemme : ou sauver la planète, ou redresser l'économie. Au contraire, la croissance et l'environnement peuvent aller de pair si nous le voulons.

Journaliste : Quels ont été les résultats de cette réunion ?

N. H. : Eh bien l'un des principaux résultats de la réunion a été une déclaration sur la croissance verte, signée par les 30 pays membres de l'OCDE, ainsi que par quatre pays candidats à l'adhésion : le Chili, l'Estonie, Israël et la Slovénie. Dans cette déclaration, les pays en question s'engagent à mettre en œuvre des stratégies de croissance verte et à renforcer la coopération internationale en la matière.

Parmi les instruments et mesures mentionnés, nous pouvons citer, par exemple, le développement et la diffusion des technologies propres, l'investissement dans les énergies renouvelables, l'amélioration de l'efficacité énergétique, la création d'emplois verts et la gestion durable des ressources naturelles. En même temps, il faudra successivement arriver à supprimer les politiques nuisibles pour l'environnement, notamment les subventions en faveur de la production ou de la consommation de combustibles fossiles, qui augmentent les émissions de gaz à effet de serre. Enfin, les ministres ont chargé l'OCDE d'élaborer une stratégie pour la croissance verte qui conduit à une croissance économique sobre en carbone, écologiquement et socialement durable.

Journaliste : Est-ce que cela signifie plus concrètement que les pays signataires ne devraient plus subventionner l'industrie automobile traditionnelle ?

N. H. : Quand on considère les mesures de relance économique, il est normal que l'on prenne en compte plusieurs aspects importants, notamment l'aspect social. Comme vous le savez certainement, le concept de développement durable se base sur trois piliers : écologique, économique et social. Dans plusieurs pays européens – comme la France – l'industrie automobile emploie un grand nombre de personnes. Les mesures liées à l'industrie automobile ont donc potentiellement un impact significatif sur l'emploi. Dans le contexte de la croissance verte, il est essentiel que ces mesures ne produisent pas d'effets négatifs pour l'environnement, mais sans pour autant négliger les aspects sociaux.

Par exemple, en principe, il est raisonnable d'encourager le remplacement des vieilles voitures par des voitures neuves, car les nouveaux modèles utilisent des technologies moins polluantes. Ainsi, cela permet de réduire les émissions. Toutefois, si les mesures en question incitent les gens à acheter plus de voitures, à acheter une deuxième voiture par famille ou à utiliser plus leurs voitures, le résultat peut s'avérer négatif du point de vue de l'environnement.

Journaliste : Justement, qu'en est-il de l'automobile électrique ?

N. H. : La voiture électrique présente des éléments intéressants, mais il faut de nouveau être prudent. Vu que la voiture électrique – comme son nom l'indique – roule avec de l'électricité, elle ne pollue pas l'atmosphère avec des particules et des gaz à effet de serre, ce qui est évidemment positif. Toutefois, il faut être attentif à la manière dont on produit l'électricité nécessaire pour recharger les batteries : avec des énergies renouvelables ou, au contraire, avec du charbon ou du pétrole.

La question de l'automobile démontre bien la complexité de ces enjeux. Il est important d'investir dans l'innovation technologique, mais nous devons également être prêts à remettre en question notre mode de consommation et notre mode de vie. Les transports en commun et, par exem-

ple, les systèmes de covoiturage devront faire l'objet d'une attention croissante dans l'avenir. Des secteurs industriels doivent préparer leur reconversion vers des domaines ou des technologies plus durables. Et nous devons tous mesurer l'impact qu'aura chacune de nos décisions.

Journaliste : Et vous, personnellement, êtes-vous une vraie « écolo » ?

N. H. : Dans ma vie quotidienne, je respecte certains principes. Tout d'abord, j'utilise les transports en commun ou le vélo lors de mes déplacements. Je fais attention à ma consommation d'énergie et d'eau, par exemple en veillant à ne pas laisser la lumière allumée là où ce n'est pas nécessaire. Quand je fais mes courses, j'apporte un sac à dos pour transporter mes achats au lieu d'utiliser les sacs en plastique disponibles dans les magasins. Enfin, je trie mes déchets et je les recycle au maximum. En pensant à ces détails, qui sont à mon avis très simples, nous pouvons tous contribuer à améliorer l'état de notre planète.

Journaliste : Madame Heinonen, nous vous remercions de nous avoir accordé cet entretien.

N. H. : Merci, c'était avec grand plaisir.

(19) Page 95, Apprendre à jardiner ?

Il y a une réflexion qui reflète à la fois un réel désir de jardiner et un grand embarras. En gros : « *J'aimerais tellement savoir faire un peu de jardin, ne serait-ce que sur mon balcon, mais j'ai déjà été déçu ! Je ne dois pas avoir la main verte...* » Oubliez d'abord cette légende de la main verte. Oui, c'est vrai. Nous connaissons tous des personnes qui réussiraient le bouturage du manche à balai – j'exagère à peine – et qui font refleurir des plantes abandonnées à la poubelle en triste état. Nulle magie ou don particulier là-dessous. Ces personnes ont certains traits de caractère en commun, elles sont simplement observatrices, elles ont du bon sens et elles ont confiance en elles. En général, ce sont des optimistes, et ça marche !

L'observation permet de savoir si la plante a besoin d'eau ou si, au contraire, elle est en train de s'asphyxier. Le bon sens, lui, dit que jamais un engrais ou un reverdissant n'a empêché une plante de se noyer. Avec toutes celles et tous ceux qui essaient de conseiller au mieux les auditeurs ou les lecteurs jardiniers, je constate souvent que nos végétaux peuvent souffrir d'un excès de soins. Donc, confiance, confiance et patience ! Vouloir tout, tout de suite, déjà grand, en fleur ou en fruit, relève d'une impulsion propre à créer un décor temporaire, pour ne pas dire éphémère. Mais c'est aussi dans la tendance... Le temps travaille pour vous. Comme toutes les petites bêtes et organismes du sol. Pour les satisfactions durables, pour la pérennité de vos plantations, mieux vaut ne pas aller plus vite que la musique et penser qu'il pourrait y avoir des produits miracle sur les rayons incroyablement tentants des jardineries. Non. Et c'est plutôt le contraire. Les mains vertes de ma connaissance ne dépensent pas beaucoup d'argent pour leur jardin. Les semis, les plants, les boutures sont faits maison et une partie est souvent échangée dans les bourses aux plantes pour de nouvelles acquisitions. C'est là et dans les associations de jardiniers que vous trouverez les meilleurs avis. Et aussi dans la presse verte comme dans certains ouvrages. Cette semaine, par exemple, l'hebdomadaire *Rustica* vous montre comment bouturer soixante-quatre plantes là, maintenant, dans les semaines qui viennent. Beaucoup sont vraiment faciles, pourquoi s'en priver ? D'autres références et des bonnes affaires sont à bouturer dans la chronique Jardinage, france-info.com.

1 Je ne le lui ai pas présenté.
2 Parles-en, ou alors, tais-toi !
3 Je vais vous y accompagner.
4 Parle-lui-en en mangeant.
5 Mais ne le leur dis pas !
6 Elle ne lui en a pas voulu.

unité 6 L'histoire en marche

21 Page 100, Mai 1968 aux « Escaliers du marché »

Claude Frochaux : Mon nom est Claude Frochaux. Je suis retraité, j'ai passé ma vie dans les livres, libraire d'abord, éditeur ensuite à L'Âge d'Homme et puis depuis maintenant cinq-six ans, je suis à la retraite. Alors, en mai 1968, je m'occupais de ma petite librairie des *Escaliers du marché* qui était un véritable repaire de gauchistes à l'époque, c'était une librairie assez mythique, tout le monde venait là, etc.
Mais j'avais vécu à Paris trois ans avant. J'étais un petit peu inculpé [...]. Mais en 65, j'étais rentré en Suisse, donc je n'ai pas du tout participé, à Paris même, à mai 1968. Par contre, on était une sorte de base arrière en Suisse, ce qui fait que certains interdits de séjour en France revenaient en Suisse, et notamment Cohn-Bendit est venu se réfugier un peu en Suisse en septembre, je pense, ou en août-septembre 68, et je me rappelle avoir organisé une soirée en son honneur chez moi avec tout un monde etc., etc. Son frère Gaby était là aussi, et je me souviens, par exemple, de lui avoir fait écouter les premières chansons qui sortaient de mai-juin 1968, notamment la chanson de Serge Lama qui s'appelait *Les Belles de mai*. Et je me rappelle qu'il en était très ému, de voir au fond la répercussion que ça avait eu quelques semaines plus tard.
Journaliste : Un petit libraire à la... aux escaliers du marché, m'avez-vous dit ? C'est à Lausanne. C'était une librairie où l'on avait le droit de fumer à l'époque ?
C. F. : On avait le droit de tout, on ne fermait presque jamais, on saucissonnait à neuf heures le soir. Je ne vendais pas un livre que je n'avais pas terminé. Enfin, vous voyez le genre, on était dans une ambiance de bohème totale, de créativité considérable et je me souviens que juste après mai-juin, la drogue est arrivée, et ça a changé complètement l'ambiance. C'était pour moi une sorte de décadence par rapport à ce qu'on avait vécu qui était entièrement basé sur des idées, des discussions, une volonté de renouveler un petit peu le monde et donc c'était vraiment quelque chose pour moi qui a été une décadence.
Journaliste : Mais quand vous sortiez de votre librairie avec tous ces amis, c'était pour faire quoi ?
C. F. : Bon, on faisait la fête, on faisait beaucoup la fête à cette époque, y avait ces fameuses fêtes de Lausanne des années 60 qui étaient extraordinaires. Il y avait un mot d'ordre qui disait : « Ce soir, y a une fête chez les médecins » ou bien, « Y a une fête chez les architectes ». Il y avait des mots d'ordre et moi, j'étais au centre un peu de tout ça parce que cette librairie était très branchée, si je peux dire, sur ce mouvement gauchiste ; on savait toujours qu'il se passait quelque chose. Donc on a vécu un mai-juin 68 très intense, tout en n'y participant pas du tout finale-

ment. On était tout à fait à côté. Alors beaucoup de mes amis sont allés en France. J'osais pas trop y aller, j'avais l'impression que je me ferais refouler parce que quand même, j'avais... j'avais quand même une certaine réputation, j'étais un peu connu à Paris. Il m'est arrivé une drôle de chose à Paris, parce que j'étais pris dans un commissariat du VIIe arrondissement et j'ai dû remplir un formulaire. À la fin du formulaire, c'était « activité politique », j'ai répondu : « *Écoutez, je suis suisse, la Suisse est neutre, nous n'avons pas d'activités politiques, ça n'existe pas* », et le fonctionnaire qui était là était tellement surpris qu'il a carrément biffé le..., là, là, là... Et je suis sorti comme ça, j'étais tout fier de moi d'avoir eu cette répartie.

22 Page 112, Mayotte, 101e département français en 2011

Yves Jégo (secrétaire d'État à l'Outre-Mer) : C'est une satisfaction puisqu'on a fait en sorte, effectivement, de permettre à Mayotte de pouvoir choisir ce statut. Voilà 30 ans que tout le monde l'attendait et le résultat montre que c'était une attente très forte.
On a beaucoup travaillé pour que ce soit une campagne vérité, pour qu'on dise tout à nos compatriotes de Mayotte, à la fois ce qui allait évoluer avec les nouveaux droits mais aussi les nouveaux devoirs, comme par exemple l'égalité entre les hommes et les femmes, la fin de la polygamie, la mise en place en 2014 d'impôts locaux qui n'existaient pas aujourd'hui. Et puis il y a progressivement l'alignement sur les conditions de vie de la métropole, sur l'allocation logement, sur un certain nombre d'aides qui dans les vingt prochaines années seront alignées. Et puis nous travaillons évidemment avec les élus pour faire du développement économique parce que, à Mayotte, comme dans les autres départements d'outre-mer, nous voulons que l'avenir passe par la production locale, par l'emploi, par l'activité, et pas par le transfert social.

unité 7

Je l'aime, un peu, beaucoup...

23 Page 118, « Assez parlé d'amour »

Philippe Vallet : On dit souvent qu'on est attiré par ce qui vous ressemble. Ce n'est pas si sûr. On peut aussi construire une relation avec quelqu'un qui vous est totalement étranger. C'est ce qu'écrit Hervé Le Tellier dans son nouveau roman. Mais le coup de foudre se paye comptant. Hervé Le Tellier.
Hervé Le Tellier : Ce sont deux femmes, l'histoire de deux femmes, deux destins parallèles, une avocate et une pédopsychiatre, qui toutes les deux rencontrent, presque le même jour, deux hommes. Un écrivain et, de l'autre côté, le psychanalyste de la pédopsychiatre vont bouleverser leurs vies. Elles sont mariées, elles sont heureuses, elles ne pensent pas un quelconque instant changer quoi que ce soit à leurs destins de vies de mères, de femmes liées à leur mari par des liens de tendresse et pourtant quelque chose va arriver entre elles, qui va tout bouleverser.
P. V. : Qu'est-ce qui va faire qu'elles vont, d'un seul coup, s'interroger ?
H. L. T. : Il n'y a rien qui puisse motiver, a priori, leur séparation d'avec leur mari ; elles l'aiment, elles ont une

tendresse que l'une dira indéfectible, et pourtant quelque chose se noue avec un homme autre, qui est de l'ordre du désir, de l'ordre de l'étrangeté, c'est-à-dire que c'est un homme très différent de ceux qu'elles ont pu croiser d'habitude, qui va intégralement modifier le rapport qu'elles ont au monde. Elles auront l'impression de tout voir derrière une vitre soudain, et plus rien ne sera réel dans le couple qu'elles ont établi avec leur mari depuis des années. Pour l'une comme pour l'autre, la question va se poser de la séparation. Deux réponses sans doute très différentes mais ce qui crée cette rupture, ça sera le désir, le fait qu'elles n'ont pas leur mot à dire.

P. V. : Pourtant, ce sont deux femmes qui sont dans l'écoute, une avocate, une pédopsychiatre ?

H. L. T. : Elles sont dans l'écoute, elles sont dans le langage, mais cette irruption du désir va provoquer quelque chose en elles qui sera irrémédiable et qui modifiera de manière définitive leur vie.

P. V. : Hervé Le Tellier, le titre de votre roman, c'est *Assez parlé d'amour*. Alors, qu'est-ce qui établit une relation amoureuse ?

H. L. T. : Je crois qu'il y a trois choses qui sont évidemment le désir, évidemment la tendresse et aussi l'assentiment d'appartenance avec la personne avec qui on est liée, d'appartenance à un même univers, ça peut être un univers communautariste ou communautaire, ça peut être un univers de langage, un partage pour une passion ; et puis, parfois, ce qui peut créer un lien, c'est justement le fait de ne pas partager quoi que ce soit, et d'être toujours en confrontation, toujours en frottement et peut-être parfois ces liens, qui sont des liens de non-partage, sont plus forts pour unir un couple que des liens de pur partage. Et c'est ce que j'ai voulu aussi montrer, c'est que parfois le fait d'être étranger à l'autre crée une attraction plus forte encore, que celle qui peut naître du partage réel d'une passion ou d'un mode de vie.

P. V. : C'est paradoxal.

H. L. T. : C'est très paradoxal, et pourtant ça crée un charme, une puissance de fascination que ne peut pas créer le réel partage, par exemple le fait d'appartenir à la même communauté religieuse, à la même communauté ethnique. Le fait de rencontrer un véritable autre peut être parfois un objet d'absolue fascination.

P. V. : *Assez parlé d'amour*, d'Hervé Le Tellier, est publié chez Lattès.

24 Page 121, activité 2

1 Quelle bonne surprise de te revoir !
2 Je suis très ennuyé par ce contretemps mais je vais m'arranger.
3 Depuis que Victor et Marie ont divorcé, ça me gêne de les rencontrer ensemble.
4 Je suis extrêmement fâché par l'attitude de Véronique !
5 J'ai eu si peur que tu aies eu un accident !
6 C'est incroyable, c'est son cinquième mariage !
7 C'est vraiment regrettable d'en arriver là !
8 Tous ces gens pauvres dans les rues, quelle tristesse !
9 Je te dérange ? Ah ! tu n'es pas seul !
10 Je suis si ému de vous voir à nouveau ensemble !

25 Page 122, Avec eux

On s'est connus à l'école, en colonie ou au sport
On s'est jaugés, on s'est parlé, ces p'tits débuts
qui valent de l'or

La vie a fait qu'on s'est revus, l'envie a fait
qu'on est restés
Ensemble autant qu'on a pu, sentant qu' ça allait
nous booster

On a su, dès nos débuts, qu'il y avait quelque chose
de spécial
Mes lascars m'ont convaincu que leur présence
m'était cruciale
Alors, on se souffle dans l' dos pour se porter les uns
les autres
On s'est compris sans même s'entendre, chaque fois
qu'on a commis des fautes

Et puis, c'est en équipe qu'on a traversé les hivers
Et les étés ensoleillés, les barres de rire et les galères
Ils m' sont devenus indispensables, comme chaque
histoire a ses héros
Ils sont devenus mes frangins, mes copains, mes frérots

On forme un bloc où l'intégrité s' pratique pas à moitié
Et je reste entier aussi parce qu'ils m'ont jamais diminué
Au cœur d' cette cité, ils m'ont bien ouvert les yeux
Pour éviter les pièges à loups des jaloux envieux
d' not' jeu

J'aurai jamais assez de salive pour raconter tous
nos souvenirs
Ils ont squatté dans mon passé et s'ront acteurs
de mon avenir
On a tellement d'histoires ensemble qu' j'ai l'impression
d'avoir cent ans

Nous on s' kiffe
et ça s'entend,
on fait du bruit,
et pour longtemps

On s'dépense beaucoup même avec walou dans les poches
L'adversité on la connaît, on en a fait un parent proche
J'ai tellement squatté leurs caisses qu'on croyait
qu'j'y habitais
C'était notre coffre-fort où toutes nos idées s'abritaient

[Refrain]
Avec eux j'ai moins de failles, avec eux je me sens
de taille
Avec eux rien que ça taille, ça tient chaud quand y caille
Avec eux j'ai moins de failles, avec eux je me sens
de taille
Bien posé sur les rails, on a la dalle et on graille

Avec eux, on a écrit quelques belles pages de notre
histoire
Et je vous assure que c'est pas fini, suffit de nous voir
pour le croire
À vouloir faire des trucs ensemble, en fait, ce qu'on
a le mieux réussi
C'est de fabriquer une amitié, potes à perpète
et sans sursis

Avec eux, on cherche tout le temps, on est toujours
aux quatre cents coups
Mais les meilleurs moments c'est quand même quand
on fait rien du tout
Capables de rester quatre jours à la terrasse d'un café

On s'nourrit de ces instants parfaits, pour nous,
        glander c'est taffer

Je crois que c'est avec eux que j'ai passé le plus de soirées
Certaines bien réussies, mais la plupart un peu foirées
Pas la bonne tête, pas les bonnes sapes ou pas assez
        accompagnés
Mais rentrer en boîte, pour nous, c'est clair qu' c'était
        jamais gagné

Entassés dans une voiture avec la musique qui sort
        des f'nêtres
À la recherche dans tout Paris d'un pauvre endroit
        qui nous accepte
Ça finissait à trois heures à Montmartre avec les crêpes
        à emporter
Les doigts congelés et l'huile qui goutte sur nos vieux
        jeans tout salopés
Faut que j' leur précise un petit truc, Grand Corps, avant
        qu'on enquille
Bien avant qu'on s' mette en tête de foutre au monde
        une grosse béquille
On avait un drôle d'humour lourd qui f'sait détaler les filles
On était des boules de bowling perdues sur des pistes
        sans quilles

Rétrospectivement j'nous r'vois sapés comme des charclo
À essayer de négocier alors que le débat était clos
Leur présence m'est essentielle, elle aide à s' tenir debout
Nos rêves se conjuguent au pluriel,
        quand je parle de moi,
        moi, je dis nous

[Refrain]

L'amitié, c'est une autoroute avec de belles destinations
Elles sont toutes bien indiquées et ça devient vite
        une addiction
Ça r'ssemble un peu à l'amour mais en moins dur,
        je vais m'expliquer
C'est plus serein, moins pulsionnel donc forcément
        moins compliqué

Paraît que l'entourage, ça change vachement quand
        t'as la cote
C'est pour ça que c'est rassurant d'évoluer avec ses potes
Notre dur labeur paye, on voit les portes qui s'entrouvrent
Dorénavant,
        les phases,
        on les cherche plus,
        on les trouve

Interprètes : GRAND CORPS MALADE et John Pucc'
Paroles : GRAND CORPS MALADE, John Pucc' /
Musique : FEED BACK

26 Page 131, Recherche d'indépendance

JOURNALISTE : « Je suis malheureux », nous écrit Éric, 32 ans, consultant dans une grande entreprise internationale. En effet, il nous explique qu'il ne peut pas s'épanouir dans sa vie d'homme depuis qu'il s'est mis en ménage, il y a deux ans, avec sa compagne Cécile, âgée de 38 ans. Auparavant, il vivait avec sa mère. Ce qui a provoqué sa prise de conscience, c'est le jour où, sans l'en avertir, Cécile a pris rendez-vous pour lui chez le dentiste. Depuis ce jour, il ne supporte plus

sa vie en couple et a des difficultés de communication avec sa mère. C'est pourquoi il demande au psychanalyste Thierry Raguse de l'aider dans ses choix à faire.

Thierry RAGUSE : Je pense que ce jeune homme a raison de s'inquiéter, puisqu'un adulte de son âge devrait être capable de prendre un rendez-vous tout seul. C'est vraiment malsain de se retrouver dans une situation où tout ce qui concerne la vie quotidienne est organisé, dicté par l'autre, même si derrière tout cela il y a, bien sûr, amour et affection.

JOURNALISTE : Mais dites-nous, Thierry, en quoi cette situation est-elle malsaine ?

T. R. : Écoutez, un garçon de 32 ans doit absolument être indépendant, capable de gérer son quotidien et de prendre ses décisions. Cependant, il est vrai qu'ayant été habitué à être assisté par sa mère jusqu'à un âge avancé, il a laissé, peut-être sans le vouloir, sa femme reprendre le rôle de la mère. Tout ceci est certes agréable pour lui, garçon dorloté par sa mère, mari chouchouté par sa femme, mais ce n'est qu'une illusion de confort. La vraie vie se passe ailleurs. Comment voulez-vous qu'Éric puisse être indépendant et actif, se sentir « vivant » dans ces conditions ?

JOURNALISTE : Alors justement, que se serait-il passé s'il ne s'était pas rendu compte de cette situation ?

T. R. : Heureusement, il a eu la bonne idée de nous écrire, il aurait pu finir sa vie de plus en plus dépendant de sa femme et même de sa mère, ce qui aurait pu le mener à des problèmes psychologiques graves. En choisissant de nous écrire, il marque un premier pas vers la sortie de cette constellation écrasante et castratrice.

JOURNALISTE : Alors, Thierry, que conseillez-vous à Éric ?

T. R. : Tout d'abord, il doit prendre ses distances face à ces figures maternelles bien trop rassurantes. Puis il faudrait qu'il quitte cette sphère nourricière en affirmant son autonomie. Ce n'est que de cette manière qu'il parviendra à se forger une identité propre et indépendante. Tout cela bien sûr sans violence. D'une part, sans rejeter sa mère, et d'autre part, en expliquant à sa femme le nouveau rôle qu'il devra jouer au sein de leur couple. Car voyez-vous, chacun doit trouver sa place dans un équilibre harmonieux.

unité 8 Ressources humaines

28 Page 140, Enceinte et cadre, l'impossible défi ?

PRÉSENTATEUR : Sur la première, 7 h 20. Elle est enceinte et elle assure que sa tâche à l'exécutif de la ville n'aura pas à souffrir de son congé maternité. Elle, c'est la municipale genevoise Sandrine Salerno et elle a clamé ça *urbi et orbi*, c'est une déclaration militante qui relance le débat en tout cas sur le site de *Virus* : une grossesse et une vie de famille sont-elles compatibles avec un poste à responsabilités ? Oui, en théorie répondent les très nombreuses internautes même si, en pratique, ça reste une autre histoire.
« Virus »

Sylvie PERRINJAQUET : Avant, c'était : « Est-ce qu'une femme peut être cadre ? » Maintenant, on reconnaît qu'elle peut être cadre. Maintenant, est-ce qu'elle peut être cadre et avoir des enfants ? Et j'ai parfois vraiment le sentiment qu'on est restés malgré tout encore très conservateurs sur ce thème-là.

Francesca ARGIROFFO : Ce cri du cœur de Sylvie Perrinjaquet, conseillère d'État neuchâteloise, et accessoirement mère de deux grandes filles, peut se comprendre. Une grossesse pour une femme à responsabilités dans un mandat électif ou non devrait aller de soi, pour autant bien sûr que l'on s'organise et que le compagnon s'engage. La preuve par Sylvie Perrinjaquet qui, à l'époque, n'était pas au gouvernement.

S. P. : Je travaillais à plein temps dans une école normale, avec la responsabilité de formation qui était un plein temps. Donc j'ai dû partager mon temps de travail avec celui du père de mes filles à l'époque et ça a été faisable.

F. A. : Sans avoir cette fonction d'encadrement, c'est aussi le cas pour Catherine, mère de deux jeunes enfants et qui est restée chef de projet dans une entreprise du secteur des machines.

Catherine : Donc, avant de m'arrêter, j'ai déjà pris des mesures pour partir en laissant une situation propre, en identifiant clairement sur chaque projet le travail qui restait à faire et puis qui allait pouvoir s'en occuper pour que mon absence ne soit pas trop compliquée. Après, pendant le congé maternité, j'ai laissé la possibilité de me contacter. Mais je crois que j'ai été appelée de mémoire deux ou trois fois parce qu'après, il y avait eu un système de suppléance qui avait été mis en place. Et puis, quand j'ai repris mon travail, j'ai retrouvé ma place et entre-temps, j'avais baissé mon taux d'occupation donc j'avais un petit peu moins de projets qu'avant, à temps partiel, mais ma fonction restait exactement la même.

F. A. : Catherine n'est pas la seule à penser que cadre et mère de famille n'est pas une mission impossible. Mais cela dépend du moment et, bien sûr, du secteur dans lequel on travaille. Aline Nicol, directrice de la télévision régionale valaisanne CANAL 9, a mis tout cela en balance lors de son entrée en fonction.

Aline Nicol : Alors, ça a été non, je vais faire un choix entre avoir un enfant tout de suite ou prendre ce poste et j'ai décidé de reporter l'enfant.

F. A. : Aujourd'hui que l'impulsion a été donnée, elle voit l'avenir différemment.

A. N. : Alors je pense que maintenant, y a une nouvelle étape qui a été atteinte, on est dans une nouvelle structure, aussi une structure un peu plus grande qui permet d'avoir un peu plus de personnes sur lesquelles s'appuyer et maintenant, j'arrive dans une période où j'envisage sérieusement les choses.

F. A. : Pour la majorité des femmes, c'est en général la diminution du temps de travail plus que la maternité qui pose problème. Janine, une jeune analyste financière dans une banque genevoise, l'admet : elle a dû se battre pour obtenir un 80 %. Et le jour où elle visera un poste plus important, elle repassera au plein-temps. Condition *sine qua none* pour poursuivre sa carrière. Elle est plus chanceuse que Clémentine, qui est tombée enceinte six mois après son engagement, a demandé un 80 % et qui, à son retour, s'est fait finalement licencier. Motif : trop d'absences. Cette pression de la société qui allie présence et excellence, décourage sans doute plus d'une jeune femme à accepter un poste de cadre. Dommage, dit Sylvie Perrinjaquet.

S. P. : Nous, on a voulu engager des femmes qui avaient, disons, des jeunes enfants. Elles étaient pas en situation de se trouver enceintes. Et quand vous leur expliquez les responsabilités, etc., et bien, à la dernière minute, elles vous lâchent, elles viennent pas, elles disent que...

F. A. : Elles ont peur.

S. P. : Elles ont peur, oui.

㉙ Page 143, La consultation philosophique

Vincent : Salut Méline ! Je t'ai attendu pour aller déjeuner hier midi !

Méline : Tu sais bien que tous les mardis après-midi, je vais avec mes collègues faire de la philo !

Vincent : Quoi ! Mais qu'est-ce que c'est que cette histoire ?

Méline : Mais si ! Je t'en ai déjà parlé. Les consultations philosophiques organisées par le DRH pour rendre mon service plus performant.

Vincent : Je t'assure que c'est la première fois que tu m'en parles ! Je m'en souviendrais, sinon ! Depuis quand tu fais ça ?

Méline : Ça doit bien faire un mois maintenant. Depuis que notre chef de service a fait part au DRH qu'il nous trouvait trop... comment dire... trop inertes !

Vincent : Inertes ? Mais pourquoi ?

Méline : Parce qu'on s'est soi-disant installés dans une façon de faire et qu'on n'arrive pas à en changer et que, du coup, on ramène moins de contrats.

Vincent : Et c'est le DRH qui a eu cette idée de consultation philosophique ?

Méline : Oui, avec l'accord de la Direction Générale, bien sûr.

Vincent : Et ça consiste en quoi ces consultations ?

Méline : Eh bien, on est accompagnés par une consultante, agrégée en philo, qui nous invite à dialoguer autour du thème à traiter. Pour nous, c'est le changement puisqu'on est inertes ! Elle part d'une définition du changement et elle nous demande de croiser nos réflexions et nos interrogations. Elle nous pose des questions du genre : « Quelle est la plus grande décision que vous ayez prise et qui a changé votre vie ? ».

Vincent : Mais ta vie... ta vie privée ou professionnelle ?

Méline : Non, non, ta vie privée ! Elle nous demande toujours de nous situer hors entreprise, d'abord. Ensuite, on transpose ce qu'on a dit à l'intérieur de l'entreprise. D'abord, on se demande : « Qu'est-ce que le changement dans ma vie ? », ensuite « Qu'est-ce que le changement dans l'entreprise ? ».

Vincent : Ah ouais ! Mais du coup, elle vous fait parler de trucs un peu intimes, quand même ?

Méline : Carrément intimes, même ! Je ne suis pas sûre d'adhérer complètement à sa technique parce que ça m'oblige à raconter des trucs de ma vie perso à mes collègues de travail que je n'avais pas forcément envie de leur dire.

Vincent : C'est délicat comme situation.

Méline : Très, si on refuse, on risque de se faire virer !

Vincent : Quand même pas !

Méline : Va savoir ! En plus, entre deux séances, on doit réfléchir autour d'une question qu'elle nous a posée et qui est le thème de la séance suivante. Du coup, on fait des heures sup !

Vincent : Oui bon, réfléchir, ça va encore...

Méline : C'est pas tout. Elle rédige ensuite une synthèse qu'elle nous envoie, nous demandant de relire, compléter et valider... et ça, c'est du boulot !

Vincent : En effet. Mais, dis-moi, où est la philo dans tout ça ?

Méline : En dehors du fait que la consultante est agrégée en philo et qu'elle nous demande de réfléchir à des problèmes existentiels ? Ben, elle cite par-ci par-là des philosophes. Elle appelle ça des « points philosophie ».

Vincent : Un peu comme les bons points à l'école ?

Méline : Un peu. Par exemple, aujourd'hui, elle a cité un philosophe du xxᵉ siècle qui s'appelait Alain. Il a dit : « *L'homme* *restera lui-même pour presque tout. Le seul changement qu'on peut espérer, c'est qu'il soit lui-même, au lieu de céder aux choses extérieures. »*

Vincent : Euh… si je comprends bien, ça veut dire que vous ne devez pas vous laisser influencer et rester vous-mêmes ? Mais, ces consultations philosophiques, c'est bien pour vous aider à changer, non ?

Méline : Sans commentaire.

30 Page 146, activité 3

1 Travailler le matin ou l'après-midi, c'est du pareil au même.

2 Ce DRH n'arrive pas à la cheville de son prédécesseur.

3 Le fils du directeur, c'est son portrait craché.

4 Travailler le samedi, ça va ; mais le dimanche, c'est une autre paire de manches.

5 Entre mon nouvel emploi et mon ancien, c'est le jour et la nuit.

6 Ces deux secrétaires se ressemblent comme deux gouttes d'eau.

31 Page 149, « Les Français veulent travailler le dimanche »

Jean Leymarie : *Le JDD, le Journal du Dimanche,* et en direct avec nous, Patrice Trapier, rédacteur en chef. Bonjour.

Patrice Trapier : Bonjour.

J. L. : À la une du *JDD* ce matin, la crise financière, évidemment, mais aussi un sondage, un sondage sur les Français et le travail le dimanche. Une évolution visiblement dans le comportement et dans les attentes des personnes que vous avez interrogées.

P. T. : Oui, il y a une majorité de Français qui, maintenant, considèrent que le travail du dimanche est normal, que… ils y sont favorables à 52 %. Mais, bon, ça reste encore un peu divisé, surtout en campagne. Mais, par contre, les Français sont vraiment prêts à travailler le dimanche, c'est très intéressant. Personnellement, même s'ils ont un avis – le dimanche, il faut faire attention – personnellement, ils sont prêts à travailler, très largement, à 67 %. C'est évidement l'effet de la crise, c'est une évolution qui date de quelques mois seulement le désir de travailler le dimanche et le désir aussi de changer la loi. Les Français ont bien compris que cette loi de 1906, elle était très archaïque et y a énormément de dérogations, y a 180 dérogations. Et le gouvernement a décidé donc cette semaine d'accélérer. Aujourd'hui, Xavier Bertrand et Luc Chatel sont un peu en campagne pour parler de ce sujet et Nicolas Sarkozy va faire un discours sur l'emploi cette semaine. Et il va y avoir un projet de loi qui va… qui va changer tout ça. Qui va encadrer d'ailleurs la possibilité d'avoir des salaires et des jours de récupération… pour le salaire plus important, le dimanche. Mais il va y avoir un changement sur cet… sur le travail du dimanche.

unité 9

À la recherche du bien-être

32 Page 154, « Ne mâchons pas nos maux »

Philippe Vallet : Aujourd'hui, beaucoup d'aliments sont gorgés de sucres et de graisses. Ça donne la « malbouffe ». Le mot n'est pas joli, mais il est explicite. Isabelle Saporta, journaliste à *Marianne* et ancienne collaboratrice de Jean-Pierre Coffe sur France Inter, a enquêté. L'état des lieux alimentaire est véritablement alarmant. Isabelle Saporta.

Isabelle Saporta : Je voulais montrer que, moi qui appartient à la génération des trentenaires, la génération surgelés, boulot, dodo, y avait moyen aujourd'hui, dans cette période de crise, de manger sainement, d'éviter tous les pièges tendus par l'industrie, que ce soit ceux de la *junkfood* ou ceux de l'alimentation magique et d'économiser des sous.

P. V. : Il y a moyen de bien manger, hein.

I. S. : Il y a moyen de bien manger si tant est que l'on essaye de se remettre un peu derrière les fourneaux. Je ne demande pas à ce qu'on y passe trois heures, mais, par exemple, juste un petit exemple, si vous prenez vos carottes râpées par l'industrie, là, j'ai vu, là dernièrement, 2 euros trente les deux cents grammes, c'est-à-dire 11 euros cinquante le kilo, vous savez que le kilo de carottes aujourd'hui est à un euro trente, donc vous imaginez la perte de sous là-dedans ?

P. V. : Ça veut dire que bien manger, c'est pas forcément trop cher ?

I. S. : Bien manger, c'est pas forcément trop cher et ce sera d'autant moins cher que vous aurez vidé vos caddies de tout ce qui ne sert à rien, c'est-à-dire tous les aliments magiques, les alicaments, les compléments alimentaires, tout le *light* donc tous ces aliments dont la preuve n'a pas été faite de leur efficacité, donc vous allez dégager du pouvoir d'achat, vous allez aussi vider votre Caddie de tout ce qui est mauvais pour la santé, clairement c'est-à-dire les sodas, la *junkfood*, tout ce qui est malbouffe et là, vous allez revenir vers des produits basiques et vous allez faire des économies merveilleuses par rapport aux plats préparés.

P. V. : Vous estimez, Isabelle Saporta, qu'il y a dans le pays, une fracture alimentaire. Alors, explications.

I. S. : Oui, c'est vrai, c'est-à-dire que, ça se fait pas de le dire mais aujourd'hui, les plus gros dans notre société, ceux qui sont le plus frappés de plein fouet par l'obésité, ce sont les plus précaires, les plus démunis.

P. V. : Il y a des solutions ?

I. S. : Oui, il y a des solutions, moi je pense qu'il faut revenir à la connaissance des produits qu'on a perdue et je pense qu'il y a une solution toute simple, ce serait de refaire des cours de cuisine, comme le font d'ailleurs nos voisins les Anglo-Saxons et je crois qu'il n'y a que ça de vrai parce que je pense que les gamins pour eux, aujourd'hui, les fruits frais, c'est comme des sauterelles, ils ne savent plus ce que c'est, eh bah, il faut leur remontrer ce que c'est.

P. V. : C'est pas un peu réac ?

I. S. : Eh bah, écoutez, moi, je revendique d'être réactionnaire, non, je pense que ce n'est pas réac, ce qui est réac, c'est de laisser les gens dans l'inculture culinaire dans laquelle ils sont aujourd'hui et ça, c'est vraiment injuste.

P. V. : *Ne mâchons pas nos mots*, d'Isabelle Saporta, est publié chez Robert Laffont.

33 Page 160, Vocabulaire : La cuisine, activité 2

1 Ce chocolat est amer.

2 Ma glace a bon goût.

3 Ce civet est exquis.

4 Le steak au poivre est succulent.

5 Cette banane est pourrie.

6 Ce repas est vraiment copieux.

7 Ça a l'air dégueulasse ici.

8 Ton poisson semble fade.

9 Mon plat de pâtes est lourd à digérer.

10 Il a raté mon soufflé au fromage.

11 Sa tarte aux pommes n'est pas terrible.

12 Ces tomates sont vertes.

13 Ce fromage est savoureux.

14 Ce cake n'a pas de goût.

15 La crème a brûlé.

34 Page 160, Vocabulaire : La quantité, activité 2

1 Mettez un brin de laurier.

2 Il en reste une grosse part.

3 Julie cuisine avec trois fois rien.

4 Je ne mets presque pas de sucre.

5 Y a un tas de choses inutiles dans ce plat.

6 Finalement, pas mal de gens ont des idées de recettes.

7 Un grand nombre d'espèces de poissons est menacé.

8 Il a à peine mangé.

9 Tu ne m'en as laissé que quelques miettes.

10 Juste une cuillère à café de miel.

11 Tu peux boire du champagne mais sans excès.

12 Ce repas est substantiel.

13 Donne-moi quelques noix.

14 Y a foule dans ce resto.

15 Mets juste une pointe d'épices.

35 Page 164, activité 1

1 Il est sur les genoux.

2 J'en ai plein le dos !

3 Tu peux me donner un coup de main ?

4 Il a une dent contre lui.

5 Elle a le bras long.

6 Tu as les yeux plus gros que le ventre.

7 Il s'est fait tirer l'oreille.

8 Ça se voit comme le nez au milieu de la figure.

9 Nous avons besoin d'une épaule.

10 Elle passe son temps à se regarder le nombril.

36 Page 165, Le surpoids

JOURNALISTE : Aujourd'hui, notre reportage santé avec Laurence Alvetta qui a créé sa propre marque de sous-vêtements *Chantal et moi*. Laurence Alvetta, bonjour.

Laurence ALVETTA : Bonjour.

JOURNALISTE : Alors, être en surpoids à notre époque ne veut plus dire la même chose ?

L. A. : Oui, en effet, depuis quelques années, la société a changé, l'apparence a pris une importance considérable. On ne regarde plus les gens de la même façon quand ils sont trop gros, trop grands, trop maigres ou trop petits.

JOURNALISTE : Alors, quels étaient vos objectifs en fondant cette entreprise ?

L. A. : Eh bien faire en sorte de proposer des vêtements modernes et esthétiques à ces personnes qui ne sont pas « dans la norme ». De nos jours, il faut faire un 38, chausser un 37-38, mesurer un mètre soixante-dix et faire un 90 B. Les marques de vêtements ne connaissent pas les grandes tailles. Les femmes qui ont beaucoup de poitrine et un tour de taille supérieur à 46 ne trouvent pas « chaussures à leurs pieds ». Tous les modèles de maillots de bain ou de lingerie coûtent les yeux de la tête et sont très moches alors, même si on est bien dans sa peau, on nous met à l'écart si on ne rentre pas dans la norme.

JOURNALISTE : Vous dites que cette intolérance est présente partout : au travail, dans la vie quotidienne, dans les transports ?

L. A. : Oui, en effet, les regards et les jugements se sont amplifiés. On nous fait la morale tout le temps. Encore ce matin, une femme assise à côté de moi dans le bus m'a fait comprendre que je prenais trop de place. Pour un entretien d'embauche, c'est du pareil au même, les recruteurs préféreront toujours une femme à la silhouette longiligne à une grosse.

JOURNALISTE : Et ce ne sont pas les seuls maux dont souffrent les personnes à forte corpulence. Nous recevons également ce matin Anne Veston. Anne Veston, bonjour.

Anne VESTON : Bonjour.

JOURNALISTE : Vous êtes diététicienne à l'hôpital Bichat à Paris. Alors, quels sont les problèmes de santé liés à l'obésité ?

A. V. : Eh bien, le surpoids est la principale cause de diabète de type II, il est responsable aussi de problèmes articulatoires, de cholestérol, d'apnées du sommeil ou même de risques de cancer. Une mauvaise alimentation n'est pas la seule responsable : le manque d'activités physiques, la sédentarité ou les maladies liées à la thyroïde, la prise de médicaments à base de corticoïdes ou les dépressions sont autant de facteurs à prendre en compte.

unité 10
Le français dans tous ses états

37 Page 182, activité 3

Série A

1 Allons manger ! J'ai faim.

2 Allons becqueter ! J'ai les crocs.

3 Et si nous allions nous restaurer ? Mon estomac crie famine !

Série B

1 Arrête tes conneries !

2 Je ne puis supporter tes inepties.

3 J'en ai plus qu'assez de tes bêtises !

Série C

1 Vous devisez quelque peu la langue de Goethe.

2 Vous parlez un peu l'allemand.

3 Vous baragouinez quelques mots d'allemand.

Série D

1 Hortense, file-moi du pinard !

2 Hortense, verse-moi un verre de vin !

3 Hortense, aurais-tu l'amabilité de me servir de ce nectar divin ?

Série E

1 Martina, il faut que tu te presses ! Le chemin de fer n'attend pas.

2 Martina, dépêche-toi ! tu vas manquer ton train.

3 Martina, file ! Tu vas rater ton tortillard.

Série F

1 J'ai un rencard chez le coupe-tifs c't aprèm.

2 J'ai rendez-vous cet après-midi chez le coiffeur.

3 Cet après-midi, il faut absolument que j'aille chez mon artiste capillaire.

38 Page 184, « La langue française me rappelle mon enfance »

Moi, je suis née dans le 17 [1917]. Pour nous, la langue française, pour moi naturellement, me rappelle mon enfance, ma première jeunesse quand j'allais, que sais-je, avec ma mère, ma mère est restée veuve assez jeune disons, alors elle devait aller parfois chez le notaire, chez l'avocat, c'étaient tous des gens qui parlaient en français. Dans les bureaux, on nous comprenait si on parlait en français, quand même, c'était partout. Il y avait quelques Italiens qui étaient ici, alors on parlait en italien mais on le parlait d'une façon étrange. Nous savions de plus le français que l'italien à cette époque. Il y avait l'usine ici, la Cogne, mais avant c'était la Giro, et il y avait beaucoup de Français qui travaillaient ici. Ceux qui dirigeaient, ils étaient français et puis je crois qu'ils auront vendu je ne sais pas, et vendu la Cogne et ils sont venus des tas de travailleurs italiens, des Vénitiens. Alors des milliers de personnes qui ne savaient pas le français, naturellement ça a changé la ville. Puis est venu le fascisme quand j'étais fillette. Alors il y avait beaucoup de gens qui étaient fascistes, ceux que le fascisme... je pouvais peut-être même adhérer à cette... parce que j'étais une enfant. Mais j'avais deux frères et un surtout, il était anti-fasciste, et alors ce frère, c'est lui qui m'a appris l'anti-fascisme mais vu que j'étais une enfant, me l'a appris disons en riant, en s'amusant, il me faisait voir seulement le côté ridicule et il y en avait du ridicule. Et puis naturellement, il y avait le côté douloureux : l'ordre c'était d'abolir le français dans les écoles et cette guerre au français, l'élimination de beaucoup de noms français, par exemple « rue de Tilliers » c'était « via Roma ». Vous savez, et puis, pour nous, c'était vilain parce que même les gens d'Aoste qui parlaient en français, nous étions divisés. Il y avait les personnes qui adhéraient à cette loi ridicule et ceux comme nous qui n'adhéraient pas à cette loi.

TRANSCRIPTIONS > documents du DVD

unité 2 C'est dans l'air !

2 Haute couture, page 37

Journaliste : C'est une première dans l'histoire de la couture : un défilé d'où ne devrait découler aucune commande de riches clientes. Mais Christian Lacroix est un mercenaire et pas question pour lui de rendre les armes.

Christian Lacroix : Mais c'est vrai aussi qu'on a essayé de me dire qu'il fallait pas faire ce défilé, que c'était mon petit ego que je voulais satisfaire... non, franchement, c'est pour que justice soit rendue à des gens qui, depuis 22 ans, ont donné le meilleur de leur savoir-faire à mon nom bien sûr, mais au métier, à la mode.

Journaliste : Aujourd'hui, les actionnaires désertent le navire mais pas les 125 employés toujours à ses côtés. Même soutien du côté des fournisseurs.

C. L. : Ces artisans très fragilisés ont, malgré tout, bien que pas payés depuis des saisons, accepté, pour l'honneur, pour la beauté du geste, de nous accompagner avec, pas munificence, mais presque, en me disant : « Mais non ! Il faut faire ». Je dis : « Bon ! Faut quand même être un petit peu humble dans une période comme celle-là »... « Non, non, non ! Il faut montrer ce que nous savons faire. »

Journaliste : Coloriste, poète, le talent de ce natif d'Arles a fait l'effet d'une bombe fin 80. Quand Bernard Arnault, numéro un du luxe, cède ce bolide de course, les coutures craquent vite. L'union entre Lacroix et son nouvel actionnaire n'a duré que quatre ans. Marketing, licence, formatage, ce mariage forcé n'a rien donné.

C. L. : On est une maison de couture à 200 %. Ce que je veux dire, c'est qu'on n'est pas une marque, on est une maison, on est une griffe mais une griffe de couture et que toutes les expériences heureuses ou malheureuses qu'on a pu faire depuis 22 ans maintenant, ont toutes démontré que la couture était incontournable.

Journaliste : Christian Lacroix est né avec l'arrivée de la finance dans la mode. Il se retrouve aujourd'hui en péril à cause de la finance. On ignore même si, après le défilé de mardi, un repreneur poussera la porte.

unité 3 Les arts en perspective

3 D'art d'art, page 46

Voici l'un des tableaux les plus célèbres de l'histoire de l'art. C'est, en effet, le titre de cette œuvre de 1872, signée Claude Monet, *Impression, soleil levant*, qui va donner, bien involontairement, son nom au mouvement impressionniste. À l'époque, Monet fait partie d'un groupe de jeunes artistes qui se distinguent en peignant en plein air ce qu'ils voient. Las ! Les portes du salon restent fermées à la modernité de leurs toiles et certains d'entre eux crèvent littéralement de faim. Pissaro, Renoir, Cézanne, Degas, Guillaumin, Morisot, Monet organisent donc leur propre exposition le 15 avril 1874 en louant l'atelier du photographe Nadar, boulevard des Capucines. Degas suggère, d'ailleurs, d'appeler leur mouvement « La Capucine », mais les autres refusent. Au moment de l'accrochage, on demande à Claude Monet le titre de son petit tableau représentant l'avant-port brumeux du Havre sous un soleil d'hiver. « *Je ne sais pas* », répond ce dernier avant de se décider pour le mot « impression ». Quelques jours plus tard, Louis Leroy, critique au *Charivari*, se sert de ce titre pour fustiger ce qu'il appelle, avec dégoût, l'exposition des impressionnistes. Et il n'est pas le seul à se moquer. L'exposition est un désastre, critique d'abord, public ensuite. Le paysage de Monet ? On n'y voit rien ! Vouloir peindre la brume est considéré comme une aberration. *La Gelée blanche* de Pissaro ? Des résidus de palette grattés sur une toile sale. Un visiteur indigné aurait même craché sur une toile de Cézanne. On comprend que Monet et ses compagnons aient attendu trois ans pour reprendre à leur compte, en 1877, ce qualificatif d'« impressionniste » qui leur avait fait tant de mal.

unité 4 Les nouveaux voyageurs

4 Vacances à Koumac, page 77

J'ai essayé un truc sympa, c'est les vacances. C'est une agence de voyages qui m'a conseillé. Bien ! Sur le catalogue, il y avait marqué : Koumac — *sketch karaoké* —, beau pays, pas cher le billet. D'abord « beau voyage », hein, sur une compagnie qui s'appelle Charter — *va falloir aller très vite ce soir* —, t'en as pour ton pognon : 45 heures de vol. Paris Bruxelles, Bruxelles Londres, Londres Barcelone, Barcelone Los Angeles, Los Angeles Grenoble, Grenoble Koumac. Et quand tu arrives là-bas, la première chose que tu fais, tu dors. Forcément, faut que tu récupères. J'ai dormi 77 heures, j'avais une patate d'enfer ! Je me suis réveillé un mercredi à minuit. *(Faut m'aider.)* Sauf que là-bas, à minuit, il n'y a rien à faire, tout est fermé. Non parce qu'on dit 12 heures de décalage horaire, mais point de vue niveau de vie, il y a trois siècles de décalage horaire. Pendant une semaine, je me suis réveillé à minuit. Les nuits sont belles, mais longues, mais belles, mais longues, mais belles, mais longues...

Et puis j'ai été malade, j'ai perdu 12 kilos, non mais c'est de ma faute. J'ai fait une connerie : j'ai bu un verre d'eau. Non, mais c'est de ma faute. Ma connerie ! J'avais soif, la connerie ! Là-bas, c'est soda quinine, soda quinine. En boîte : whisky quinine, mais quinine. Et faut pas s'amuser à boire l'alcool local : eux, ils le boivent, toi, tu le mets dans ta mobylette, tu montes à 160 ! Il a le goût de menthe parce qu'ils rajoutent du Canard WC. *(on s'en souvenait pas d'ça...)* L'hôtel, bien. Oui, euh, attention, la photo de l'hôtel sur le prospectus, c'est le projet. La plage, elle existe au nord de l'hôtel, à 50 km de brousse. De toute façon, ça sert à rien de compter en kilomètres, faut compter en heures. Un kilomètre de brousse, c'est une heure. Pour aller à la plage, tu pars la veille. Mais quand t'arrives là-bas, bien, ils avaient raison hein, magnifique ! le soleil : présent, il tape hein, bien ! 40 degrés à l'ombre ! Là-bas, y a pas d'ombre. Là-bas, le soleil, ce n'est pas ton ami. Là-bas, c'est crème solaire, indice de protection 18-20 XL, XXL, tee-shirt manche longue en coton, parce que, là-bas, le nylon, quand ça fond, ça brûle ! Et puis, la mer : bleue, et puis chaude et pas de requins. Trop dangereux, ils se baignent pas les requins. Du coup, mer dangereuse, soleil agressif, alcool nocif, tu visites.

Forcément Koumac, tu visites pas par plaisir. Vraie nature, celle d'avant, hostile. Ah oui, là-bas, tu vis avec des cuissardes : oublie les rangers. Non, parce que les scorpions, ça dort dans les rangers. Et puis alors, ça a le sommeil léger, à peine tu mets le pied dans la godasse, tu le réveilles et puis il se réveille pas de bon poil : c'est pas du matin, le scorpion. De toute façon, moi, les rangers, je pouvais plus les mettre : après la première piqûre, je chaussais du 82, je mettais plus que des Adidas... pas les chaussures, les sacs de sport.

Hostile, la nature ! Hé ! Là-bas, faut se méfier des bouts de bois, hein ! Et les bouts de bois, parfois on croit que c'est des crocodiles, et ben c'est des bouts de bois ! Hostile, la nature !

À l'agence, ils m'avaient dit de me méfier des moustiques, j'avais amené de la citronnelle : erreur ! Faut un lance-flammes ! Des vrais moustiques, gros comme des libellules ! À côté, les scorpions, c'est *peace and love*. Ah, il te pique pas le moustique là-bas, il t'empale. Ils te pompent trois litres de sang à chaque voyage. Moi, ils m'ont chopé aux pectoraux, j'avais les seins de Samantha Fox. Avec mes Adidas aux pieds, y a un orang-outan qui est tombé amoureux de moi. Il m'a collé pendant une semaine et puis alors ça, le orang-outan, tu dis oui une fois, il te passe la bague au doigt. Hostile, la nature !

De toute façon, la drague, oublie ! Là-bas, avec la dysenterie, t'es pas franchement disponible. Par contre, le retour, tout seul dans l'avion, le luxe ! Tout le monde aux petits soins pour toi... Je voyagerai plus qu'avec Europe assistance ! Bravo à vous ! Merci beaucoup !

unité 5 Grandeur nature

5 Quo vademus ?, page 85

Aubert de Villaine : Je sais pas si on peut parler de vérité dans quoi que ce soit mais il n'y a pas de vérité du terroir, mais il y a des expressions du terroir qui sont... qui sont exactes, qui sont belles, qui sont bien définies, et puis d'autres qui ne le sont pas. Et il faut arriver chaque année à faire jouer le sol, la vigne et les conditions climatiques de manière à ce que tout ça se marie et sorte un grand vin qui sera complètement différent chaque année.

Michel Lafarge : C'est une réalité. Prenez les villages, ils vont jusqu'en limite de Pommard, et ils vont jusqu'à Meursault. Vous avez des terroirs bien différents.

Frédéric Lafarge : Et là, on est dans un Volnay-Village. C'est le bas du coteau.

Jonathan Nossiter (journaliste) : Et les premiers crus, c'est au-dessus de la tête de Becky ?

F. L. : Ouais, ils s'arrêtent, les premiers crus, où il y a le changement de couleur des vignes, voyez, là. Y a un chemin et c'est les premiers crus qui commencent au-dessus de ce chemin.

M. L. : Il y a plus de fer, y a moins de fertilité, c'est plus pauvre comme sol.

J. N. : Et ça a quoi comme effet sur le raisin ?

M. L. : La vigne, elle doit pousser dans un sol pauvre. Si elle est trop belle, si elle est trop verte, si elle a trop de puissance, le raisin est trop gros, il est trop riche, et il ne donne pas un grand vin. Le raisin est alimenté par le sol, par la racine. Donc, si vous avez une racine qui est superficielle, le vin n'a pas la même richesse que si la racine descend très loin. C'est un fait.

Becky Wasserman : Et les racines pêchent, et le plus bas ou le plus profond, la racine le plus qui va pêcher, de la nourriture parce que c'est quand même une plante qui a besoin d'être nourrie...

M. L. : Mais bien sûr.

[...]

J. N. : Votre terroir ici, ça va de où à où ?

F. L. : On commence au rang qui est là, voyez, le rang qui est un petit peu plus large, un peu plus large ; un, deux, trois, ça, c'est le quatrième rang.

J. N. : Je vois il y a beaucoup d'herbes. Et à côté, les vignes de votre voisin, je vois qu'il y a pas d'herbes entre les vignes.

F. L. : Tout à fait.

J. N. : C'est dû à quoi ?

F. L. : C'est dû au mode de culture. Puisque nous, on est en..., on travaille le sol, c'est-à-dire qu'on laboure, on n'utilise aucun produit chimique parce que ça permet donc une vie du sol, et puis ça permet que... d'avoir un sol beaucoup plus vivant alors que le voisin utilise lui des produits désherbants et donc il n'a pas du tout d'herbes.

J. N. : Des produits chimiques ?

F. L. : Oui, c'est ça.

J. N. : Est-ce que ça vous gêne ?

F. L. : Personnellement oui, on n'en utilise pas du tout, et en plus on est en biodynamie.

unité 6 L'histoire en marche

6 La Journée de la jupe, page 112

Sonia Bergerac : Asseyez-vous les garçons. Où est-ce que vous vous croyez, là ? Asseyez-vous !... Qu'est-ce qu'il contient de si important, ce sac ?... Vous sortez, vous allez chez le principal ! Vous sortez ! Pousse-toi !

Élève 1 : Ah mais t'as trop pris la confiance, toi !

S. B. : Allongez-vous par terre... comme à la télé. M'approche pas !

Labouret : Bonjour, vous êtes bien madame Bergerac ? Brigadier-chef Labouret... Que se passe-t-il, madame ? Est-ce qu'il s'agit d'une prise d'otages ?... Madame Bergerac, madame Bergerac !

S. B. : Bon, eh bien, je crois qu'on va pouvoir faire un cours. Quel était le vrai nom de Molière ?

Élève 2 : Vas-y, va niquer ta mère la pute !

S. B. : T'as dit quoi, là ?

Élève 2 : Va niquer ta mère la pute !

Élève 3 : Eh mais arrêtez m'dame, là !

S. B. : Quel était le vrai nom de Molière ?

Labouret : Madame Bergerac, il faut que nous comprenions ce que vous voulez. Je peux très bien comprendre que vous avez pété un câble, ça peut arriver à n'importe qui.

Proviseur : Déjà au plan pédagogie, je lui ai dit qu'il était pas conseillé de venir en jupe dans cet établissement. Alors bien évidemment, elle fait exprès de venir en jupe.

LABOURET : Qu'est-ce que vous voulez ? Quelles sont vos revendications ?

S. B. : Je veux que dans les deux heures, le gouvernement instaure un jour de la jupe dans les collèges. Ce sera un jour où l'État affirme qu'on peut mettre une jupe sans être une pute.

CÉCILE : On n'arrête pas de vous répéter que ça va péter. Vous ne faites rien. Je vous préviens, s'il arrive quelque chose à ma copine, je vous tiens pour responsable.

LABOURET : Laissez moi encore un peu de temps, Madame la Ministre, une intervention présente des risques.

S. B. : Vous croyez que j'ai envie de morfler, moi ! J'ai pas déjà assez morflé comme ça ?

ÉLÈVE 4 : Si je parle, j'aurai une protection policière, vous me donnerez une nouvelle identité ?

LABOURET : Bien sûr, et un million de dollars pour refaire ta vie... et ma main dans la gueule !

unité 7
Je l'aime, un peu, beaucoup...

7 **Amour un jour, amour toujours, page 127**

VIEILLE DAME : Ça pèse, hein ?

AYMÉ PIGRENET : Ça pèse ?

VIEILLE DAME : La solitude, ça pèse. Au début, on se dit j'vais m'en sortir et puis on s'en sort pas, non. Ah ! Y a rien à faire, on s'en sort pas.

...

VIEILLE DAME : C'est la première fois ?

A. P. : Que je perds ma femme... oui.

VIEILLE DAME : Ah ! Vous avez perdu... Je suis désolée. Y a longtemps ?

A. P. : Ben ça va quand même faire dix jours, mais attention, j'suis encore sous le choc.

VIEILLE DAME : Mon mari est mort y a onze ans. J'ai pris un chien, mais on a beau dire un chien, même gentil, ça remplace pas. Vous avez essayé de prendre un animal ?

A. P. : Oh ! ben ça, des animaux, j'en ai !

VIEILLE DAME : Et la solitude est toujours là ? On se réveille tout seul, on s'endort tout seul, on mange tout seul. Et un jour, on s'dit : « Pourquoi manger ? Pourquoi se réveiller ? Pourquoi aller chez le coiffeur ? »...

A. P. : Ah, ça, le coiffeur, ça...

VIEILLE DAME : Au restaurant, on avait pris l'habitude de prendre un seul dessert mais avec deux cuillères. Et puis y a plus les deux cuillères, alors on prend plus de dessert. Et c'est le début...

A. P. : Le début ?

VIEILLE DAME : De la fin. Mais bon, faut pas désespérer, vous verrez. Il reviendra, il reviendra le temps du dessert avec les deux cuillères.

...

LA CONSEILLÈRE MATRIMONIALE : ...Route des Vignes, Montbouchard, voilà !... Alors, est-ce que vous aimez la musique classique ?

A.P. : Obispo ? des trucs comme ça ?

CM : Oui. Aussi... Mozart, Chopin... Et les sorties ? Vous aimez sortir ? Théâtre ? Cinéma ?

A. P. : Ben j'ai vu Le Docteur Livarot là, il y a longtemps.

CM : Non. Jivago. Le Docteur Jivago.

A. P. : Ouais, peut-être. Ouais. Mais c'était long, qu'est-ce que c'était long !

CM : Vous n'aimez pas grand chose, monsieur Pigrenet. Comprenez. Il vous faut une compagne qui partage vos goûts. Donc, pour ça, je dois connaître vos goûts.

A. P. : Oui, enfin, c'est surtout que j'ai des animaux.

CM : Eh ben voilà, une femme qui aime les animaux !

A. P. : Oui, enfin, qui sache s'en occuper surtout. Et puis, il faudrait qu'elle soit costaud, en bonne santé.

CM : Une sportive.

A. P. : Oui, enfin, j'ai du terrain. Si elle veut courir, elle peut. Ah, un truc important aussi...

C : Oui ?

A. P. : ...la machine à laver ! Il faut qu'elle sache s'en servir. Il y avait un problème à cause des poils de chat qui bouchaient tout. Mais maintenant, ça y est, elle remarche.

CM : Oui, mais enfin, ça, c'est secondaire.

A. P. : Secondaire, secondaire, moi, j'ai plus rien à me mettre !

CM : Oui, on va peut-être enlever le théâtre et la musique classique.

A. P. : Oui, peut-être.

CM : Voilà. Et pour le physique, vous préférez quoi ? Blonde ? Brune ?

A. P. : Ben oui, avec des cheveux, quand même !

CM : Oui, euh... on va s'y prendre autrement, hein ?

unité 8 **Ressources humaines**

8 **Pause café, page 136**

HERVÉ : Franchement ! Mais qui a eu l'idée de ce truc à la con, là ? Tu veux bien me dire ? Ouais, la direction, je sais ! Mais ça, c'est juste bon pour créer des tensions dans le personnel, ça !

JEAN-CLAUDE : Ouais, t'as peut-être raison. D'un autre côté, maintenant, on sait exactement qui fait quoi, hein ! Tiens, regarde, le nom en bas à gauche, là, tu vois ?

HERVÉ : Ouais.

J.-C. : Eh ben lui, longtemps, je me suis demandé ce qu'il faisait, hein ! Eh ben maintenant, je sais : il fait rien.

HERVÉ : Tu vas quand même pas cautionner un truc pareil, non ! Pas toi ! Écoute, ça fait 12 ans que suis dans la boîte, en 12 ans y a jamais eu d'organigramme, hein ! Alors ça sert à rien, ça a jamais empêché la boîte de tourner. Et puis, qu'est-ce qu'ils le mettent dans l'espace détente, là, regarde mais... Moi, maintenant, j'suis tout tendu, là !

J.-C. : Tiens, c'est marrant, je suis au-dessus de toi, là.

HERVÉ : Quoi ? Comment ça ?

J.-C. : Ben, tu vois, moi, je suis là, et puis toi, toi t'es là, quoi.

HERVÉ : Mais oui, mais enfin, ça veut rien dire. On n'est pas dans les mêmes branches.

J.-C. : Mais enfin, reconnais que mon nom est quand même au-dessus du tien ! Enfin, il est plus proche du haut de la feuille, si tu préfères.

HERVÉ : Mais attends ! Qu'est-ce que tu me fais, là ? Tu te prends pour mon supérieur, c'est ça ?

J.-C. : Il est au-dessus, il est au-dessus, hein !

HERVÉ : Mais quoi ? Il y a un décalage de trois millimètres entre nos deux noms, c'est une question de mise en page, ça ! Jean-Claude Convenant, là, il tenait pas sur la même ligne ton nom à rallonge, là !

J.-C. : Ah, mais attends ! Si tu veux penser que c'est un hasard, vas-y, hein ! Pour moi, c'est mathématique :

A possède trois ans d'ancienneté de plus que B, A a un poste plus stratégique que B, donc A est supérieur à B. CQFD.

Hervé : Un poste plus stratégique ! Parce que faire le VRP sur les routes de campagne en ressassant toujours la même rengaine, c'est stratégique, ça ? Attends !

J.-C. : Le VRP, il assure le CA de la boîte, TON salaire, mon petit bonhomme ! Dis-moi, Hervé Dumont, responsable des achats, c'est pas le mec qui choisit les crayons de couleur qu'on aura le mois prochain, ça ?

Hervé : Méfie-toi parce que le responsable des achats, il pourrait très bien t'en coller une !

J.-C. : Ouais ! Faut pas te faire un tour de reins, malheureux !

Carole : Bon, qu'est-ce qui se passe ici ?

J.-C. : Eh c'est lui, là ! Il a un problème d'ego par rapport à sa place dans notre entreprise !

Hervé : Mais non, mais pas du tout ! Je trouve que c'est débile de monter les gens les uns contre les autres, c'est tout ! C'est agaçant.

Carole : C'est quoi le problème ? Le nouvel organigramme, c'est ça ?

Hervé : Mais oui… mais enfin… mais non, je sais pas, je pensais qu'on était au moins une famille, ou tout du moins une équipe ! Et puis qu'il n'y avait pas de rapport de chef-subordonné entre nous, quoi ! Enfin, non, je sais pas !

Carole : C'est touchant, Hervé ! Ah oui, je vous savais pas capable de cette jeunesse d'esprit. Comme une espèce de naïveté d'adolescent, c'est…

Hervé : Quoi ?

Carole : Oui, cette vision communautaire et idéaliste des rapports dans le monde du travail, c'est carrément dépassé mais c'est touchant, Hervé. C'est très frais. Je vous laisse le café.

Hervé : Ferme ta gueule !

unité 9

À la recherche du bien-être

9 Vivez nature, page 165

Journaliste : 30 000 visiteurs pour un de ces salons bio qui se multiplient. Ces produits naturels garantis sans pesticide ont la côte… symboles d'une agriculture différente.

Visiteuse : C'est un régal !

Christian Perriat : Dans l'agriculture pacifique, on essaie en fait de reprendre conscience que la nature a des lois et puis qu'on peut se développer, nourrir une population tout en respectant ces lois.

Femme : Je vous fais goûter un petit verre de guarana, c'est un vasodilatateur, ça oxygène le cerveau.

Chantal Malherbe : Par nos gestes du quotidien, on peut arriver à moins polluer et la consommation d'aliments biologiques fait partie de ces gestes qui vont faire que, quelque part, on va avoir des agriculteurs qui vont travailler propre. Donc on va travailler pour l'avenir de la planète et de nos enfants.

Journaliste : Chaussures bio, vêtements bio, lessives bio, tout un univers qui s'accompagne souvent de notions comme le bien-être ou le développement personnel, des valeurs devenues un véritable filon pour certains. En témoignent les centaines de livres publiés et dont les titres laissent parfois songeur.

Pascal Fioretto : *Chevaucher ses dragons intérieurs*, ouais, c'est une vraie promesse et l'héroïne se contente de désaltérer ses brebis intérieures grâce à Paolo Coelho.

Journaliste : Pascal Fioretto vient de publier un pastiche hilarant de cette littérature ésotérique. Il ne peut que sourire en parcourant certains stands du salon où l'on propose, par exemple, de la vaisselle qui a le pouvoir de régénérer aliments et boissons.

Jean-Jacques Breluzeau : C'est fait pour dynamiser l'eau car il vaut mieux boire une eau vivante qu'une eau morte, puisque si on boit une eau vivante, justement, on va dynamiser nos cellules.

Journaliste : Ce géobiologue aurait pu figurer dans ce livre intitulé *La Joie du bonheur d'être heureux*, un ouvrage où Pascal Fioretto se moque gentiment de tous ces vendeurs de bonheur.

Pascal Fioretto : La modernité nous propose des méthodes « clé en main », moyennant finances évidemment, qui permettent en quelques bouquins de devenir soi-même en beaucoup mieux, d'être toujours absolument au mieux de sa forme et de son bonheur, d'être heureux.

unité 10

Le français dans tous ses états

10 Monsieur Dictionnaire, page 177

« Chatter »

Philippe Geluck : Poursuivons notre captivant voyage à travers la langue française et rendons grâce à monsieur Dictionnaire qui nous tolère dans son salon. Alors, monsieur Dictionnaire, le mot du jour… Monsieur Dictionnaire s'est endormi. Je crois qu'il voulait nous parler aujourd'hui du mot « chatter », que nous utilisons régulièrement dans la langue française pour signifier que l'on s'adonne à une conversation sur Internet via le clavier. C'est un mot d'origine anglaise, le *chat*, qui signifie « conversation », a été traduit dans la langue d'Internet.

Mais « chatter » a été remplacé avantageusement au Québec par le « clavardage » ; en effet, ils essaient d'éviter les anglicismes, et donc on mariait les deux mots « bavardage » et « clavier » pour créer le « clavardage ». Les Québécois, que nous saluons, utilisent aussi « fin de semaine » pour désigner le « week-end » et utilisent aussi le « courriel » au lieu du « mail ». C'est une très bonne idée de pratiquer de la sorte. Nous devrions tous y réfléchir et faire rentrer ces véritables mots français dans notre langage de tous les jours. Merci de votre… Merci, monsieur Dictionnaire.

Monsieur Dictionnaire : Bonjour !

P. G. : À bientôt.

« Graisser la patte »

P. G. : Nous l'écouterions pendant des heures tant il est passionnant. Hélas, il nous faudra nous contenter d'une minute trente de sa présence. Alors, profitons-en tout de suite !… Bonjour, monsieur Dictionnaire !

M. D. : Bonjour, Philippe. Bonjour.

P. G. : Quelle est l'expression du jour ?

M. D. : « Graisser la patte ».

P. G. : Qu'est-ce que ça veut dire ?

M. D. : Ça veut dire : « donner des dessous-de-table », « soudoyer »…

P. G. : Un « pot-de-vin »... synonyme...

M.D. : Un « pot-de-vin ». Oui, c'est ça, tout ça, oui...

P. G. : Alors quelle est l'origine de cette expression, s'il vous plaît bien ?

M.D. : Eh bien, il faut remonter à trois cents ans d'ici où se tenait à Paris, sur le parvis Notre-Dame, une foire aux jambons...

P. G. : C'est cela.

M.D. : Foire aux vendeurs de jambons, forcément, qui se trouvaient là tous ensemble et, pour ne pas payer trop d'impôts et de taxes, ils graissaient la patte des inspecteurs. Donc, littéralement, ils prenaient un morceau de jambon...

P. G. : Bien gras...

M.D. : Bien gras, qu'ils leur mettaient dans la main. Or « la main », en argot, c'est la *patte*.

P. G. : Et voilà.

M.D. : Tout simple.

P. G. : Tout simple. C'est clair, c'est net, c'est précis... monsieur Dictionnaire...

M.D. : De bon goût...

P. G. : Cela dit, je reviens sur ce que je disais au départ, quand je dis qu'on écouterait ça pendant des heures. Je me suis peut-être un peu avancé. Je trouve qu'une minute trente, c'est amplement suffisant. Merci de votre bonne attention ! Au revoir, monsieur Dictionnaire, et merci !

CORRIGÉS >

unité 1 Médias à la une

Pages 12-13

1 un canard – une feuille de chou – un hebdomadaire – un mensuel – un périodique – un quotidien – un tabloïd
2 ❶ la une – **❷** le gros titre *ou* la manchette – **❸** la photo – **❹** la légende – **❺** l'article – **❻** la colonne – **❼** la publicité
3 a un billet *ou* un entrefilet – **b** une manchette – **c** un feuilleton
4 a économique et sociale / social – **b** politique internationale – **c** économie – **d** médias – **e** sports – **f** culture
5 le jeu – le magazine – le *reality-show* – le *talk-show*
6 le téléspectateur : changer de chaîne, recevoir, regarder, suivre, zapper
l'auditeur : baisser le volume, écouter, mettre moins / plus fort, recevoir, suivre
7 a le/la chroniqueur(-euse), le/la correspondant(e), l'envoyé(e) spécial(e), le/la journaliste, le/la rédacteur(-trice) en chef, le reporter
b l'animateur(-trice), le/la chroniqueur(-euse), le/la correspondant(e), l'envoyé(e) spécial(e), le/la journaliste, le présentateur(-trice), le/la producteur(-trice), le reporter
c l'animateur(-trice), le/la chroniqueur(-euse), le/la correspondant(e), l'envoyé(e) spécial(e), le/la journaliste, le présentateur(-trice), le/la producteur(-trice), le reporter

Page 16

2 a L'idée d'un accès progressif à la culture a été abandonnée. – **b** Il est admis qu'une nourriture ou qu'un air viciés puissent être néfastes au corps. – **c** Le succès de *Plus belle la vie* est attribué à plusieurs facteurs. – **d** La question se pose. – **e** Des interviews de joueurs sont diffusées à longueur d'année. – **f** Il ne sera pas possible / Il sera impossible de se passer de la presse écrite.
3 a Deux pirates ont été arrêtés. – **b** Un grand patron a été assassiné. – **c** Le Prix Nobel de médecine a été remis à trois Américains. – **d** Une soixantaine d'organisations sont/ont été/vont être consultées sur le changement de statuts de la Poste. – **e** Une campagne pour rappeler le danger des drogues aux jeunes a été/est/va être lancée. – **f** Par qui a été tué le photoreporter Christian Poveda ?

Page 20

1 1 Elle a chuchoté / susurré / murmuré qu'elle m'aimait. – **2** Elle a assuré qu'elle m'aimait. – **3** Il a répété qu'il m'aimait. – **4** Elle m'a demandé / a voulu savoir si je l'aimais. – **5** Elle m'a supplié / m'a demandé de l'aimer. – **6** Il a bégayé qu'il m'aimait. – **7** Elle a crié / hurlé / gueulé qu'elle m'aimait. – **8** Elle a reconnu / admis / avoué qu'elle m'aimait.
2 *Proposition de dialogue :*
– Tu as entendu le discours du président hier à la télé ?
– Non, pourquoi ?
– Il a fait allusion à une possible suppression de la publicité sur les chaînes du service public.
– Pfff ! C'est du baratin, j'en suis sûr.
3 a bavard(e), la pipelette, le moulin à paroles, être bavard comme une pie
b l'orateur/l'oratrice, le beau parleur, avoir du bagout

Page 24

2 a Ce soir, je vais au cinéma. – **b** Préviens-moi quand tu seras prêt. – **c** Je me marie demain. – **d** Un jour, je me marierai. – **e** Je reviens, je vais acheter du pain. – **f** Si tu n'es pas sage, tu n'auras pas de dessert.
3 a Qu'est-ce que tu feras quand tu auras perdu ton travail ? – **b** Quand tu voudras me parler, je t'écouterai. – **c** Je ne serai pas là quand tu rentreras. – **d** Tu me le diras quand tu auras pris ta décision ? – **e** On achètera une maison quand on aura gagné assez d'argent. – **f** J'enverrai la lettre quand tu l'auras relue.

unité 2 C'est dans l'air !

Page 31

1 a branché, câblé, connecté, dans le coup, en vogue, *fashion*, *hype*, *in*, être incontournable, être prisé(e), être tendance, *trendy*, avoir son heure de gloire, être dans l'air du temps
b déconnecté, démodé, désuet, obsolète, *out*, plouc, ringard / ringue, ça craint
c être un basique, être un classique, être indémodable
2 a le couturier / le grand couturier, le créateur / la créatrice, le/la styliste
b le/la photographe
c la fashionista, le mannequin, le modèle, la modeuse, le top model
3 a amorcer, apparaître, commencer, créer, déclencher, démarrer, introduire, inventer
b adapter, adopter, s'approprier, cartonner, diffuser, envahir, s'implanter, influencer, plébisciter, se répandre
c se démoder, passer de mode, jeter aux orties, tomber aux oubliettes

Pages 34-35

1 Le passé simple exprime un fait passé sans lien avec le présent. Il peut être remplacé par le passé composé.
a être – **b** couper – **c** avoir – **d** clignoter
2 a *C'était*, à l'encoignure de la rue de la Michodière et de la rue Neuve-Saint-Augustin, un magasin de nouveautés dont les étalages *éclataient* en notes vives, dans la douce et pâle journée d'octobre. Huit heures *sonnaient* à Saint-Roch, il n'y *avait* sur les trottoirs que le Paris matinal, les employés filant à leurs bureaux et les ménagères courant les boutiques. Devant la porte, deux commis, montés sur une échelle double, *finissaient* de pendre des lainages, tandis que, dans une vitrine de la rue Neuve-Saint-Augustin, un autre commis, agenouillé et le dos tourné, *plissait* délicatement une pièce de soie bleue. Le magasin, vide encore de clientes, et où le personnel *arrivait* à peine, *bourdonnait* à l'intérieur comme une ruche qui s'éveille.
– Fichtre ! *dit* Jean. Ça enfonce Valognes… Le tien n'était pas si beau.
Denise *hocha* la tête. Elle *avait* passé deux ans là-bas, chez Cornaille, le premier marchand de nouveautés de la ville ; et ce magasin, rencontré brusquement, cette maison énorme pour elle, lui *gonflait* le cœur, la *retenait*, émue, intéressée, oublieuse du reste. Dans le pan coupé donnant sur la place Gaillon, la haute porte, toute en glace,

montait jusqu'à l'entresol, au milieu d'une complication d'ornements, chargés de dorures. Deux figures allégoriques, deux femmes riantes, la gorge nue et renversée, *déroulaient* l'enseigne : *Au Bonheur des Dames*.

Émile ZOLA, Au Bonheur des Dames, 1883.

b – Fichtre ! *a dit* Jean. Ça enfonce Valognes... Le tien n'était pas si beau.
Denise *a hoché* la tête.
3 Gabrielle Chanel est née / naquit le 19 août 1883 à Saumur. À la mort de sa mère, elle a été / fut abandonnée par son père et placée dans un orphelinat.
À 20 ans, Chanel est devenue / devint chanteuse de « cafés-concerts » à Vichy, où elle a rencontré / rencontra son premier protecteur, Étienne Balsan, qui l'a initiée / l'initia à la vie mondaine et a financé / finança ses premières créations.
En 1915, Coco a ouvert / ouvrit sa maison de couture à Biarritz.
En vingt ans, elle a imposé / imposa le pantalon, le bijou fantaisie, le tweed, la petite robe noire... Elle a été / fut aussi la première créatrice de mode à avoir donné naissance à un parfum et à une ligne de produits de beauté.
Mais la Seconde Guerre Mondiale a marqué / marqua le déclin de la maison, qui, en 1939, a fermé / ferma ses portes.
En 1944, Mademoiselle s'est exilée / s'exila en Suisse.
À son retour, elle a découvert / découvrit une France passionnée par le « New Look » de Christian Dior, une mode à l'opposé de la sobriété féminine Chanel.
En 1954, la Maison de Couture a ouvert / ouvrit à nouveau ses portes. Les codes de la maison Chanel se sont affinés / s'affinèrent avec le sac matelassé dans sa version définitive, le sac surpiqué à chaînes dorées et les sandales à bout noir.
Le 10 janvier 1971, Coco Chanel est décédée / décéda alors que, le lendemain, sa dernière collection couture a été présentée / fut présentée et a remporté / remporta les louanges de la critique.

Pages 38-39, Échauffement et entraînement

1 a il y a quatre ans ; aujourd'hui – **b** jadis – **c** pour la première fois en 1961 ; onze ans avant que – **d** De nos jours ; un peu trop longtemps ; **e** désormais – **f** Naguère – **g** avant d' ; d'abord – **h** pendant plusieurs saisons – **i** Depuis belle lurette
2 a À ce jour – **b** actuellement – **c** en ce moment – **d** Aujourd'hui – **e** à jamais – **f** Une fois – **g** Maintenant
3 a parler – **b** a cessé – **c** dises – **d** sera – **e** finisses – **f** aille ; sorte
4 a Au moment où / Lorsqu' / Quand il est arrivé, tout le monde s'est tu. – **b** Ils ont souri au même moment / en même temps / simultanément. – **c** Au moment de partir, je m'en suis souvenu. – **d** Il est arrivé au cours de / pendant la nuit.
5 *À l'origine*, Christian Lacroix était historien d'art *jusqu'à ce qu'*il rencontre Jean-Jacques Picart, attaché de presse pour de nombreuses maisons de luxe comme Hermès et Jean Patou, chez qui il travaille *dès / à partir de* 1981. En 1987, il ouvre sa propre maison de couture et organise son premier défilé de haute couture. *Dès* 1988, il lance une collection de prêt-à-porter de luxe. *Finalement*, en mai 2009, la maison Christian Lacroix, victime de la crise financière, se déclare en cessation de paiement.

Pages 38-39, exercices des listes

1 a moments – **b** époque – **c** temps – **d** instant

2 a brièvement, en un clin d'œil, en un rien de temps, un instant, un moment,
b continuellement, longtemps, sans arrêt, un certain temps, depuis belle lurette, depuis la nuit des temps
3 a tout de suite – **b** dès qu' – **c** immédiatement – **d** Tout à coup
4 1 la répétition – **2** le rythme – **3** le rythme – **4** le rythme

Page 42

1 Ce sont des pronoms relatifs (simples ou composés).
2 Voir le Mémento grammatical, page 190.
3 a J'ai déjeuné dans un restaurant qui est branché et où il faut être vu.
b Anna Gavalda est un écrivain qui n'a pas écrit beaucoup de livres mais dont le monde entier a entendu parler.
c *Bienvenue à Boboland* est une bande dessinée dont les auteurs sont Dupuy et Berberian et dans laquelle on se moque des bobos.
d Le *Saint-Jérôme* est un restaurant dont l'activité principale est le bar et où on peut manger des tapas.
e Il y a quelques grands chefs chez qui / chez lesquels ont peut savourer des hamburgers qui sont francisés.
f Cette année les grands couturiers ont sorti des chaussures à talons qui sont très hauts et à cause desquels les mannequins sont tombés sur les podiums pendant les défilés.
4 a dont ; que – **b** qu' – **c** dans laquelle – **d** auquel – **e** par qui – **f** qui ; dont

unité 3 Les arts en perspective

Page 48

1 Arts plastiques : la peinture, la sculpture ; arts visuels : la photographie, le cinéma.
2 a l'artiste, le collectionneur, le commissaire-priseur, le conservateur, le galeriste, le maître, le mécène, le peintre, le modèle.
b l'acteur/l'actrice, le critique, le producteur, le réalisateur.
3 Le conservateur, le galeriste, le commissaire-priseur, le collectionneur d'art, le producteur.
4 a l'atelier, le cabinet d'architectes, le studio
b la galerie, le musée, la salle des ventes, le cinéma
5 a le navet – **b** la croûte
6 le croquis, l'esquisse, l'ébauche
7 bâtir, concevoir, construire, créer, dessiner
8 collectionner, conserver, exposer
9 poser pour (le peintre, le sculpteur, le photographe)
10 a l'exposition (temporaire, permanente), la rétrospective, la vente aux enchères, le vernissage
b la première, le tournage, la rétrospective
11 a les personnages/les protagonistes
b la distribution – le rôle principal/le premier rôle – le second rôle – unanime

Pages 52-53

2 a remarquée – **b** choisi – **c** lavé – **d** écrite – **e** couru ; embrassés – **f** répondu – **g** vue ; offerte.
3 *La Liberté guidant le peuple*, d'Eugène Delacroix
La toile, réalisée en 1830, n'a rejoint le musée du Louvre qu'en 1874, après tout un parcours qui l'a tenu éloignée du public, en raison de son contenu révolutionnaire.
L'œuvre représente une scène de l'insurrection qui, en juillet 1830, a mis fin à la politique imposée par Charles X.

Elle est considérée par la critique comme une des premières compositions politiques de l'histoire de la peinture moderne. Elle a été exécutée l'année même des événements de juillet et acqu*ise* par le Musée royal en 1831 : Louis Philippe n'a pas eu le courage de l'exposer et l'a *fait* placer au musée du Luxembourg.

4 a *Ayant* fourni, participe composé – **b** *souhaitant* = qui souhaitent, participe présent – **c** *réchauffant* = qui réchauffait, participe présent – **d** *perturbant*, adjectif verbal – **e** *insistant*, adjectif verbal

5 a *équivalentes* – **b** *glaçant* – **c** *correspondante* – **d** *comprenant* – **e** *excellents* – **f** *concernant*

Pages 56-57

1 a Yolande Moreau *incarne* cette femme *avec tellement d'intensité* qu'elle nous donne envie de mieux découvrir son œuvre.
b En ce début du xxᵉ siècle, la domestique touche au plus grand dénuement – un état de vie que Yolande Moreau *personnifie avec justesse*.
c On a souvent traité Picasso de *destructeur de formes*.
d *Picasso et les maîtres*, une exposition qui retrace toute l'histoire de la peinture grâce à *un géant de l'art*, Picasso.
e Dans les films d'aventures actuels, s'ils ne tiennent pas le rôle principal, les acteurs, même honorables, *ne s'investissent souvent qu'à moitié*, et *aucun n'atteint l'excellence*.

2 *Les appréciations étant subjectives, les réponses sont donc variables et il est toujours possible de donner plusieurs réponses (l'actrice Audrey Tautou peut être merveilleuse, splendide…).*
a la dernière BD de Catel : terrible – **b** Le Louvre : enchanteur – **c** l'œuvre de Léonard de Vinci : remarquable – **d** un tag de Taki 183 : terrible – **e** le dernier film de Luc Besson : mortel – **f** les grandes eaux de Versailles : magnifiques – **g** les quais de la Seine : splendides – **h** le viaduc de Millau : inoubliable – **i** la nuit des Musées : originale – **j** les hospices de Beaune : merveilleux

3 *Même remarque que pour l'activité 2.*
a les colonnes de Buren : décevantes – **b** *Les Bronzés 3* : nul – **c** le Centre Pompidou : affreux – **d** une exposition de corps humains de Gunther Von Hagens : monstrueuse – **e** la chaîne MTV : vulgaire – **f** une toile blanche : une imposture – **g** *L'Urinoir* de Marcel Duchamp : scandaleux – **h** le village des Baux de Provence : décevant – **i** le chien rose de Jeff Koons : kitch – **j** la nouvelle cité de la Mode et du Design : horrible

4 1 C'est terrible (intonation descendante) : appréciation négative
2 C'est mortel ! (intonation montante) : appréciation positive
3 C'est impressionnant ! (intonation montante) : appréciation positive
4 C'est pittoresque (intonation descendante) : appréciation négative
5 C'est kitsch (intonation montante) : appréciation positive
6 C'est pas mal, bof (intonation descendante) : appréciation négative
7 C'est typique (intonation descendante) : appréciation négative
8 C'est original ! (intonation descendante) : appréciation négative

5 Expressions négatives pour la mise en scène :
être à l'eau de rose
un bide
un navet *(fam.)*
un film de série B

Expressions négatives pour le jeu des acteurs :
jouer comme un pied *(fam.)* / surjouer
ne pas atteindre l'excellence
ne pas être crédible
ne pas s'investir dans son rôle

Expressions positives pour la mise en scène :
une mise en scène spectaculaire
humblement magnifique

Expressions positives pour le jeu des acteurs :
faire quelque chose avec justesse
incarner quelqu'un avec intensité
tourner une scène ô combien saisissante
une actrice splendide

Pages 60-61

2 a Bien que – **b** Or – **c** Alors que – **d** Toutefois – **e** En revanche – **f** même si
3 a soit parti – **b** supplie / suppliait – **c** sache – **d** annonce / a annoncé – **e** faisait – **f** soit
4 a tout de même / quand même – **b** pourtant – **c** tout de même / quand même – **d** Au lieu de – **e** n'empêche que – **f** J'ai beau – **g** bien que – **h** malgré tout – **i** contrairement à
5 *Exemples de réponse possible :*
a Le ciel a beau être tout bleu, il va pleuvoir.
b Le chien aboie, tandis que le chat miaule.
c C'est une ville très polluée, pourtant je m'y sens bien.
d Il a l'air sympathique, cependant il ne l'est pas.
e Je ne parviens pas à m'endormir alors que je suis fatiguée.
f Il n'a rien fait de sa vie, or il avait de l'or dans les mains.
g Je ne viendrais pas même si tu insistais.

unité 4 Les nouveaux voyageurs

Page 66, exercices des listes

1 a chez l'habitant, la croisière, la cure, la location
b le circuit, le tourisme vert, l'écotourisme, le tourisme durable, le tourisme solidaire, la croisière, l'excursion, la randonnée, le voyage organisé.
2 a chez l'habitant, la location, la réservation, régler (le règlement), la réduction (pour les étudiants, les seniors, les jeunes mariés), l'office de tourisme, le syndicat d'initiative.
b le circuit, la croisière, la cure, l'excursion, le groupe, le village-vacances, le voyage (organisé), la réservation, le règlement, l'agence de voyages, la brochure, le catalogue, le dépliant, le forfait, régler (le règlement), le remboursement, la réduction (pour les étudiants, les seniors, les jeunes mariés), la prestation, l'agent de voyages, l'accompagnateur(-trice), le / la guide, l'interprète, l'office de tourisme, le syndicat d'initiative, le tour-opérateur, le / la voyagiste.
3 a Pour une escapade : un sac à main, un bagage à main, un sac à dos, un sac de voyage.
Pour un séjour d'une semaine : un sac à main, un sac à dos, un sac de voyage, une valise.
Pour un long séjour : un sac à main, une malle, un sac à dos, un sac de voyage, une valise.
b Pour un séjour à l'hôtel : le cadre, la capacité d'accueil, la demi-pension, les équipements, l'établissement, haut de gamme, l'hébergement, les installations, la nourriture, la nuitée, passer la nuit, la pension complète, le petit-déjeuner, rester deux nuits, séjourner.
Pour un séjour chez des amis : la nourriture, passer la nuit, le petit-déjeuner, rester deux nuits.

Pour un pèlerinage : la capacité d'accueil, l'hébergement, l'itinéraire, la nourriture, la nuitée, passer la nuit, le petit-déjeuner, le refuge, le transfert.

4 a L'écotourisme : le tourisme vert, le tourisme durable, la randonnée, le guide, le sac à dos, le camping, le refuge.
b Le tourisme de luxe : la chambre d'hôtes, haut de gamme, l'hôtel de luxe, l'hôtel 4 étoiles, la cure, la croisière, l'agence de voyages, la malle, la valise, la haute saison, le cadre, la villa.
c Le tourisme bon marché : le tourisme de masse, loger chez l'habitant, le tour-opérateur, le sac à dos, la basse saison, le refuge, bourlinguer, un routard, la réduction.
5 a Faire de la natation, faire de la randonnée, faire la sieste, lézarder, nager, se détendre, se promener, visiter des sites.
b Bronzer, faire la fête, faire de la natation, faire du ski, faire la sieste, lézarder, nager, se détendre, se promener, visiter des sites.
c Bourlinguer, bronzer, faire de la natation, faire de la randonnée, faire la sieste, lézarder, nager, se détendre, se promener.

Page 66, activité

a sacs à dos – b Routard – c vacances – d escapade – e estival – f baroudeurs – g hébergement – h camper – i congés – j camping – k chambre d'hôtel – l voyages organisés – m repos – n avons loué

Page 70, exercices des listes

1 L'arrivée à l'aéroport, le terminal, la compagnie, l'enregistrement, le tapis roulant, la porte d'embarquement, la salle d'embarquement, la passerelle, l'appareil, le pilote, l'hôtesse de l'air / le steward, le siège, attacher sa ceinture, la piste, le décollage, le vol, l'atterrissage, le débarquement, le retrait des bagages.
2 La cabine, la classe, le commandant de bord, le débarquement, l'embarquement, l'équipage, l'escale, le gilet de sauvetage, le hublot, le passager, la passerelle.
3 La gare, le guichet, l'aller-simple / l'aller-retour, le tarif, la classe, le supplément, le billet plein tarif, le tarif réduit, la salle d'attente, le compostage, le quai, le signal d'alarme, la fenêtre / le couloir, le compartiment, la banquette, le contrôleur, le terminus.

Page 70, activité

a billet – b comptoir d'enregistrement – c compagnie – d bagages – e convocation – f comptoir d'enregistrement – g trajets – h vol retour

Page 75

2 a2 ; b3 ; c1 ; d7 ; e6 ; f5 ; g4
3 a Les voyageurs sont partis à l'heure grâce à l'intervention rapide du transporteur.
b Le chauffeur du car a été condamné pour conduite en état d'ivresse.
c Faute de moyens financiers, l'agence de voyages a déposé le bilan.
d À force d'insister, il a obtenu une réduction.
e Sous prétexte que les clients sont satisfaits, la direction de l'hôtel ne vous dédommagera pas.
4 a car – b Comme – c Par manque de – d en effet – e vu qu'
5 a Il a été cambriolé à cause de ses longues absences.
b Elle évitait de porter son chapeau parce qu'elle avait peu du ridicule.
c Comme il n'avait pas de gilet de sauvetage, le navigateur s'est presque noyé.

d Il ne rencontre jamais personne lors de ses voyages à cause de sa maladresse.
e L'euro a progressé car le dollar a chuté.

Page 79

2 a Il faut faire / Faites / Vous devriez faire la liste des vaccinations. Renseignez-vous sur le système de protection sociale à l'étranger, sur les assurances…
b La veille du départ, mangez léger, évitez les excitants et allez vous coucher de bonne heure. Une fois à bord, respirez à fond et relaxez-vous, tout va bien se passer !
c Vous devriez choisir votre siège dès l'achat du billet. Il vaut mieux privilégier le couloir ou les issues de secours pour pouvoir allonger vos jambes. À votre place, j'opterais pour une place au centre de l'appareil.
d Il faudrait prévoir un tee-shirt de rechange, un kit dentaire, des boules Quiès, un masque et des chaussettes de contention.
e Il vaut mieux boire beaucoup d'eau. Évitez les boissons gazeuses, l'alcool et le café.
f Je vous conseille d'emporter un guide bien référencé, avec les adresses des sites et les moyens de transports. Louez les services d'une agence locale qui propose des circuits de visites.
g Vous devriez prévoir un pull chaud et des vêtements amples.
h Si le mal des transports vous paralyse, il est possible de se faire prescrire un traitement homéopathique par votre médecin.
3 a Il ne faut pas dépenser trop d'argent. – b Vous devriez être prudent dans ce pays. – c Il vaudrait mieux ne pas conduire trop vite à Rome. – d Vaccinez-vous au préalable. – e Il ne faut pas dormir en arrivant.
4 a Fais gaffe à tes objets de valeurs. Méfie-toi de la saison des moussons. Il va falloir t'armer de patience.
b Vous devriez vous rendre sur le site passionschambresdhotes.fr. Je vous recommande l'écotourisme. Si j'étais vous, je partirais en Suisse normande faire de la randonnée.
c N'hésitez pas à mettre de la crème solaire. Vous devriez absolument acheter le *Guide Michelin*. Prenez des vêtements amples et en coton.
d Tu devrais prendre des cours de français. Surtout, prends un parapluie et des bottes en caoutchouc ! À ta place, je prendrais le train et après, je louerais une voiture.

unité 5 Grandeur nature

Page 85, activité

1 des conditions climatiques ; écolo ; son mode de culture ; le terroir ; l'équilibre naturel ; en biodynamie ; la faune et la flore

Page 88

Propositions de réponse :
1 régions septentrionales : la Picardie, le Nord-Pas-de-Calais – régions méridionales : le Languedoc-Roussillon, la Provence – régions orientales : l'Alsace, la Franche-Comté – régions occidentales : la Bretagne, l'Aquitaine
2 Du plus grand au plus petit : le bourg – la bourgade – le village – le hameau – le lieu-dit
3 l'étang, le lac, le marécage
4 Par ordre décroissant : le fleuve – la rivière – le ruisseau – la source

5 a C'est un vrai loup de mer – **b** prendre le large – **c** avoir le mal de mer – **d** arriver à bon port – **e** avoir le pied marin
Mini-quiz : 1b ; 2c ; 3b ; 4a ; 5b ; 6a

Page 89

1 a À l'angle de – **b** au sommet de – **c** À peu de distance du – **d** Aux alentours de – **e** par endroits
2 a L'appartement est sens dessus dessous. – **b** Pierre se prend pour le centre du monde. – **c** Nous allons couper à travers champs. – **d** Il m'a sauté dessus pour m'annoncer cette bonne nouvelle. – **e** Ils marchent dans la rue bras dessus bras dessous.

Page 92, exercice de la liste

chien : le cabot, le clébard, le clebs, le corniaud (le bâtard), le toutou ; chat : le matou, le minet, le minou ; oiseau : la cocotte, le piaf ; cheval : le canasson, le dada

Page 92, activités

1 a l'agneau, la chèvre, le mouton – **b** le renard – **c** la marmotte – **d** la chauve-souris, la chouette, le hibou – **e** la biche, le sanglier, le loup, le lynx, … / tous les insectes sauf le cafard – **f** vipère – **g** l'abeille – **h** la cigogne – **i** la tortue – **f** la carpe
2 a pleurer comme un veau – **b** les rats quittent le navire – **c** j'ai des fourmis dans les jambes – **d** ne ferait pas de mal à une mouche – **e** a posé un lapin.

Page 93

1 ❶ la racine – **❷** la tige – **❸** la feuille – **❹** la fleur – **❺** le pétale – **❻** le bouton – **❼** l'épine
2 a la pâquerette – **b** le trèfle – **c** le coquelicot – **d** le colza – **e** la lavande – **f** le nénuphar – **g** le muguet – **h** l'edelweiss – **i** le géranium
3 a un peuplier – **b** un sapin – **c** un bouleau – **d** un saule pleureur – **e** un chêne – **f** un pommier

Pages 96-97

1 a le = grimper, leur = à Pollux et Philidor, y = dans les arbres – **b** la = l'histoire, leur = à Antonin et Luan – **c** m' = à moi, en = de tulipes – **d** lui = pour Lucie, en = le riz complet – **e** m' = moi-même, y = au jardinage – **f** la = la pelouse, lui = à Claire – **g** l' = David, **h** le = le rosier – **i** me = à moi Peter, te = à toi Peter, le = le Mont-Blanc
2 a COI-COD, COD-COI (avec *lui* et *leur*), combinaisons avec *y* et *en* (*y* et *en* le plus près du verbe) voir p. 191 ; **b** à l'impératif affirmatif : les pronoms suivent le verbe (avec des traits d'union) ; à l'impératif négatif : les pronoms sont placés avant le verbe ; **c** Quand le premier verbe est *laisser*, *faire* ou *voir* (c'est-à-dire un verbe de perception), il faut mettre les pronoms avant le verbe conjugué. Dans tous les autres cas, il faut mettre les pronoms avant l'infinitif (par exemple : au futur proche).
3 a Il y va. – **b** Je lui en apporte. – **c** Donnez-m'en trois ! – **d** Je veux en faire à la montagne. *ou* Je veux y faire du vélo. – **e** Nous lui en offrons un. – **f** Ne lui en parlez pas. – **g** Nous l'entendons hurler.
4 a Non, je ne m'en sers pas. – **b** Non, je ne les regarde pas passer. – **c** Non, je ne le lui ai pas dit. – **d** Non, nous ne leur en avons pas donné.
5 a Donnez-la-moi ! – **b** Achète-le-lui ! – **c** Ne leur en donne pas ! – **d** Ne l'avalez pas ! – **e** Expliquez-le-lui !

unité 6 L'histoire en marche

Page 102

1 a3 ; b2 ; c4 ; d1
2 a la chevalerie – **b** l'hérétique – **c** la croisade – **d** le vassal
3 roi, prince, duc, marquis, comte, baron
4 la noblesse, le clergé, le tiers état

Page 106

1 a2 ; b3 ; c4 ; d1
2 a le Palais de l'Élysée – **b** l'Hôtel Matignon – **c** l'Assemblée nationale / le Parlement – **d** le Quai d'Orsay – **e** Bercy
3 a le secret professionnel – **b** la liberté d'expression – **c** la défense de la vie privée
4 abstentionnistes – voter – président – liste électorale – bulletins de vote – isoloir – urne – voix – candidate – élections
5 a la ploutocratie – **b** l'anarchie – **c** l'aristocratie – **d** la voyoucratie – **e** la démocratie – **f** la technocratie

Page 110

1 a modifié – bouleversement – a transformé – s'adapter – a rétabli
2 a empirer – **b** le progrès – **c** régresser / décliner – **d** dégrader / détériorer – **e** de pire en pire
3 a la hausse – **b** l'élargissement – **c** renforcer / intensifier – **d** raccourcir / diminuer
4 peu à peu – Lentement – Soudain – précipita – brusquement
5 a sauter du coq à l'âne – **b** partir sur les chapeaux de roues – **c** aller de mal en pis – **d** tomber en ruine – **e** changer de décor

Page 111

1 a est devenu riche – **b** est devenue célèbre – **c** l'a rendue triste – **d** ont rendu nerveux – **e** est devenue compliquée

Pages 114-115

1 a résulte – **b** d'où – **c** pour qu'
2 a un effet positif sur (nom) – **b** a entraîné (verbe) – **c** si frivole qu' (conjonction + adjectif + proposition) – **d** tant et si bien qu' (conjonction + proposition) – **e** trop d(e)… pour qu' (conjonction + proposition au subj.) – **f** de manière à (conjonction + infinitif) – **g** du coup (conjonction + proposition, familier) – **h** ainsi (conjonction + proposition + inversion)
3 a4 ; b2 ; c7 ; d1 ; e5 ; f3 ; g6
4 a a permis – **b** a provoqué – **c** ont produit – **d** a suscité
5 Emploi de l'indicatif : **a, d** (conséquence réelle)
Emploi du subjonctif : **b, c** (conséquence voulue)
6 *Propositions de réponse :*
a Ségolène, Martine et Élisabeth votent à gauche, voilà pourquoi Roselyne, qui vote à droite, se sent rejetée.
b Les universitaires et les enseignants de la Sorbonne ont fait la grève de sorte que les examens finaux ont été annulés.
c Aline Jupette était si impopulaire qu'elle a dû démissionner.
d Napoléon est arrivé en retard sur le champ de bataille ; en conséquence, il a perdu la guerre.
e Le couperet de la guillotine était mal aiguisé à tel point que la tête n'a pas pu être coupée.

unité 7
Je l'aime, un peu, beaucoup...

Page 120

1 **a** l'angoisse – **b** la frayeur – **c** la panique – **d** la terreur –
e le trac
2 **a** la douleur – **b** la mélancolie – **c** le chagrin – **d** le désespoir – **e** le cafard
3 **a** joyeux – **b** heureuse – **c** gai – **d** contente

Page 121

1 *Propositions de réponse :* **a** être heureux – **b** avoir peur,
craindre – **c** avoir confiance, se confier – **d** avoir des
remords, regretter – **e** avoir honte, être honteux – **f** être
curieux – **g** avoir du chagrin, être chagriné – **h** être indifférent
2 *Propositions de réponse :* **1** la joie – **2** la contrariété –
3 l'embarras, la gêne – **4** la colère – **5** l'angoisse, l'inquiétude – **6** la surprise, l'étonnement – **7** le regret – **8** la peine
– **9** l'étonnement, l'embarras – **10** la joie

Page 124

1 **a** Je ne crois pas – **b** Je crois – **c** Je ne crois pas – **d** Je crois
2 **a** un léger doute – **b** la certitude – **c** la certitude –
d un léger doute
3 **a** la probabilité – **b** la probabilité – **c** la possibilité –
d l'impossibilité – **e** la probabilité – **f** la possibilité –
g la réalité – **h** la réalité

Page 125

1 **a** indicatif : opinion – **b** indicatif : certitude – **c** subjonctif : doute – **d** subjonctif : possibilité – **e** indicatif : probabilité – **f** subjonctif : sentiment – **g** subjonctif : volonté
2 **a** qu'il viendra – **b** qu'il vienne – **c** qu'il viendra – **d** qu'il
vienne – **e** qu'il viendra – **f** qu'il vienne
3 **a** sont – **b** vienne – **c** puisse – **d** ne croie pas – **e** es –
f fassent – **g** collectionnez – **h** êtes – **i** ne sait pas –
j connaisse

Page 128, exercices des listes

1 *Propositions de réponse :* l'amour : attirant(e), le coup
de foudre, fou (folle) d'amour, l'infidélité, la jalousie, la
passion, le plaisir, romantique, la séduction, la sensualité ; l'amitié : l'attachement, la fidélité ; pour les deux :
l'affection, la tendresse
2 le charmeur (la charmeuse), le Don Juan, le dragueur (la
dragueuse), le tombeur
3 mariage et pacs : compagnon/compagne, conjoint/
conjointe – mariage : époux/épouse – pacs : pacsé/pacsée
– partenaire (pour toutes sortes d'union)
4 *Réponse libre.*

Page 128, activité

coup de foudre ; fou d'amour ; maîtresse ; époux ; coureur ;
passionnés ; jalousie ; Amant romantique ; un baiser ; se
fréquentaient ; s'étaient séparés ; étreintes ; se réconcilièrent ; des caresses

Pages 132-133

1 La phrase **d** est différente : elle est construite avec un
infinitif.

2 **a** indicatif : simultanéité – **b** infinitif : but – **c** infinitif :
antériorité – **d** subjonctif : sentiment – **e** indicatif : cause
– **f** infinitif : postériorité – **g** subjonctif : condition –
h subjonctif : concession – **i** indicatif : postériorité –
j infinitif : but
3 **a** reçoive – **b** soient – **c** a rencontré – **d** convienne –
e ravisse – **f** dit – **g** ait eu – **h** a fini – **i** est invité – **j** dise
4 **a** Prenons le thé jusqu'à ce qu'il/elle arrive. – **b** Vous
ferez tout pour qu'il/elle soit heureux(-euse). – **c** Ne les
dérangez pas pendant qu'ils travaillent. – **d** Elle reste
lucide malgré qu'elle ait réussi. – **e** Vous devez patienter
en attendant qu'il/elle réponde. – **f** Il est craint parce qu'il
est agressif. – **g** Je ne l'ai pas revu depuis qu'il est rentré.
– **h** Delphine est tombée amoureuse lorsqu'elle séjournait
à Rhodes.
5 *Propositions de réponse :*
a Organisez une belle fête de fiançailles afin que ce jour
reste gravé dans vos mémoires.
b J'ai pris la décision de me remarier quoique mes enfants
s'y opposent.
c Soyez plus fermes avec vos enfants de façon qu'ils vous
respectent.
d Nous commencerons le dîner d'anniversaire dès que
Yannick sera arrivé.
e Il se dissimule de crainte que la professeur le remarque.
f Nous nous pacserons une fois que nous aurons pris la
décision de vivre ensemble.
g Nous nous aimerons tant que rien ne nous séparera.
h Jean-François pourra vous accompagner à moins qu'il ne
travaille ce jour-là.

unité 8 Ressources humaines

Page 138

1 la formation continue, la formation professionnelle, (se)
former, se recycler
2 **a** l'embauche, embaucher, engager, l'offre d'emploi, le
recrutement, recruter, la sélection, sélectionner
b le/la candidat(e), chercher un emploi, le chômage, être
au chômage, le/la chômeur(-euse), l'expérience professionnelle, poser sa candidature à, postuler, solliciter un
emploi
c l'agence d'intérim, le cabinet de recrutement, le/la
candidat(e), la candidature, le curriculum vitæ / le CV,
l'entretien d'embauche, le Pôle emploi, la recommandation
3 **a** le boss, le cadre, le chef d'entreprise, le/la chef de
service, le/la directeur(-trice), le/la DRH, l'employeur, le
gérant, le/la patron(ne), le PDG, le/la responsable
b l'intérimaire, le/la saisonnier(-ière), le/la vacataire
4 un petit boulot, un job
5 la fonction, le poste
6 **a** le congé, le congé maladie, le congé parental / maternité / paternité, les congés payés, la pause, la RTT, faire
le pont
b l'avancement, monter en grade, la promotion
7 **a** Le salaire *net* est celui que le salarié *touche* ; le salaire
brut est celui que l'employeur *paie / verse*.
b Je n'ai malheureusement pas de *treizième mois*. Mon
entreprise ne donne qu'une *prime* de fin d'année.
c Je trouve inadmissible que les patrons partent avec des
parachutes dorés alors qu'ils n'ont jamais *payé* leurs employés plus que le *SMIC* !

STOP
AU *PLAN SOCIAL* PRÉVU PAR LA DIRECTION !

Après l'échec des *négociations* avec la direction, la CFDT,
le *syndicat* majoritaire de l'entreprise, a voté *la grève*

SYNDIQUÉS OU PAS,
LUNDI PROCHAIN TOUS *GRÉVISTES* !

Rendez-vous à 8 heures
devant le *piquet de grève*

Syndicalement.

9 être à la / en retraite, le licenciement, licencier, mettre
à la porte, renvoyer, la préretraite, la retraite, partir à la /
en retraite, prendre sa retraite

Page 142, activité
1 a un sondage – **b** les trois quarts – **c** un quart – **d** la moitié – **e** Une majorité – **f** moins d'- **g** une faible minorité –
h la plupart

Page 146
1 a contraste avec – **b** équivalentes – **c** de moins en moins
de ; de plus en plus de – **d** identique à – **e** Au regard du –
f Autant ; autant
2 a une pie – **b** le loup blanc – **c** un vrai requin – **d** une
carpe – **e** des sardines – **f** une mule – **g** une fouine
3 1 similitude – **2** différence – **3** similitude – **4** différence –
5 différence – **6** similitude

Page 150
2 a adjectif verbal : il qualifie le nom (*Thierry*) – **b** *déva-
lorisant* = adjectif verbal : il qualifie le nom (*ce regard*) ;
étant = participe présent : exprime la cause – **c** *en se
rabattant* = gérondif : exprime la simultanéité ; *en col-
lectionnant* = gérondif : exprime la manière – **d** participe
présent : équivalent à *qui + concernent*
3 a Je ne peux pas lire et écouter de la musique en même
temps.
b On a plus de temps pour les loisirs quand on travaille
35 heures par semaine.
c Si vous étiez parti plus tard hier soir, vous auriez fini
votre travail.
d Vous n'aurez pas nécessairement d'augmentation parce
que vous faites du zèle.
e Mon patron m'a renvoyé en même temps qu'il m'expli-
quait que je n'étais pas assez productif.
4 a espérant – **b** équivalents – **c** Reconnaissant –
d en travaillant – **e** ayant
5 a fatiguant (*adjectif*) – **b** excellant (*forme verbale*) –
c convaincant (*adjectif*) – **d** divergeant (*forme verbale*) –
e Adhérant (*forme verbale*)

unité 9
À la recherche du bien-être

Pages 156-157
1 a Crus : l'avocat, la carotte, le céleri, le champignon, le
chou, le concombre, le cornichon, la courgette, l'endive, les
épinards, l'oignon, le poivron, le radis, les salades (le cresson, la frisée, la laitue, la mâche, le mesclun, la scarole).

Cuits : l'artichaut, la betterave, la carotte, le champignon,
le chou, la courgette, l'endive, les épinards, le fenouil, les
haricots, le navet, l'oignon, le poireau, les petits pois, le
poivron, la pomme de terre.
b Épluchés : l'asperge, l'aubergine, l'avocat, la betterave,
la carotte, le chou, le concombre, la courgette, l'endive, le
navet, l'oignon, le poireau, le poivron, la pomme de terre,
la tomate.
Non épluchés : l'artichaut, le céleri, le champignon, le
chou, le cornichon, l'endive, les épinards, le fenouil, les
haricots, les petits pois, le poivron, le radis, les salades
(le cresson, la frisée, la laitue, la mâche, le mesclun, la
scarole), la tomate.
2 a L'abricot, le brugnon, la cerise, la datte, la mangue, la
mirabelle, la nectarine, la pêche, la prune.
b Le citron, la mandarine, le melon, le pamplemousse, la
pastèque, la pomme, la poire, le raisin.
3 *Réponse libre.*
4 Liquide : l'huile (d'olive, de noix, de sésame), la mayonnaise, la moutarde, la vanille et le vinaigre.
Frais : l'ail, l'aneth, le basilic, le gingembre, l'oignon, le
persil, le piment, le thym
Secs (en grains, hachés ou en poudre) : l'ail, l'aneth, le
basilic, la cannelle, le curry, le gingembre, la moutarde,
le paprika, le persil, le piment, le poivre, le sel, le thym, la
vanille
5 a le lait, le beurre – **b** le yaourt, le fromage blanc, le petit
suisse – **c** le beurre – **d** le lait, le beurre, le yaourt, le fromage blanc – **e** le beurre, la crème fraîche, le lait, le yaourt
6 En Afrique : le sésame.
En Amérique du Nord : l'avoine, le blé, le maïs, le seigle.
En Amérique du Sud : le quinoa, le maïs.
En Asie : le riz, le sésame, le blé, le soja.
En Europe : l'avoine, le blé, l'orge, le seigle, l'épeautre.
En Océanie : le riz.

Page 160, La cuisine
1 a2 ; b2 ; c5 ; d1 ; e1 ; f5 ; g3 ; h1 ; i3 ; j4
2 1 Appréciation négative (*être amer*) – **2** Appréciation
positive (*avoir bon goût*) – **3** Appréciation positive (*être
exquis*) – **4** Appréciation positive (*être succulent*) –
5 Appréciation négative (*être pourri*) – **6** Appréciation
positive (*être vraiment copieux*) – **7** Appréciation négative
(*avoir l'air dégueulasse*) – **8** Appréciation négative (*sembler fade*) – **9** Appréciation négative (*être lourd à digérer*)
– **10** Appréciation négative (*rater*) – **11** Appréciation
négative (*ne pas être terrible*) – **12** Appréciation négative
(*être vert*) – **13** Appréciation positive (*être savoureux*) –
14 Appréciation négative (*ne pas avoir de goût*) –
15 Appréciation négative (*brûler*)

Page 160, La quantité
1 Dix centilitres d'eau, deux cents grammes de farine, un
kilo d'oranges, un litre de lait, une livre de beurre, une
boîte de thon, un bouquet de persil, une branche de
romarin, un brin de laurier, une cuillère à café de sel, une
cuillère à dessert de sucre, une cuillère à soupe de
vinaigre, une douzaine d'œufs, des feuilles de menthe, une
gousse de vanille, vingt gouttes de fleur d'oranger, un
grain de riz, une louche de soupe, des miettes de pain, un
morceau de gingembre, une part de tarte, une pincée de
sel, une poignée de noisettes, une pointe de piment, une
rondelle de saucisson, un sachet de thé, une tasse d'eau,
une tête d'ail, une tige de rhubarbe, une tranche de
jambon, un verre de vin, un zeste de citron.

2 1 un peu (*un brin de*) – **2** beaucoup (*une grosse part*) – **3** un peu (*trois fois rien*) – **4** un peu (*presque pas de*) – **5** beaucoup (*un tas de*) – **6** beaucoup (*pas mal de*) – **7** beaucoup (*un grand nombre de*) – **8** un peu (*à peine*) – **9** un peu (*quelques miettes*) – **10** un peu (*juste une cuillère à café de*) – **11** un peu (*sans excès*) – **12** beaucoup (*substantiel*) – **13** un peu (*quelques*) – **14** beaucoup (*foule*) – **15** un peu (*juste une pointe de*)

Page 164

1 1h ; 2a ; 3g ; 4f ; 5e ; 6d ; 7c ; 8b ; 9i ; 10j
2 a avoir l'estomac dans les talons – **b** n'avoir pas les yeux en face des trous – **c** être bien dans sa peau – **d** avoir mal au cœur – **e** avoir bonne mine – **f** n'avoir que la peau sur les os – **g** avoir des poignées d'amour – **h** être sur les rotules
3 *Réponse libre.*

Page 169

2 a pour que – **b** qui – **c** de façon à – **d** pour – **e** afin de – **f** de manière (à ce) qu' / afin qu' – **g** afin que – **h** pour – **i** objectif – **j** le but (*D'autres réponses sont possibles.*)
3 *Propositions de réponse :*
a La diététicienne va te recommander des recettes afin que tu puisses recevoir tes amis sans grossir.
b Nous allons manger dehors de façon à profiter du soleil.
c Les enfants se sont inscrits à la natation pour se dépenser après l'école.
d Lève-toi demain de bonne heure pour que nous préparions le petit-déjeuner à maman.
e Je vais t'expliquer comment fonctionne le four de sorte que tu nous prépares de bons plats.
4 a Elle a mis des lunettes de soleil de façon à ne pas avoir mal aux yeux.
b Les Durand suivent des cours de cuisine afin que leurs amis acceptent de nouveau leurs invitations à dîner.
c Au lieu de boire du champagne, il a pris un jus de tomate dans le but de continuer à perdre du poids.
d Il a souligné en rouge l'heure de son rendez-vous chez le docteur de peur de l'oublier.
e Marchez au moins trente minutes par jour pour que vos nerfs se relâchent.

unité 10
Le français dans tous ses états

Pages 174-175

1 a être comme un coq en pâte – **b** un panier de crabes – **c** quand les poules auront des dents – **d** ménager la chèvre et le chou – **e** Revenons à nos moutons ! – **f** courir plusieurs lièvres à la fois – **g** être serrés comme des sardines
2 *Réponses libres.*
3 a3 ; b1 ; c2 ; d4
4 a jeter un pavé dans la mare : apporter la surprise et le trouble dans une situation tranquille – **b** la goutte d'eau qui fait déborder le vase : le petit détail qui rend intolérable une situation globale et suscite une réaction violente – **c** scier la branche sur laquelle on est assis : remettre en cause la situation dont on bénéficie – **d** ce n'est pas une lumière : c'est une personne pas très intelligente, pas très fine.
5 a je m'en moque comme de l'an quarante – **b** il prend

tout au pied de la lettre – **c** je suis au bout du rouleau – **d** a fait couler beaucoup d'encre – **e** Ne cherche pas midi à quatorze heures !
6 a Dormir – **b** Se prendre pour quelqu'un de très important – **c** Avoir des difficultés à subvenir à ses besoins – **d** Se contenter d'un premier succès

Page 178

1 a finalement – **b** d'ailleurs – **c** En fait – **d** Justement – **e** Pourtant
2 en effet – ainsi – par ailleurs – d'une part… d'autre part – en règle générale – en un mot – cependant – en ce domaine – cela étant – cela prouve qu'
3 *Propositions de réponse :*
a Tu n'aimes pas beaucoup la grammaire, en revanche tu maîtrises très bien l'orthographe.
b …Toutefois, elle poursuit avec enthousiasme ses études de français.
c On pensait les grands classiques oubliés, en fin de compte ils reviennent à la mode.
d …Néanmoins, elle est régulièrement étudiée au lycée.
e Autrement dit, le français est toujours menacé même à l'intérieur de ses frontières.
f Ça confirme que le français reste encore une langue appréciée à l'étranger.

Page 182

1 a enfant (*standard*) – **b** converser (*soutenu*) – **c** être gris (*soutenu*) – **d** se grouiller (*familier*)
2 a Il m'entend, ou quoi ! (*familier*) – **b** Ces peintures sont-elles sublimes ! (*soutenu*) – **c** Il a dérobé l'ouvrage de son camarade. (*soutenu*) – **d** On a pas été se promener. (*familier*)
3 Série A : 1. standard, 2. familier, 3. soutenu ;
Série B : 1. familier, 2. soutenu, 3. standard
Série C : 1. soutenu, 2. standard, 3. familier
Série D : 1. familier, 2. standard, 3. soutenu
Série E : 1. soutenu, 2. standard, 3. familier
Série F : 1. familier, 2. standard, 3. soutenu
4 a soutenu : imparfait du subjonctif – **b** familier : *des* à la place de *de* – **c** standard : question avec *est-ce que* et futur simple – **d** soutenu : inversion et subjonctif – **e** familier : abréviation – **f** soutenu : passé antérieur et passé simple

Pages 186-187

1 a à condition qu' – **b** tu m'aurais appelé – **c** En lisant – **d** Si – **e** moyennant – **f** Si
2 a *Si* + plus-que-parfait + cond. passé : hypothèse irréalisable – **b** *Si* + passé comp. + passé comp. et fut. simple : hypothèse réalisable – **c** *Si* + imp. + cond. prés : hypothèse irréalisable – **d** *Si* + plus-que-parfait + cond. prés. : hypothèse irréalisable – **e** *Si* + passé comp. + fut. antérieur : hypothèse réalisable – **f** *Si* + prés. + cond. prés. : hypothèse réalisable – **g** *Si* + imp. + cond. passé : hypothèse irréalisable
3 a n'aies pas encore fini – **b** trouverais – **c** j'étais ; j'achèterais – **d** s'en aller de Paris – **e** venait ; soit – **f** Tu skierais – **g** j'avais observé ; j'aurais pu – **h** fasse ; vienne
4 *Propositions de réponse :* **a** À condition qu'il neige – **b** Au cas où vous auriez le temps – **c** à moins qu'il y ait des bouchons – **d** À condition de prendre l'Orient Express – **e** Dans l'hypothèse où Petit Gibus viendrait
5 *Réponses libres.*

Table de crédits iconographiques

Crédits textes

Crédits vidéos et transcriptions

Musique menu « Jungle Jazz» Composée par Eric Caspar KOS36 © Kosinus- Kmusic

Crédits sonores

Jingle :»Rhythm and News», composée par Loy Ehrlich KOS85 © Kosinus -KMusic

Nous avons recherché en vain les auteurs ou les ayants droits de certains textes et/ ou documents reproduits dans ce livre. Leurs droits sont réservés aux Éditions Didier.

Achevé d'imprimer en Italie en janvier 2013 par ⟨logo⟩ Grafica Veneta - Dépôt légal : 6657/08